はじめに

古代、人々は自然が巻き起こす多様な現象や、今自分たちがここにいるという奇跡に神を見出した。毎日昼が来て夜に変わるのも、春夏秋冬の季節が巡るのも、大地があって海があって空があるのも、人が生まれ子を育て老いていくのも、すべては神々（あるいはそれに準じる偉大な何者か）の力やその行いだと信じた。そして、「どのようにしてそうなったのか」を物語としたのだ。神話である。

神話にはいろいろな意味があったはずだ。

単に、「世界はこのようにして成立している」という事だけでも、それを信じれば「明日この世界が一瞬にして終わってしまうかもしれない」という不安から解放される。さらに、神話の中で神々が演じる成功譚や失敗譚、神が「こうせよ」「こうするな」と教えてくれる物事は、人々が生きていくための指針となってくれるはずだ。たとえば、イスラム教の教えにおいて豚を食べることは禁じられているが、これは当時の衛生環境では不潔で食べると害があったことから来ているのではないかと考えられている。人々が長年にわたって積み重ねてきた経験と知恵もまた、神話には現れているのだ。

神話は自信と権威にもつながる。「俺は神話に語られる神（の関係者）の末裔なのだ」といえば、真実はあやふやでも、末裔を名乗れるくらいの実力や歴史を持つ人物や家という印象は与えられる。敬意を示してくれる人は多いだろう。あるいは、「神の末裔たる自分（の主君）には加護がある」と信じることもできる。真に不可思議な力があるかどうかはこの場合どうでもよくて、信じることで生まれた自信が最後の一線で自分を救ったり、あるいはその評判を信じて人が集まる、というのはままあることだ。「鰯の頭も信心から」である。

神話は娯楽でもあったはずだ。テレビも漫画もアニメもゲームもなかった時代、父や母、長老や巫女の語る神々の物語は、多くの人々にとって数少ない娯楽であったろう。そこに語られる神々や人々、動物たちの冒険に、人々はワクワクしたはずなのである。その興奮と感動は、現在のエンターテインメントにも決定的につながっている。

以上のような事情を前提とし、何らかの創作――小説、漫画、アニメ、ゲーム――の助けになるべく、世界各地の神話を紹介するのが本書の目的である。「創作のために」というのが本書のミソで、紹介する神や人物、エピソードについても「創作に役立ちそうか否か」という前提で選定している。これは神話や伝説があまりにも膨大過ぎてすべては収録できないという事情もあることをご了承いただきたい。また、神や人の名前についてはなるべく世間に広く知られているものを選んだ。あわせてご了解いただきたい。

本書は『物語づくりのための黄金パターン　世界観設定編』シリーズの四冊目だ。これは『物語づくりのための黄金パターン117』に始まる『黄金パターン』シリーズの番外編として位置付けており、レイアウトやデザインは同シリーズのものを継承している。内容としては秀和システムさまから刊行させていただいた『創作事典』シリーズの復刊であり、旧版にあったイラストを廃して図版を増やし、内容を整理した。

本書の冒頭にはサンプルになる神話を三つ収録している。これはまったくの本書におけるオリジナルだが、皆さんが己の創作において神話を作るとき、参考になるように意識して構成した。また、どんな意図を持って作ったかについても記したので、そのような点でも参考になるのではないだろうか。

榎本秋

もくじ

第二章：神話を構成する要素

第三章：さまざまな神話

もくじ

神話サンプル

物語やキャラクター、世界設定のバックボーンとして使えそうな神話のサンプルを３本用意した。参考にしてほしい。

サンプル1 〈見出した者たち〉信仰

イントロダクション

神話を彩るものといえば、まずはなんといっても多種多様で個性的な魅力を持つ神々であろう。

この神話には創造神たる〈はじまり〉、旧世代かつ悪役たる〈傲れる者たち〉、そして神話の主役である〈見出した者たち〉という多様な神々のグループがある。

また、神話はただの作り話ではない。歴史を映し出す鏡でもある。この神話が作り出された背景に、どんな人々の営みがあったのか……。

〈はじまり〉と〈傲れる者たち〉

この世界でもっとも知られた信仰は、〈見出した者たち〉信仰と呼ばれている。信仰の対象である偉大な神々が〈見出した者たち〉と呼ばれるところからついた名前だ。

始まりには昼も夜もなく、空も大地もなく、風も海もなかった。ただただぼんやりとした薄暮ばかりがそこにあった。渦巻く混沌もなく、人がよって立つ大地もなかった。均質で灰色の世界がどこまでも続いていたのだ。

そこに、一柱の神が松明を掲げてやってきた。光がもたらされて影が生まれ、火が薄暮を焦がして空と大地が分かれ……という具合に、すべてが生まれていった。この神を〈はじまり〉と呼ぶが、具体的な名前は伝えられていない。〈はじまり〉は今も空の上の上の上にいるのだとも、とっくの昔にこの世を去ったのだともいう。

〈はじまり〉は世界が作り上げられていくに際して、手も口も出さなかった。ただただ松明を掲げるばかりで、そこから新しいものが生まれることはあっても、自ら何かを作り出そうとはしなかったのである。

代わりに、〈はじまり〉に似た姿のものたちが薄暮

基本コンセプト

シンプルに、ファンタジー世界にありそうな多神教信仰

⬇

物語の題材や賑わいになりそうな勇壮な神話をイメージ

キーポイント

ギリシャ神話的な神々の集団スタイルを意識

⬇

個性的な神々が登場することが一番のポイント

神々のグループを２種類登場させる

⬇

その背景に民族対立があり、ドラマを生む

の中から現れた。〈傲れる者たち〉である。これは後の呼び名だ。当時は別の名があったはずだが、今はもう忘れ去られてしまった。

今の世界を作ったのは〈傲れる者たち〉だといわれている。土を盛り上げて山を築き、逆に削って海を作った。木を埋めて森を作ったが、炎の神が踊った後が砂漠になるような失態もあった。もちろん、あまねく動物、植物、そして人間も作った。

〈傲れる者たち〉は地上に輝くような宮殿を作り、そこで毎日宴を催した。単に酒を飲み、美食を楽しみ、女たちをはべらせただけではない。人間たちの中から強いものを宮殿に招き、戯れに殺し合いをさせた。民衆はこれに熱狂したという。

このように、〈傲れる者たち〉は偉大な作り手であると同時に恐ろしい支配者でもあったので、人々の間には不満が溜まったが、〈傲れる者たち〉がそのような苦しみに目を向けることはなかった。

その不満が力になったのか、それとも別の原因や陰謀、〈はじまり〉の意思が関わったのか。これは〈見出した者たち〉信仰者の中でも意見が分かれている。

一つ共通しているのは、破滅が訪れたということだ。かつて世界を薄暮から作り上げた松明の光がゆっくりと衰えていったのである。〈はじまり〉の手にあったはずだが、この時最初の神がどこでどうしていたのかも諸説が分かれる。既に姿を消していたとも、この時に姿を消したのだとも、まだいたけれども何もしなかったとも、他の神々と同じように狼狽えるばかりであったともいう。

そう、〈傲れる者たち〉はこの非常事態に何もできなかったのである。いや、何かをしようとはしたらしい。韋駄天(いだてん)を誇る神が世界中をめぐって原因を探ろうとし、火を司る神は己の命をかけて新たな光を作り出そうとしたが失敗し、大爆発してしまったともいう。神話によれば、今の人々が火に触れれば身を焦がしてしまうのは、この時の火の神のしくじりに起因すると伝えられている。

決死の奔走も実らず、〈傲れる者たち〉の手によって松明の光が戻ることはなかった。世界はゆっくりと元の薄暮に戻ろうとしていた。光と闇は溶け合い、昼も夜もなくなり、人も動物も生きていけなくなりつつあり、世界は滅ぶかと思われた。

その時、勇気ある者たちが旅に出た。それは人間であるとも、それまで姿を見せていなかっただけで神であったのだともいう。ともかく、老若男女取り混ぜた彼らは薄暮に戻りつつある世界を旅した。この冒険譚は詩人たちが酒場で歌う物語の定番になっている。

長い長い冒険の末、一行はついに新たな光となるものを見つけ出した。もっとも穏当な物語では薄暮の彼方へ姿を消していた〈はじまり〉を探し出したのだとされ、もっとも過激なものでは実は〈傲れる者たち〉が光が衰える秘密を知って隠していたのだとする。ともあれ、世界は救われた。松明は再び煌々と世界を照らし、薄暮は去った。人々は一行を熱烈に歓迎した。

〈傲れる者たち〉の末路も何パターンかに分かれる。自らの行いを恥じて、豪奢な宮殿を取り壊して地の果てへ去ったともいうし、最後まで一行と対立して戦争になったともいう。もちろん、庶民が聞く物語として人気があるのは、戦争をやるパターンだ。

一行は〈傲れる者たち〉に取って代わるつもりはなかった。地上に宮殿を作らず、代わりに空の上に宮殿を作った。人間たちに干渉をせず、見守ることを選んだのである。人々は彼らを神として信仰し、新たな名前を奉った。それこそが世界を照らし、昼と夜を切り分ける光を見つけ出した者たち、〈見出した者たち〉である。

〈見出した者たち〉信仰

人々は、〈見出した者たち〉は今もなお自分たちの頭の上にいて見守ってくれていると信じている。また、さまざまな伝説において「神々がこっそり空を抜け出して地上を歩き、人助けをしたり騒動を巻き起こしたりする話」が語られているので、地上のどこかにいるだろうとも考えられている。例えば、空を流星が走れば、「ああ、どなたかが降臨なさったのだ」と考えるわけだ。

人々が〈見出した者たち〉を信仰する時、まず全体として祈りを捧げる。特定の神を祈らず、「神さまたち、私をお守りください」と祈る人はそう珍しくない。しかしもっと多いのは、とりあえず自分の職業に親しい神を選んで祈るケースだ。

〈見出した者たち〉の主要な神々、世界を救う旅に出た者たちとしては、次の名前が知られている。

・**アイテール**：〈はじまり〉から世界を照らす松明を受け継いだ太陽神。探索時代から一行を率いるリーダー格だった。

・**コルヌ**：軍神。女性。元は奴隷身分であったのがアイテールに拾われて以来、彼に忠誠を誓ったとされる。

・**イグニス**：世界が薄暮に帰ろうとしていた時代、人々に炎を配って温めたという炎神。技術や知恵の神という側面がある。

・**フルクトゥアト**：川を象徴する水神。元は一行を守護していた水の精霊であったと伝えられる。

・**カントクス**：放浪と詩人、芸能を象徴する文化神。二次的に風の神としても崇められる。

・**アウルム**：鉄を始めとして金属を司る鍛冶神。一行の最年長として抑え役であったと神話は伝える。

この他、一行の同行者としてさまざまな下位神の名が伝えられたり、〈傲れる者たち〉と総称される古い神々も「自分たちの怠慢を反省して〈見出した者たち〉に従い、その仲間になった」と説明されて同時に信仰されることが多い。

神話と歴史

〈見出した者たち〉信仰は、大陸中央部の歴史と直接的に関係があるものと考えられている。

古く、この地域は〈光輝の主〉信仰があった。太陽神を主神とする多神教で、当時の都市国家群と結びついて権勢を誇った。しかし、東から流れてきた民族との争いに敗れて支配下に入り、やがて両者は融合する。そして、彼ら東からの侵略者たちの信仰対象こそ、後の〈見出した者たち〉であったのである。

侵略者たちは進んだ文明を持つ先住民族の文化を尊重し、むしろ積極的に取り込んでいったので、〈見出した者たち〉の神話も相当に変化したし、名前も先住民族風の呼び方をされている。しかし、神話的原型は間違いなく彼らがもともと持っていた信仰なのである。

そして戦いに敗れた先住民族の神々はおとしめられ、〈傲れる者たち〉と呼ばれるようになったのだ。

そのため、今もなお旧先住民族の血を引くものたちの間では、古くからの信仰が生き残っている。彼らはひそかに祠を作り、そこで自分たちの神を崇めている。今は偽りの神を崇めるものたちに支配されているが、いつかきっと真の神が帰ってきてその栄光は取り戻される、というのが彼らの間に伝わる口伝だ。もちろん、この祠で〈傲れる者たち〉などという名前は使われない。古き名前、〈光輝の主〉として信仰の対象になるのである。

また、神話において〈傲れる者たち〉が追い落とされて〈見出した者たち〉が台頭するきっかけになった出来事については、歴史上実際に起きたことではないかと推測されている。もちろん、世界の破滅などというファンタジックな事件ではない。ちょうど東方からの異民族侵入があった頃、この世界はミニ氷河期ともいうべき気温低下の時代に入っていたのである。空を厚い雲が覆って太陽が見えなくなることも多く、飢饉から多くの人命が失われた。その出来事を神話の編纂者たちは「世界が薄暮に帰ってしまう」と表現したのではないか、というわけだ。

〈見出した者たち〉信仰発想の流れ

最初の発想
「多神教で神話を作るなら、やはり北欧神話やギリシャ神話を
参考にしながら、現代エンタメっぽさも出したい」

物語のフックとして使いやすくするために、
二重構造の神話にしてみよう

支配的な〈見出した者たち〉信仰と、抑圧されている
〈光輝の主〉信仰の関係性は、そのまま作中の社会の関係でもある

神話に隠された歴史的真実に
迫る物語でも面白くなるだろう

創作のヒント

〈見出した者たち〉信仰を作り上げるについては、方針が二つあった。

一つは、多神教のサンプルとしてはギリシャ神話的な、あるいは北欧神話的な集団構造が適切であろうと考えたこと。主神がいて、周りを固める個性豊かな神々がいて、という構造があってこそ、多くの人にとって親しみやすいものになるのではないだろうか。いろいろな性質や守備範囲の神々がいることで、キャラクターを個性づけるためのバックボーンにもしやすいはずだ。

もう一つは、多民族の信仰を取り込んだ二重構造にしようと考えたことである。ギリシャ神話におけるウラノス→クロノス→ゼウスの下克上関係もモチーフにしたが、もっとも念頭に置いていたのは日本神話における天津神と国津神の関係だ。おそらく実際の歴史にあったであろう侵略と融和の歴史が、神話に現れるというのは物語として面白いのではないか……と考え、このような設定を作った。

サンプル2　聖女と大神

イントロダクション

神は至高の存在だ。至高であるなら、複数いるのはおかしいのではないか。

　というわけで、二つ目の神話は一神教である。

　それはかつて滅びに瀕していた人間を救った神であるという。それは聖女が自らの命をかけて解き放った神であるという。

　神には名もなく、その姿もはっきり分からない。それゆえに神なのだ。

　今、神は天から人を見守っている。少なくとも司祭たちはそう言っている。

　しかし、本当のところはどうなのか？　神話はどこまで真実なのか？　疑うものも少なくはない……。

世界の始まり

　その宗教は、他地域の人からは〈聖女教〉と呼ばれる。一般信者もあまり気にせずこの呼び方をするが、熱心な信者や司祭は決してこのようには呼ばない。公式な呼び名は〈大神教〉だ。この食い違いは神話的な事情から来ているため、理由は後述する。

　さて、〈聖女教〉では世界の始まりは混沌の海であったと語られている。

　ありとあらゆる要素がたゆたうその混沌が自然と固まって浮かび上がって大地となり、その上に木々が蔓延（はびこ）って草も生え、川も流れて動物たちも生まれた。そうして人間たちもまた、この世に現れたのである。これが世界創造だ。

　〈聖女教〉の語るところによれば、この頃の地上に神はいなかったとされる。不可思議な力を持つもの、神を名乗るものはいたが、それらはすべて偽物であったという。この主張は〈聖女教〉の存在意義に関わるものであるのだが、やはり後で紹介する。

　ともあれ、こうして混沌の海から浮かび上がった大

基本コンセプト

中世ヨーロッパそのまま「でない」一神教

⬇

「聖女」と「大神」という二重構造で一工夫

キーポイント

大神信仰と聖女信仰

⬇

宗教勢力が意図する信仰と、民間信仰は必ずしも一致しない

聖女伝説はどこまで真実を語っているのか……？

⬇

謎があるからこそドラマが作りやすくなる

地の上で、人類の歴史が始まった。しかし、その生活は苦難に満ちたものだった。混沌の海からはたびたび魔獣が上がってきて人々を襲ったからだ。

魔獣は山ほどに大きいものもいれば、人や獣ほどの大きさである代わりに無数の数がいるものまでさまざまだった。人は集団を作り、武器を揃え、壁を建てたが、魔獣の前に無力だった。人よりも数の多い魔獣、剣より鋭い牙や爪を持つ魔獣、壁を踏み潰せる魔獣がいたからだ。

それでもなぜ人間たちが生き残れたか、は諸説ある。魔獣の襲来にある程度期間が空いたからだともいうし、魔獣に人間を滅ぼすつもりがなかった、いたぶっていたからだともいう。あるいは、実際のところ人間はどんどん数を減らし、絶滅寸前になっていたともいう。

〈聖女〉の出現と昇華

転機になったのはアルマという少女の出現だった。不思議な力によって魔獣を退け、人々の心を取りまとめたことから、人は彼女を〈聖女〉と呼んだ。魔獣に追い散らされた人々は彼女のもとに集まった。そこで

あれば魔獣に苦しめられずに生きることができると信じたからだ。

アルマ本人は苦悩していた。彼女には分かっていたのだ――自分の力だけですべての人を守ることはできない、ということが。世界にはまだまだ多くの人がいて、野獣はもっと多かった。彼女一人で世界を支えることはできなかったのである。

しかし、アルマには希望があった。自分の中にある力を解放することで、人々を救うことができるという予感があったのである。彼女の力は体の中で眠っている状態に等しく、解き放てば真の姿を得るだろうと思えたのだ。――ただし、それを行えば、彼女の命がどうなるかは分からなかった。

この時、アルマの周りには仲間たちがいた。中には恋人もいたという。仲間たちの意見も分かれた。世界を守るためには犠牲もしかるべきというものもいれば、アルマを犠牲にすることは許されないというものもいた。彼らは相撃つ寸前までいったが、アルマが制止した。彼女は、自分の意志で己の力を解放したのである。

この一連の展開は〈聖女〉物語のクライマックスであり、演劇や叙事詩における大人気テーマとなっている。

結論からいえば、奇跡は起きた。アルマの体から抜け出た力は人々からさらなる力を集めながら巨人となり、今まさに迫っていた巨大魔獣を撃退したのである。そして、全身から光の粒を撒きながら天へ昇っていった。――聖女は、死ななかった。しかし力を失い、恋人と共にひっそりと人々の前から姿を消した。それ以来、彼女が歴史の表舞台に出ることは二度となかったのである。

この日の奇跡以来、魔獣は世界から姿を消した。人々は恐怖から解放され、ようやく人間の歴史が始まったのである。

〈大神〉

〈聖女教〉あるいは〈大神教〉において、神は唯一、奇跡の日に聖女の体から抜け出た存在のみである。これが〈大神〉だ。他の神はすべてまやかしか、魔獣の化身とされた。

〈大神〉の周囲には天使が描かれる。これは〈大神〉の分身であるとも、聖女の仲間たちが変化したものであるとも、その中から抜け出た力であるともいう。

この宗教では偶像が禁止されていない。そして、絵画や彫刻などで〈大神〉は光の巨人として描かれる。はっきりとした顔や姿形は描写されない。神はそのような人格的な存在ではない、と考えられているからだ。啓示がくだされたというエピソードもあるが、男の声とも女の声とも、子どもの声とも老人の声ともつかなかった、と言い伝えられている。

この〈大神〉は聖女アルマとは別の存在であると理解されている。あくまで彼女の中に眠っていた力であり、聖女は器ではあっても神そのものではない、というわけだ。ゆえに司祭と熱心な信者は、〈大神教〉と呼ぶ。

にもかかわらず〈聖女教〉と呼ばれてしまうのは、聖女信仰が非常に根強いからだ。一般信者の多くは聖女と〈大神〉の区別がつかない。物語などで親しみやすい聖女をこそ信仰の対象にしてしまう。これは教団にとって長年の頭痛の種になっており、たびたび信仰を規制しようとしているが上手くいったためしがない。最悪の場合信仰そのものを破壊してしまう可能性を考えて、あまり強い手も打てないのだ。

神話と真実

神話はどこまで真実を伝えているのか——これは非常に難しいテーマだ。

神話をすべて真実だと信じている人もいるし、何もかも作り話だと思っている人もいないわけではない。だが、基本的には、かつて神話に伝えられるような出来事があったのだと信じている。実際、今でもごくたまに魔獣が目撃されることがその傍証になっているのだ。

しかし、一部神学者たちの研究によって、聖女伝説に疑いの目が向けられつつあるのもまた事実である。神話では大陸は混沌の海に浮かんでいるということになっているが、今私たちの目の前に広がっているのは青い海だ。これはどういうことなのか？　他にも神話を細かく調べ、実際の地理や発掘結果と比べていくと、整合性の取れない項目がいくつも出てくる。

特に疑問が持たれるのは聖女関係だ。いくら力を失ったとしても、絶大な人気を誇ったはずの聖女がどうして姿を消さなければならなかったのか。そこに何か陰謀や権力闘争があったのかもしれない（聖女が力を使うかどうかに際して起きた内部対立のエピソードはそのことを示しているのではないか？）。あるいは聖女は本当は死んでいたのかもしれない。力を失ったことによる影響が語られている以上に深刻であった可能性もある。

また、〈大神〉と聖女を厳密に切り離そうとする姿勢から、実は二つの神話をくっつけて作られたのではないかと疑われることさえある。

もちろん、これらの研究はおおっぴらにはできない。〈大神教〉の権威をおとしめるものとして異端扱いされてしまうからだ。〈大神教〉は一定地域では絶大な権威を誇っており、国家も無視はできない。睨まれてはまともな生活はできなくなる……ということで、聖女の真実を探ろうとするのはひそかな研究か、あるいは人間社会から離れた隠者の仕事である。研究を代々継承し続ける秘密結社もあるという噂だ。

また、聖女が人間としてその後の生涯を過ごしたのであれば、その血脈が残っていてもおかしくないはずだ。聖女の末裔が現れて現在の〈大神教〉の権威を否定した時、果たしてどうなってしまうのか。〈大神教〉に反発するものたちを中心に、希望半分で語られている噂話である。

創作のヒント

ファンタジックな要素を入れ込むにせよそうでないにせよ、中世ヨーロッパ風世界で一神教を設定するなら、史実における宗教のあり方を手本にするのがもっとも手っ取り早い。

とはいえ、流石にすべてが同じでは史実そのものになってしまうので、随所にアレンジは効かせたい。例えば、アイコン……宗教全体のシンボルになる存在を太陽や月、道や波などに変えたり、象徴的存在を生贄の巫女や英雄王に変えたりするわけだ。大きめのアレンジとして、同格だが神ではない「大悪魔」などを設定するのも良いかもしれない。その上で、大枠は史実をなぞってしまったほうが、結局のところリアリティも出やすい。

聖女と大神信仰発想の流れ

最初の発想

「私たちにとってなじみ深いキリスト教のような一神教をベースに、いろいろと手を加えて別の印象を与える信仰にしてみよう」

人間から生まれた神というアイディアを軸にしてみる

神話と歴史が重なりながらも食い違ってもいるのだろうと想像できる物語になった

史実と神話の関係も参考にしてみよう

しかし、それでは本書でサンプルとして扱う意味が薄くなる。少しいじった程度ではサンプルにはならないのである。そこで、ここでは史実一神教とはまた別方向の、それでいて重なる部分も持ったサンプルを紹介することにした。どこが違ってどこが同じなのかは、本書の記述も確認しながら、ぜひ自分の目で確かめてほしい。

また、神話の真実、神話に隠された物語というのも、フィクションを面白くするギミックとして定番だ。聖女は実在したのか。実在したとしたら、本当に奇跡を起こしたのか。その後に聖女はどうなったのか。真実を歪めたのだとしたら、それは誰がなんのためにやったのか？　明確な陰謀があったのかもしれないし、偶然がすべてを左右したのかもしれない。そして何よりも、作中の「現在」に、過去の出来事はどのように影響を与えているのか？

実際の宗教でも、研究が進んで分かったこと、かつて真実と信じられていたことがひっくり返ったことなどはいくらでもある。それを参考にするのも面白いことだろう。

サンプル3　作られた神話――来訪者の物語

イントロダクション

神話は「超常の存在の物語」と「後世の作り話」のどちらかしかないのか。そんなことはない。

本項で紹介する三つ目の神話は、「作られた神話」だ。この物語の主役である彼らは虚空の彼方から来訪した者たちである。自らを神と名乗ったわけではない。ただただ、人々の予想もしない出自と、想像もできない力を持っていただけだ。そして、途方もない破滅と救いをもたらしただけでもある。

それでもすべてが終わった後なお、人々は彼らを神と呼んだ。彼らの物語を神話と呼んだ。そして今、その世界には来訪者＝宇宙人の痕跡が残っていて、現代の人々の目に触れることもある。

いつか、神々の末裔や遺産、あるいは今もなお生き残っている当人がさらなる神話的事件を巻き起こすかもしれない……。

神話が語ること

その大陸には、世界創造神話がない。空も海も大地も最初からあって、人間もそこにいた。だが当時の人間は〈野獣〉であって、文明も文化もなく、互いに相争うばかりであったという。

そこに現れたのが神々だ。空の彼方から船に乗ってやってきた、といわれている。この船は大陸で現在使われているものと違って海ではなく虚空を渡り、形もお盆か皿を二つ合わせたかのようであった、と伝えられている。

彼らの名前は複雑だったり特別な響きだったりして発音がしにくかったので、人間たちは神のことを通称で呼んだ。真の名を正しく発音できる者は神の加護を得られるといい、神官の修行にはひそかに伝えられている神の真名を発音するものが含まれる。

神々の特徴として知られるのが黒髪と黒目だ。金髪

基本コンセプト

「神話は超古代の文明を紹介する実話なのではないか？」

⬇

優れた文明の背景は何種かあるが、ここでは「宇宙人」を設定

キーポイント

物語としての神話と、推測される事実はまた別

⬇

微妙に食い違いながら重なると、ドラマを作る余地がある

神話の痕跡が明確に残っていたほうが雰囲気が出る

⬇

神器、〈壁〉、そしてどこかにあるかもしれない〈船〉……

茶髪の人間たちの中で、その外見的特徴はよく目立ったという。

神々は人間たちに数々の知恵を与えた。特に、〈歌神〉という二つ名を持つ神が人間に教えた歌には獲物の獲り方や苗の育て方、傷や病を癒やす方法などの技術や知識が込められていた。〈歌神〉の歌集は今なお人々の生活に深く関わっており、為政者や神官なら必ずと言って良いほど書斎に〈歌神〉の全集を置いているし、そうでなくとも自分の職業に関わる抜粋を買って職場に置くものは珍しくない。

しかし、神々は人間に恩恵だけを与えたわけではない。厳しい掟や苦しい労働を強いることもしばしばあった。これらは神による試練であったと解釈されるのが一般的である。実際、神は試練に打ち勝ったものに神器を下賜し、今でもなお「これは神より授けられたものである」と伝わる各種の道具があちこちの神殿や為政者の屋敷に飾られている。それらの多くは既に壊れていたり、明らかなイミテーションだったりするが、一方で神々の御業としか思えないような品々が少なからず存在するのもまた事実である。

神々のもたらした破滅

　神々は破滅をもたらした。神々がいつ争いを始めたのか、なぜ争わなければならなかったのか、よく分かっていない。そもそもこの世界にやって来る前から不和があったのだとも、人間たちを残すのか滅ぼすのか揉めたとも、神々と敵対する悪魔の謀略であるともいう。ともあれ、神々は二つの派閥を作って争った。

　虚空を行く船を持っているような存在だから、戦いもただの戦いではない。今でもかつて神々がいたという地域を旅すれば、「神の放った火が大地をえぐって作った湾」や「かつてはきれいな三角形だったが神の力により頂上を削られて低くなった山」などの痕跡を見出すことができる。その中には眉唾なものもあるが、神器と同じように、明らかに不自然な地形があるのもまた事実である。

　そのような神の痕跡の中でもっともよく知られているのが〈壁〉だ。一つの国がすっぽりと入るだけの範囲を、三階建ての家ほどの高さの壁で囲まれている。もうすっかり古くなっているのであちこち崩れて、もはや壁の意味はなさない。しかし、かつてはその地域を完全に取り囲んでいたのだと考えられている。

　神々の戦いが最高潮になった時、世界を瘴気が包んで生き物は誰も生きていけなくなった。だが、瘴気は空高くは伸びなかったので、〈歌神〉の仲間、〈壁神〉の立てた〈壁〉の内側にいた人間たちだけが生き残った、という。これが破滅だ。

　破滅を機に、神々の戦いは終わった。しばらくの間人間たちは〈壁〉の中でしか生きられなかったが、やがて瘴気が収まったので再び大陸中に広がっていった。この頃には、〈歌神〉を始めとする神々も姿を消していた。

　去ったのだともいうし、人間と混血したのだともいう。今でも時々黒髪と黒目の子が生まれると、神の血が発現したのだと喜ばれる。

　神話の中で出てくる神々としては、〈歌神〉や〈壁神〉の他、次のような神などがある。

・**〈眼神〉**：神々の長で〈歌神〉と対立した。人を従わせる魔眼の力を持っていたという。

・〈空神〉：〈船〉を預かる役目。〈歌神〉にも〈眼神〉にも味方しなかった。
・〈華神〉：〈歌神〉の仲間の一人。本来は〈眼神〉側だったが、この世界の花を愛し、それゆえに裏切ったと伝えられる。
・〈蛇神〉：〈眼神〉の命で各地を放浪し、何かを探っていた神。蛇と呼ばれたのは、地面を這い寄るような動きをしていたからだと伝わる。

他にも多様な神々が神話に登場する。

神話に隠されていたもの

……ここからは、後世になって発掘調査及び資料研究により明らかになり、封印された真実である。一部の学者と神官たちしか知ることを許されていない。それによると、神々の正体は宇宙からの来訪者、すなわち宇宙人であったという。

神々が黒髪黒目であったのも、その名前がこの世界の人間には発音しにくいものであったのも、すべて「違う星の人間であったから」というわけだ。

はじまりは、一機の宇宙船であった。宇宙の彼方から飛来したその船には、数十人の人型生命体が乗っていた。彼らがなぜその世界に（その星に）やってきたのか、今となってはもはや分からない。集団の中に目的の違う人々が共存していたようだ。

彼らの思惑はともかく、その頃には既にこの星には人類が誕生していた。文明レベルは古代。ある程度の文明は築いていたが、星と星の間を飛び交う船のことなど、理解できるはずもない。光り輝く船に乗って空より降り立ってきた彼らのことを、一も二もなく「神である」と判断し、ひれ伏した。

来訪者たちの原住民に対する態度も分かれたようだ。主流派は原住民を利用することしか考えていなかった。彼らはこの星で何かを探していたようで、その調査や採掘のための労働力として原住民を活用した。

一方、少数ながら原住民たちに同情的、友好的だったグループもいた。彼らは原住民により効率的な農法と、優れた医療を与えた。それらの伝達が歌という形で行われたことが、歌神伝説の発端と考えられる。

やがて破滅が訪れた。だが、これは神話に語られているような神々の戦争ではなかったようだ。来訪者グループ同士による直接的な争いの痕跡は認められない。少なくとも、破滅が訪れるまでは。破滅の正体も不明であるが、主流派の探索が引き金であったと考えるのが自然であろう。

間違いないのは、広い範囲が居住不可能になったこと、非主流派グループが原住民保護に小さくない貢献をしたことだ。ゆえに、〈歌神〉らが善い神々として神話に受け継がれていたのである。

一方、主流派がどうなったかはよく分からない。宇宙を行く船で去ったともいうし、船をめぐって非主流派と争ったともいう。後者の話を真実の一片と見るのであれば、神々の戦争の物語はこの時のことが、時系列が転倒して現在のように伝わったものと考えることができる。

神器の存在も、この真実に説得力を添えている。実際、「光を放って鋼鉄さえも断ち切る剣」や「持ち主の意思通り自在に空を飛び、視界も共有する球体」など、今なおちゃんと動き、恐るべき力を発揮するものが存在するのだ。

創作のヒント

「今、私たちが神話として知っている物語は古代の実話なのではないか？」

「神話が神の御業として紹介する不可思議だったりスケールが大きかったりする出来事は、進歩した技術の産物ではないのか？　各地で発掘されるオーパーツ（場違いな遺物）はその証拠ではないのか？」

――このような考え方は、さほど珍しいものではない。物語においても、異世界ファンタジーと見せて実はSF……という変化球的な読み味の作品にできるので、しばしば使われる世界設定だ。

今回は「実は宇宙人」というパターンにしたが、他にも「実は並行世界人」「実は未来人（未来からタイムスリップして過去へ飛び、そこで影響を与えて神になった）」などのパターンが考えられる。

ともあれ、「神話は実は……」パターンを使うなら、その「実は」が物語に深く関わっていく形にしないともったいない。サンプルとして提示したこの神話では、やはり〈壁〉と〈船〉周りの設定が特に使いやすいだ

作られた神話発想の流れ

最初の発想
「神話のファンタジックな物語を実話として解釈するパターンを、宇宙人説でやってみよう」

「実はこうだった」がただの設定で終わってしまっては意味がない

神器や〈壁〉〈船〉など、特別なアイテムが物語に大きな影響を与えるような構造を考えてみた

生き残りの宇宙人や、新しく星の外からやってきた宇宙人などが登場してもいいだろう

ろうか。

〈壁〉の内側には何かが残っているのではないか？かつて〈壁〉で防いだ瘴気は完全になくなったのか？そして何よりも、〈船〉がまだこの世界にあるなら、そこには神＝異星人のとてつもない技術が残っているのではないか？　主人公たちがそれらの秘密を探る旅に出るのでも良いし、黒幕やライバルがそれらを手に入れて何らかの陰謀を企むのでも良い。何にせよ、非常にスケールの大きな物語が作れるだろう。

また、このサンプルでは過去に何があったかは意図的に空白とした。ストレートに考えれば「資源目当てにやってきた惑星で、現地住民と出会った。遠征隊の一部が現地住民に同情する。一方、資源探索の最中に大事故が起きる。これを機に遠征隊が分裂し、ほぼ相打ちになる。どちらも本星に帰れないまま、生き残りはこの星に骨を埋める」というところだろうか。

しかしもちろん、そこは自由に考えて良い場所だ。ただの資源ではなく、もっと重要なものを探しに来たのなら、数百年後に本星から次の遠征隊がやってくる可能性は十分にある……。

コラム(1)「山の神」

山の神、という言葉をご存知だろうか。ストレートに解釈すれば、山を司る神や、特定の山に宿っていたり守ったりする神だ。具体的なところでいうと、奈良県三輪山にはオオモノヌシという神が宿っているとされ、古事記にも登場する。

近年では箱根駅伝の山登りが重要になる区間で活躍する選手も山の神と呼ばれるようになった。これは「神」という言葉が単純に「すごい」の意味で使われるようになったからこその用法だろう。

しかしこれらとは別に、古くから「山の神」という言葉が使われていたのをご存知だろうか。それは「妻。特に、結婚後年を経て口やかましくなった自分の妻のことをいう。」(『日本国語大辞典』)である。「うちのカミさんが……」などという場合、この用法が背景にある。

では、どうしてこのような言い方をするようになったか――は、実は諸説ありすぎて、はっきりとした答えは見当たらない。

だが、いくつかの推測は存在する。

・奥さん=恐ろしいもの=恐ろしいといえば山の神
・山の神は多く女性であった
・山の神に仕える巫女も多く女性であった
・山姥が子育てをする伝説がある
・他人の妻への敬称「上様(かみさま)」からの洒落
・中世、山の神といえば醜く嫉妬深かったから
・古事記に出てくるイワナガヒメが山の神であり、また醜女でもあったという話から

というわけで、山の神と女性との関係が半分、(自分の)妻を卑下し揶揄する「愚妻」的な表現の要素が半分、と考えるのが良さそうだ。

今となってはコンプライアンス的にもなかなか使いにくい言葉になっているが、かつてはこのような「神」もいたのだ、ということを知るだけでもなかなか面白いのではなかろうかと思い、このコラムで紹介した。

第一章
神話の成り立ちと世界観の作り方

神話の構造、その世界との関係性、そして、物語づくりにどう活かせるのか。これらを知っておくことで、物語に深みを出すことができる。

①神話から物語を作る

神話の登場

科学技術や理論が発達していなかった古代や中世の人々にとって、世界は謎で満ちていたはずだ。

朝になると日が昇り、やがて沈んで夜が訪れる。季節ごとに異なる花が咲き、食べられる草と食べられない草とが生えている。季節が移ろい、物は上から下に落ち、時には火山の噴火や洪水など、人間にはとても干渉できないような激しい自然現象が起きて人々の暮らしを崩壊させることもあった。

そうした自然の出来事のメカニズムを古代の人々が説明し、理解する上で考え出されたのが「神」という存在だとされている。人の手では自由にできないことや数々の不思議に対して、「人間を超越した神がしたこと」という理由をつけて納得しようとしたのだ。

神の手によって世界は生まれ、太陽が昇り、月と星の輝く夜が来る。風が吹き、雨が降って作物が育ち、五穀豊穣がもたらされる。時には神の怒りにふれて山が噴火したり、河が氾濫したりもした。一神教にしろ多神教にしろ、人々は大自然の向こうに神の存在を作り上げ、大自然を理解するとともに、神を崇め敬うことで加護がもたらされるものと信じ、安心感を得ていたともいう。

現代社会でもこうした考えは根強く残っている。宗教的な儀式や習慣はもちろんのこと、特に熱心な信徒でなくても幸運を願って思わず神に祈ったり、痛ましい出来事に自然に手を合わせたりすることがあるだろう。

そうした神々の存在をより詳しく知る、あるいは伝えるために生まれたのが「神話」である。文字通り、神にまつわる話を書き留めたり、口伝や絵画として伝えたりしてきたもので、世界各地にさまざまな形で残されている。神の姿も地域によって異なり、起こる出来事や神と人々との関わり方も千差万別だ。

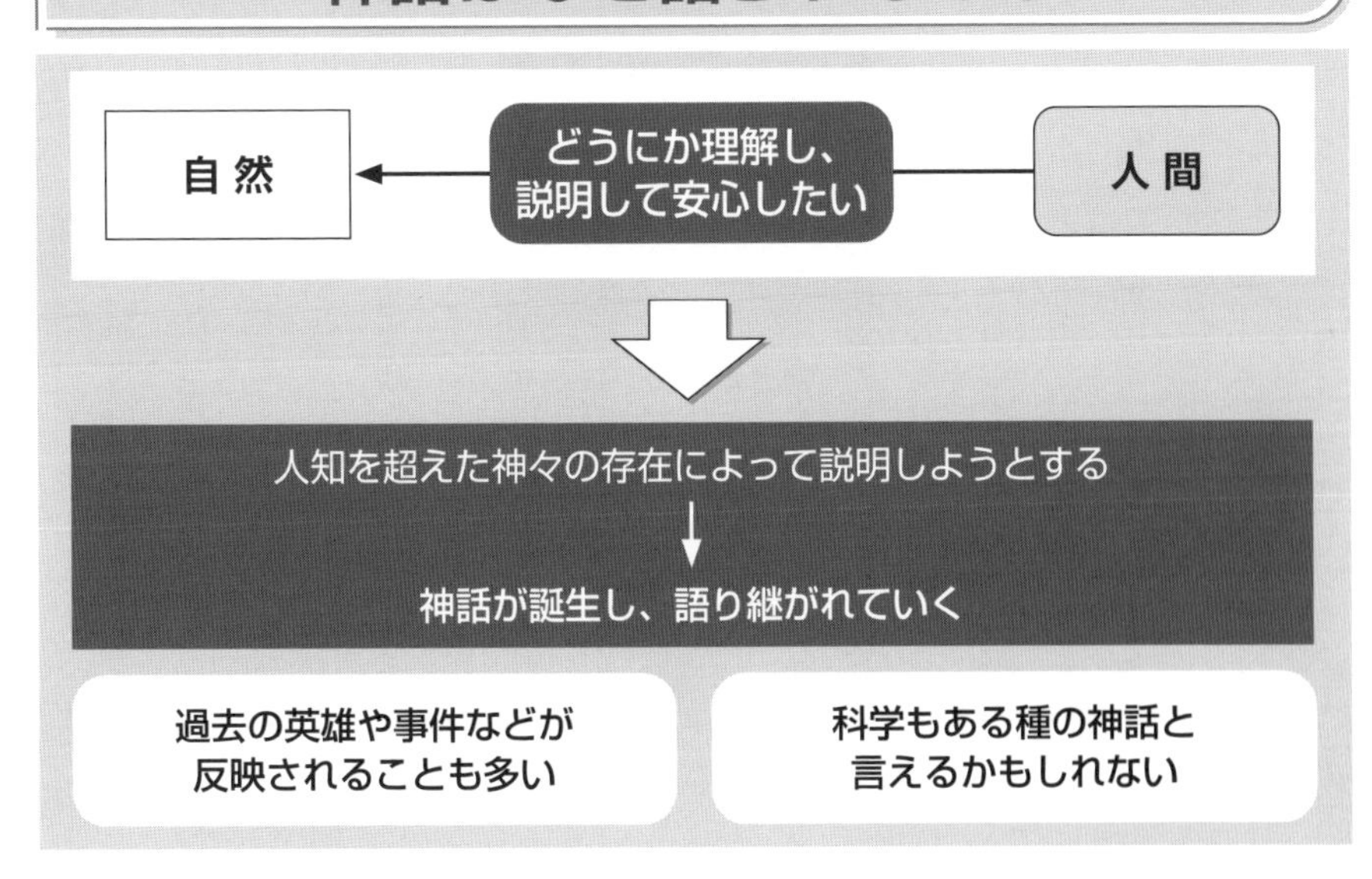

神話はなぜ語られるのか
自然
どうにか理解し、
説明して安心したい
人間
人知を超えた神々の存在によって説明しようとする
神話が誕生し、語り継がれていく
過去の英雄や事件などが
反映されることも多い
科学もある種の神話と
言えるかもしれない

その一方で、大洪水で世界が流されたり、妻や夫を探しにあの世へ降る神がいたりと、まったく違う地域や体系の神話でありながら共通するエピソードが語られる部分もあり、今も神話に関する研究や調査は終わりが見えないという。

神話はこのように奥深く、しかし意外に人々の身近にある存在だ。作品を執筆するに当たっても、ここから吸収できる要素は数々見つかるはずである。

神話から物語を学ぶ

神話は世界最古の物語の一つであり、数千年にわたって受け継がれてきたものだ。すなわち、それだけ人々の心を引きつけ、飽きさせない魅力に満ちていると言っても良いだろう。そこには神々をはじめ、英雄や魔物など多様なキャラクターが登場し、世界や人間の創造、神々同士の争いなど壮大なスケールでのエピソードが描かれている。そして、一見すると荒唐無稽の物語のようでありながら、どこかに一本の筋が通っていて、最終的には読み手が納得できる形にまとめられているのだ。

例えば「バベルの塔」という有名な逸話を取り上げてみよう。これは旧約聖書をルーツとするエピソードで、「古代の人々が巨大な塔を築こうとしたが、その傲慢さから神の怒りによって打ち砕かれてしまった」というものだ。「巨大な塔」という存在が人々の想像力を刺激するのか、古来から絵画などのモチーフにされているし、ファンタジー世界でもバベルの塔をイメージさせるような巨大な塔がしばしば登場する。

ただ、ここで重要なのは次に起きたことだ。神はバベルの塔のような物が二度と作られないようにするため、人々が共通の言語を使っていることに注目した。世界中の人が同じ言葉で話していたので作業の効率が良かったのだ。それゆえ、神は人々の言葉を乱し、二度と塔を築くような大事業ができないようにしたとされる。現在、世界中で異なる言語が使われているのはこのためだ――というのが旧約聖書による説明だ。

バベルの塔を築く理由や、それによって起こる天罰、もたらされる教訓、そして「なぜ言語がバラバラなのか」という大きな疑問への回答を示すという一連の流れがこのエピソードには凝縮されている。これは物語の理想形の一つと言えるだろう。物事の原因やキャラクターの行動動機から、こうして言語がバラバラになったというオチまでスムーズにまとまっている。

ストーリーを形作る上で、一つ一つのエピソードが途切れることなくつながるのは必須条件と言っても良い。神話にはこうしたつながりから教訓を伝える例が多く、それゆえに人々に深く浸透していったのだろう（もちろん中には前後の脈絡がなく、正確な解釈ができない例も多くある）。

いろいろな神話の例を読み解くことで、現代の物語にも通じる技法や基本的な物語の構成などを知ることも不可能ではないのだ。

物語の中における神話の役割

作品によっては、作品世界におけるオリジナルの神話を作るということも少なくない。特にファンタジー世界を舞台とする作品では神話の存在は重要だ。神や神話についての設定を詰めておくと世界観に深みが出て、人々の思想や生活様式にも特色が出てくる。

私たちが現存する神話から教訓を得たり、神々の存

神話から物語を作る

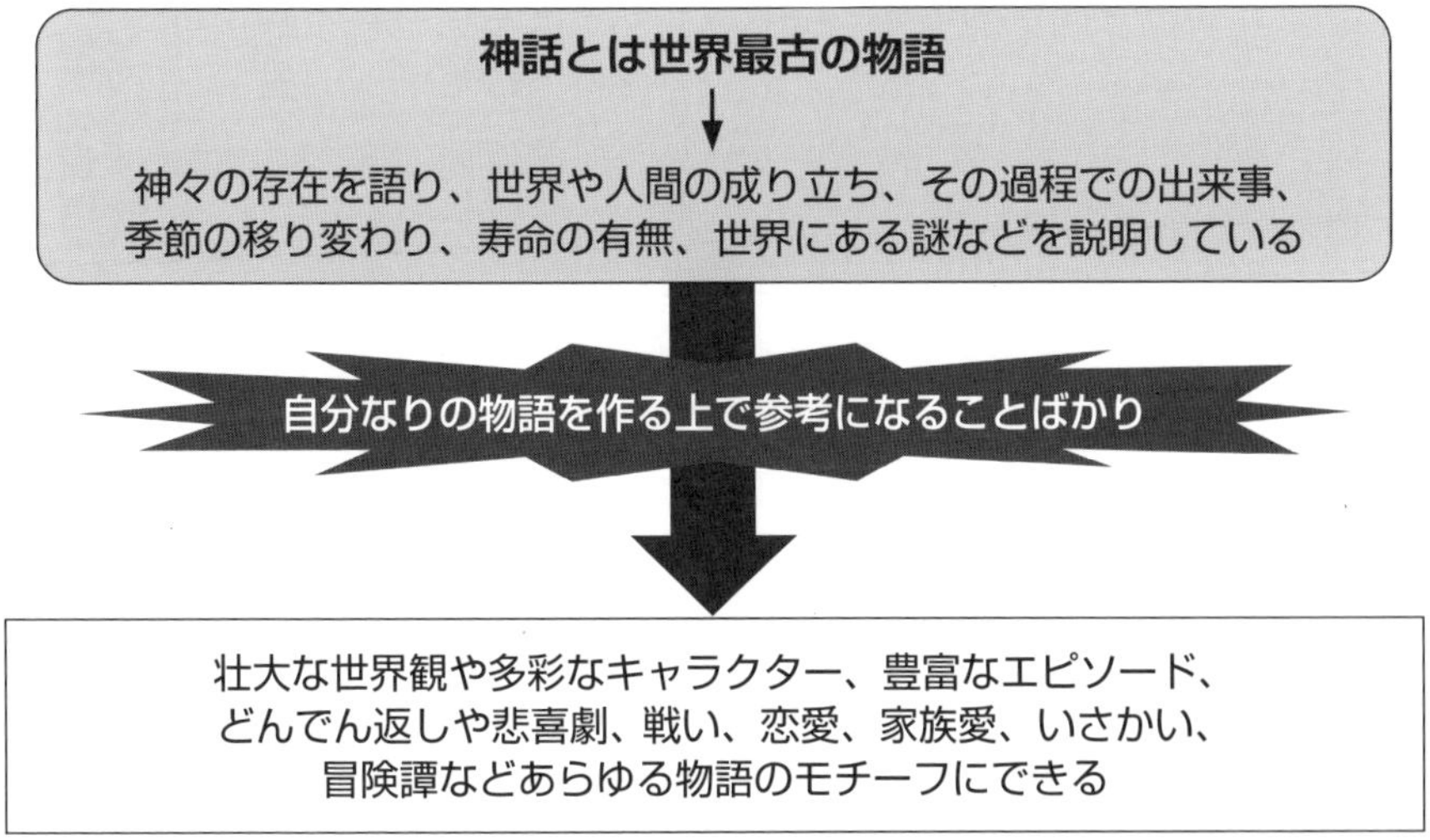

神話とは世界最古の物語

↓

神々の存在を語り、世界や人間の成り立ち、その過程での出来事、
季節の移り変わり、寿命の有無、世界にある謎などを説明している

自分なりの物語を作る上で参考になることばかり

壮大な世界観や多彩なキャラクター、豊富なエピソード、
どんでん返しや悲喜劇、戦い、恋愛、家族愛、いさかい、
冒険譚などあらゆる物語のモチーフにできる

在を想像したりするように、作品の中ではキャラクターたちがその世界の神話の影響を少なからず受けているはずだ。困った時に何に祈るか。良いことがあった時に何に感謝するか。神や神話の存在が抜けていると、そうしたキャラクターの根本的な部分が説明できなくなってしまいかねない。

また、神々にまつわることがらを作中に登場させるのも良いだろう。神がもたらしたとされる神聖な動植物や酒があったり、魔法的な力を発揮する金属があったり、神の威光を背景に世界的な権威を誇る組織があったりと、さまざまな面に派生させることができる。山や湖が神によって造られたなどという逸話もファンタジー世界にはつきものだ。時には巷に広まっている神話が権力者の都合の良いように作られた偽物で、本当の神話が書かれた書物や石版が世界のどこかにある、といったストーリーも展開できるだろう。

神話は作品全体のモチーフとすることができる。その一方で神話そのものを小道具とし、作品の中で使いこなすことで、また新たな広がりをもたらすことも可能なのだ。

②神話の存在や構造について

神話と社会

神話はそれを語り継ぐ地域の人々や特定の部族の思想や精神を根本的に支えているものだとされている。いわば、一種の教科書だったようだ。

神話では世界の成り立ちや人類の誕生などの話が語られる。これは人間にとって自分たちのルーツにつながるものだ。また、神の世界や死後の世界などにまつわる話からは死生観が生まれると考えられる。

例えば死後に神がその人の生前の罪の重さを量り、天国に行くか地獄に行くかを決めるとされれば、人々は生きているうちにできるだけ善行を積み、神を敬って暮らすようにするだろう。「ウソをつくと閻魔様に舌を抜かれる」とは日本では定番の叱り文句の一つだ。

作品の中のキャラクターも、同じように作品における神話の影響を受けるはずである。キャラクターの簡単な行動でも神話の存在を表現することは可能だ。信仰する神の名前を口にしたり、祈りのしぐさをさせたりするのが分かりやすい。現代ものなら十字を切るだけで聖書の影響を受けているのがすぐに分かるし、ファンタジーでは聖典を持ち歩いたり、持ち物に聖なる紋章を刻んでいたりするなどの方法がある。

また、「神の名前（または特徴・持ち物・精神性など）にかけて誓う」というやり方も有効だ。信者にとって神の名は神聖なもので、その名前を出した以上は真実しか口にできない。そこで嘘をつくのは神への冒涜に当たってしまう。「○○の名にかけて勝利を誓う」といったセリフにはキャラクターの並々ならぬ決意が見られ、壮絶な覚悟や悲壮感を演出できる。

これに派生した形で「○○の尾にかけて」「△△のくしゃみにかけて」など、神や神秘的な存在（英雄や怪物）の特徴になぞらえた言い方をすることもある。ヨーロッパやロシアの民話・説話の中で多く使われる用法だ。

神話と行動・文化・風習

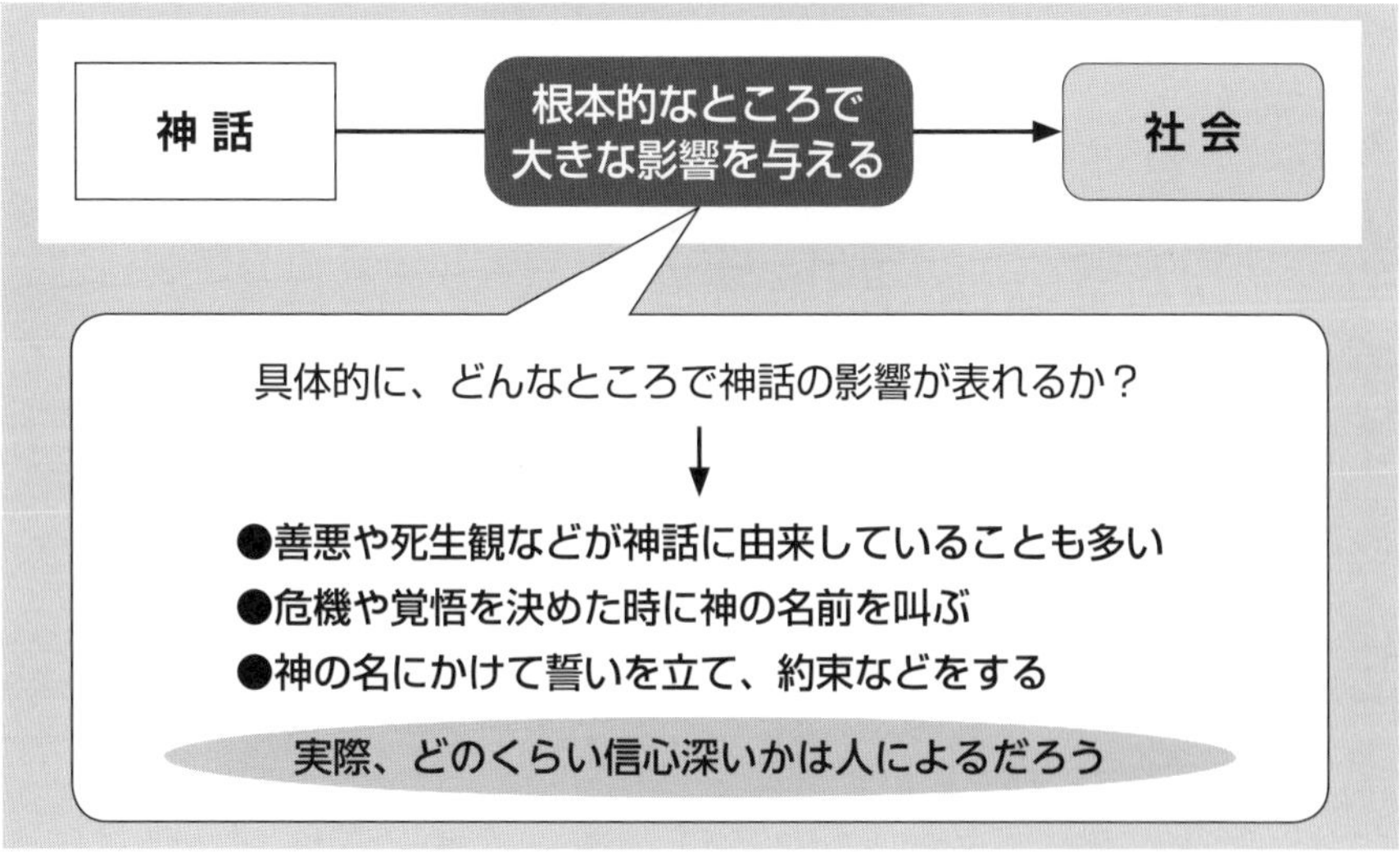

神話 → 根本的なところで大きな影響を与える → 社会

具体的に、どんなところで神話の影響が表れるか？

↓

- 善悪や死生観などが神話に由来していることも多い
- 危機や覚悟を決めた時に神の名前を叫ぶ
- 神の名にかけて誓いを立て、約束などをする

実際、どのくらい信心深いかは人によるだろう

日本ではあまりなじみのない言い回しだが、それゆえに異国情緒を感じさせてキャラクターの大きな特徴にもなる。くせのあるキャラクターがほしい時など、活用してみると良いだろう。ただ、日本だと困った時に念仏を唱える（南無阿弥陀仏、南無阿弥陀仏……あるいは「南無三！」など）という習慣はあるようだ。同じようなものと考えて良いかもしれない。

ちなみに神や怪物の名、あるいは特徴を出しながら嘘をつくと、その神・怪物の誇りを汚したとみなされる。そこに待っているのは天罰、報復といったしっぺ返しだ。本人も「神々の名をおとしめた」という自責の念にかられるだろう。かつて神の名のもとに誓いを立てながら、それを果たせなかった「堕ちた英雄」を登場させるのも面白い。

一神教と多神教

神話には、唯一絶対の神が一人だけ登場する一神教の神話と、多種多様な神々が登場する多神教の神話とがある。

一神教の代表的な神話は旧約聖書だ。ここでは「神」

は一柱しか存在せず、他の超自然的な存在は天使や悪魔、精霊など、神ではない存在として語られている。一神教の考え方では神は非常に重要で、何かを神と同等に語ることさえ禁じられている。どれほど偉大な天使がいて、どれほどの奇跡を起こしたとしても、それは決して神に並び立つものではない。実際に神の座に立とうとした大天使ルシファーが天国を追放され、地獄に叩き落されたのは有名な話だ。

一方の多神教はギリシャ神話や北欧神話、日本神話などが代表例となるだろう。こちらは「神」という一種のカテゴリーが用意され、そこに属するキャラクターをまとめて神として扱っている。主神とされる存在（ギリシャ神話のゼウス、北欧神話のオーディン、日本神話のアマテラスなど）があるものの、その下にも多くの神が登場して集団を形成しているのが特徴だ。そして、それぞれの神にはそれぞれが司る物事があり、世界や人々に影響を与えている。学問の神、縁結びの神、幸運の神などといった存在が語られるのは多神教の神話ならではだ。

また、多神教には悪の神が登場するなどして神同士の対立が描かれることがある。これも一神教には見られない特徴だ。一神教の神は絶対的な善であり、「悪の神」という考え方がそもそも存在しない。

それに対し、多神教では主神を中心とする勢力に歯向かったり、時には善の神を害するような神が現れたりもする。北欧神話の悪神として知られるロキなどはその典型的な例だ。南米のマヤ文明の神話にはケツァルコアトルとテスカトリポカという二大神が登場し、彼らの争いによって世界は何度も滅亡している。神対神という究極の戦いは多神教の神話の大きな見せ場となるだろう。

一神教の神話をモチーフとする場合

一神教の神話では神が唯一絶対の存在として君臨している。他の神は一切存在せず、神の下に仕えるのは天使たちだ。

一神教の神話をモチーフにするのなら、この唯一絶対の神という存在を大きく取り上げたい。神のすることはすべて正しく、逆らえる者は一人もいない。ファンタジー世界では神の名を借りた国家や教会、聖騎士などは絶大な影響力を持つだろう。人々の口からもひんぱんに神の存在が語られるはずだ。

そのぶん、あまり神を軽々しく登場させるとかえって存在感が薄れてしまう。天使などを上手く活用して神聖な雰囲気を演出したり、奇跡を起こしたりといった工夫も必要だ。

また、一神教では天使や聖人を崇拝し、人々が祈りを捧げたり、救いを求めたりすることがある。これらは神より身近で、言うなれば気軽に頼れる存在だ。彼らへの信仰が高まり、下位の神のような存在とされて実質的に多神教化したケースも見られる。一人の神だけではなく、バリエーションに富んだ神的な存在を登場させるには最適なモチーフだ。

オリジナルの天使や聖獣、聖人などを設定して人々を救う姿を描けば作品の世界観の幅を広げることができるだろう。

多神教の神話をモチーフとする場合

一方、多神教であれば、どうだろうか。

多神教の神話にはさまざまな神が登場する。主神を中心に神の中での階級社会が築かれたり、複数の勢力が並び立ったりするのが特徴だ。これらの神々はもともと別の集団や地域で信仰されていたものが伝えられたり、一つの神話として混ざり合って成立したりする。神々の集団のことを特にパンテオンと呼んだりもするようだ。

また、それぞれの神には司ることがらの他、性格や家族関係、苦手なものなどいろいろな設定が付加され、個々に強いキャラクター性を持っている。一神教の神と比べて親しみやすさがあると言えるだろう。

人々がどんな神を信仰しているかで、さまざまな面に違いが出てくる。農民なら農耕の、職人なら工芸の、戦士なら戦いの神をそれぞれ奉じているだろう。いろいろな神の名前が出るだろうし、信仰している対象によっては教義が対立して火種を生むかもしれない。自然を尊ぶ大地母神の信徒と、技術を尊ぶ工業の神の信徒とでは主張がぶつかりそうだ。

それぞれの神ごとに祈祷や儀式の方法に違いがあったり、神殿の造りが異なったり、聖地とされる場所がバラバラだったりと、多様な演出ができるのである。

バナナ型神話

バナナ型神話とは、人間の寿命と死の起源について語られる神話の形式の一つだ。実は、世界中に同じ物語パターンが見られるのである。

インドネシアに伝わる神話の中にこんな話がある。人々はかつて、創造神から贈り物をもらいながら暮らしていた。ある時、創造神は人々に石を与えた。しかし、人々はもっと別のものが欲しいと言い出し、創造神は石を持ち去って代わりにバナナを与えたそうだ。人々が喜んでバナナを口にしたのだが、それに対して創造神はこう言った。

「石を捨ててバナナを選んだのだから、人間はバナナのように有限の命を持つことになる（バナナは次の世代の実がなると、親の木はすぐに枯れてしまう）。石を選べば無限の命を得られたのに」

こうして人は寿命を持つ生き物になったのだという。

このようなバナナ型神話は、各地に類似した話が残っている。例えば日本神話では、神々の世界である高天原（たかまがはら）から降臨したニニギが醜いイワナガヒメではなく、美しいコノハナサクヤヒメを妻に迎えたため、人々の寿命は花と同じく短いものになってしまったとされている。不変の「岩」ではなく、散る運命にある「花」を選んだからだ。

バナナ型神話のように「二つのうちから一つを選ぶ」というストーリーの構造はそれほど珍しくない。童話の『舌切り雀』もそうだろう。雀を助けたお礼に無欲なおじいさんは小さなつづらを選んで財宝を手に入れ、強欲なおじいさんは大きなつづらを選んで化け物に襲われる。このように一見良いものに思わせて実は落とし穴がある、悪いものに思わせて実は本当に価値がある、という話の作り方はバナナ型神話に通じるところがあるようだ。

例えば、ファンタジーの作品内で磨き抜かれた剣と錆びてボロボロの剣とが主人公に差し出されたとしよう。ライバルに出し抜かれるなどして、主人公はやむなく錆びた剣を手にする。当然、戦いは苦戦の連続なのだが、土壇場で剣の錆がはがれ落ち、その下から伝説の聖剣が顔を覗かせる。あえて一段手間を踏み、物語にインパクトを持たせるわけだ。

一神教と多神教

一神教神話

- 神は１柱だけ
- 他の神秘的な要素は天使や精霊、聖人、悪魔などの存在で表現される
- （基本的に）神は絶対の善で正しい存在
- 善（神）と悪（悪魔）の関係がはっきりしている
- 天使や聖人が崇拝の対象となり、神格を得て多神教化することもある
- 聖書神話が有名

神という存在をクローズアップし、それとの対比として人間や天使、悪魔の存在を描く

多神教神話

- 多くの神々が登場する
- 天使や悪魔、英雄なども神々に交ざって活躍する
- 間違いを犯す神や、神同士のいさかいも珍しくない
- 中には神を倒してしまう英雄や悪魔が現れることもある
- ギリシャ神話、日本神話などが有名

多くのキャラクターが入り乱れ、多面的に展開するドラマを描写しやすい

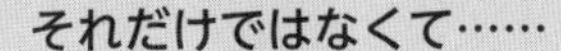

それだけではなくて……

一神教、多神教を問わず、多くの神話に共通するパターンも見られる

↓

洪水神話、世界の礎になった巨人、冥界下りなどは各地の神話で語られている

一例

バナナ型神話

バナナを取るか、石を取るかで人間の寿命が決まる。神や人間が花や肉など、いずれ朽ちてしまう物を選び、不変の石を選ばなかったために人間には寿命が生じた。もし石を選んでいれば不死になれたかもしれない

↓

石を選び、不死になったキャラクターがいたとしたら……？

③創世神話と世界

創世神話とは？

　多くの神話において最初に語られることは、世界の創造にまつわる物語だ。人間の生きている世界が神々の手によってどのように創られたのかという、神話の根幹に当たる部分である。

　現代においても、宇宙の誕生については謎が多い。宇宙が生まれる前には何があったのか。なぜ宇宙が生まれたのか。そしてなぜ地球だけ適切な環境が整い、人間が生まれたのか。明確な答えを出すことは今もできておらず、多くの学者がこうした謎に挑み続けている。学者でなくてもなぜだろうと疑問に思い、答えを知りたい人は決して少なくないはずだ。

　神話を紡ぎ出した古代の人々も同じ想いだったのだろう。世界の始まりは創世神話として、各地にさまざまな物語が伝えられている。世界は原初の海から生まれた、卵が割れてそこから生まれた、始原の巨人の死体から創られた、説明できない混沌の中から生じた……などなど、パターンは千差万別だ。いずれにせよ世界の誕生は人々の想像を超えた、それこそ神のなせる業であったのだろう。

創造神の存在

　世界はなぜ、どうやって誕生したのか？　神話を聞く人、作る人はたいていここが気になるはずだ。自然に誕生するのでも良いが、やはり「誰かが作った」というほうが説得力がある……ということで、創世神話にはしばしば創造神が出てくるものだ。

　創造神は世界を創り上げる神で、神々の頂点に立つ主神として位置づけられることが多い。そうでなくても神話の出だしで存在感を見せつける強大な神として重要視されることがほとんどだ。

　例えば北欧神話では、主神オーディンが世界を創造した神としても知られる。聖書神話の神については言うまでもないだろう。彼らは神話の主神にして創造神でもある存在だ。

　一方で創造神がいない、はっきりしないというパターンもある。世界が勝手に生まれるケースだ。ギリシャ神話の世界は原初の混沌カオスから生じ、大地母神ガイアや天空の神ウラノスらによって整えられていった。カオスは神とされることもあるが、いわゆる「世界を創った存在」とは違うようだ。

　また、日本神話も世界そのものは既に存在し、イザナギ・イザナミは日本列島を創ったことになっている。厳密には、世界を創った創造神とは異なる存在とみられるだろう。

　世界の創造は神々の業績の中でもとりわけ大きなインパクトを残すものだ。それに携わった創造神の存在感は否応なく高まる。「この世界を創ったのは○○だ」と名前を出すだけでも、作中でその神（あるいはキャラクター）には重みが出るだろう。周囲から一定の敬意を払われることは間違いない。権威ある神の描写として「世界の創造」は分かりやすいキーワードなのである。

　ちなみにエジプト神話の創造神ラーは、後世になるとホルスに主神の座を奪われ、権威を失墜してしまう。こうした権力者の盛衰を表現してみるのも面白いかもしれない。

複数の創造神

　創造神の中には単独ではなく、複数の神が協力して世界を創り上げる例もある。日本神話のイザナギとイザナミが代表的だ。彼らは夫婦で日本の国土を創り出し、自然の神々も生み出したという。

　マヤ・アステカ神話のケツァルコアトルとテスカトリポカも二人組の創造神だ。ただ、こちらはイザナギ・イザナミの夫婦とは違って元来は対立関係にあった。最初はテスカトリポカが「土の太陽」の時代を創ったが、ケツァルコアトルとの戦いに敗れて世界は滅びる。次にケツァルコアトルが「風の太陽」の世界を創るが、今度はテスカトリポカによって滅ぼされた。その後、両者は手を取り合って新たな世界を創造し、それが現代まで続くとされているのだ。

　また、インド神話の創造神は面白い関係になっている。インド神話にはブラフマー、ヴィシュヌ、シヴァという三柱の神が登場し、どれもが主神と言って差し支えないほど重要な存在だ。このうちブラフマーが世界の創造を、ヴィシュヌが維持を、そしてシヴァが破壊を司るとされている。三者がそれぞれの役割を担うことで世界は誕生と終焉、そして再生というサイクルをたどっているというのだ。

厳密に言えば、ヴィシュヌとシヴァは創造神ではない。しかし、ブラフマーとは明確に異なりながら、同じくらいの重要さと影響力とを世界に対して持っている。世界はブラフマーが創り、ヴィシュヌが維持し、シヴァが終わらせることで完成するとも言えるだろう。三人一組で世界を支える神というのも興味深い。

このように、創造神そのものにもいろいろとパターンが見られる。中にはもっと多くの神々が合議制によって世界を創り出すというアイディアもあるだろう。単独の絶対的な創造神が思うままに世界を創り上げても良いし、多くの神の考えが交錯することで世界の成り立ちがどんどん混乱していくのも面白い。神々が好き勝手に世界を創り上げた結果、収拾がつかなくなってシヴァのような破壊神の出番が訪れるということもあるかもしれない。

世界の創り方と共に、創り手自身にもいろいろな設定や背景をつけることができるのだ。わがままな創造神やドジな創造神などが一風変わった世界を創り出したり、創造神同士の対立のために世界が文字通り分裂していたりと、世界観に特色を出す際にも分かりやすい理由づけの一つになるだろう。

世界の礎となるもの

創世神話には神が何もないところから世界を生み出す場合と、何かをもとにして世界を創り出す場合とがある。多くは海や火、土や砂など、自然界でも根底的な部分を成す要素から世界を形づくるパターンになるようだ。

だが、中には一風変わったものを礎に創り出される世界もある。有名なのは北欧神話のオーディンやメソポタミア神話のマルドゥークによる創世神話だろう。前者は巨人ユミル、後者は古い神ティアマトを倒し、その体から世界を創造したとされている。大げさな言い方をすれば、世界を創り上げるために誰かの犠牲を強いたのだ。

他にも蜘蛛の巣や壺、ヤシの実、神の足跡、かたつむりの殻、宇宙の卵など、さまざまなものが世界の礎になったと伝えられている。こうしたユニークな背景があると、ただ漠然と「世界を創った」というより印象深く感じられる面もあるだろう。

自分たちの生きている世界が、実は蜘蛛の巣から出来上がったものだと思うと、その蜘蛛が何者なのか、糸が切れた時に世界はどうなるかなど、いろいろと想像がふくらむ。ファンタジー作品などでは、英雄が守ろうとしている世界が実は古代の神の死体から作られており、その神を蘇らせるのが魔王の目的だった、という逆転型の真相も面白いかもしれない。

ちなみに、ちょっと面白いところでは、「作った」のではなく「広げた」というパターンがある。世界は既にあった。しかし、天と地の間はあまりにも狭すぎる。そこで神あるいは巨人がその力を持って押し広げ、今の世界が出現した――というのだ。中国やニュージーランドなどに見られる神話である。イザナギ・イザナミがまだ混沌としていた地上を掻き混ぜ、日本列島を作り上げたのと、似ているといえば似ている。

もっと言えば、神々が何も手を加えることなく世界が始まったとしても別に構わないはずだ。世界は既にそこにあった。神々がどこからかやってきて、文明を築いた。そうして人類の歴史へ繋がっていく……というわけだ。最初にあったのは「創世」ではなく「発見」であった、とするのである。

既存のものを活用するだけでは神話的スケールが足らないと感じる向きもあるかもしれない。しかし、実際に世界創造を語らない神話・民話はメラネシアなどに存在する。また、世界を発見した神々が人間や動物、文化を作るなどの偉業があれば、さほど違和感はない。

「世界の秘密」というのはなんとも壮大で魅力的な言葉だ。作品世界が実は○○だった、という衝撃的な事実からいろいろな物語を紡ぎ出すことができるはずである。

また、世界全体に限らずとも魔法の源となる魔力の正体やモンスターの起源、暮らしている島が本当は生き物の背中だったなど、キャラクターや読者を驚かせる仕掛けと設定を用意することも可能だ。事実が明かされた時のキャラクターの心情や行動は、また新たなドラマとなるだろう。

太陽や月、星、海、大地の誕生

創造神が世界を創り出す際には太陽や月、星、海、大地など、自然界の根本的な存在も生み出されることが多い。これらがなければ世界は成り立たないのだから当然だ。

また、太陽や月、星などは古代から神秘の象徴として人々にとらえられてきたところがある。月の満ち欠けは暦のもととなったし、星の動きは占いとして活用され、現代にも受け継がれている部分がある。海や大地が人々の暮らしに密接に関わっているのは言うまでもない。

その中でも太陽は一日の始まりと終わりを告げるものので、なくてはならない存在だった。人々に与える影響は大きく、太陽に関する神話は数多い。

例えばエジプト神話の太陽神ラーは昼の間に空を渡り、夜は地下を旅してもとの場所に戻る。そうして翌朝、再び空を行く旅に出発するのだ。これは日の出と日没になぞらえてラーの復活を表す逸話と考えられている。

日本神話では太陽の化身であるアマテラスが姿を隠し、世界が暗闇と災いに覆われる「天岩戸隠れ(あまのいわとがくれ)」の物語が知られるが、これは日食をモチーフにしたのではないかという説があるそうだ。古代の人々にとって、太陽が消えるというのは大事件だったのだろう。

太陽などが生み出される時、神がそのもととなった神話も存在する。マヤ・アステカの神話ではナナウツィンという神が聖火に飛び込み、太陽となった。その後に続いたテクシスカトルという神は月になったとされている。エジプト神話では大地の神ゲブと天の女神ヌトが夫婦として登場するが、抱き合ったまま離れない二人を大気の神シュウが引き離して空と大地にしたという。

ギリシャ神話ではさまざまな存在が星に変わった。これは広く知られた神話だろう。空に輝く八十八の星座にはそれぞれに物語があり、神々や妖精、人間の英雄、動物などが天に上げられて星座になったと伝えら

世界の創造

他の神々をも創り出す存在（分業する場合もある）
神々の頂点に立ち、主神もしくはそれに準ずる
重要な神に位置づけられることも多い

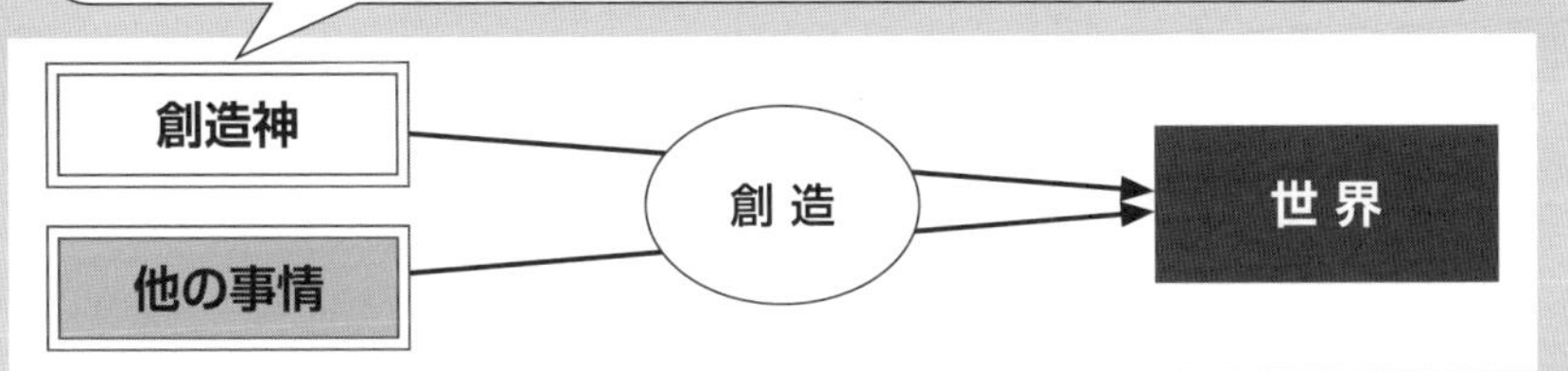

複数の創造神

「手を取り合っての世界創造」「世界の在り方をめぐっての対立」
「別々に創った世界が融合する」など。

世界の礎になる巨人

巨人は何者か、体のどこが世界のどの部分になっているのか、
世界創造に身をささげたのか、争いの末に殺されたのか、など

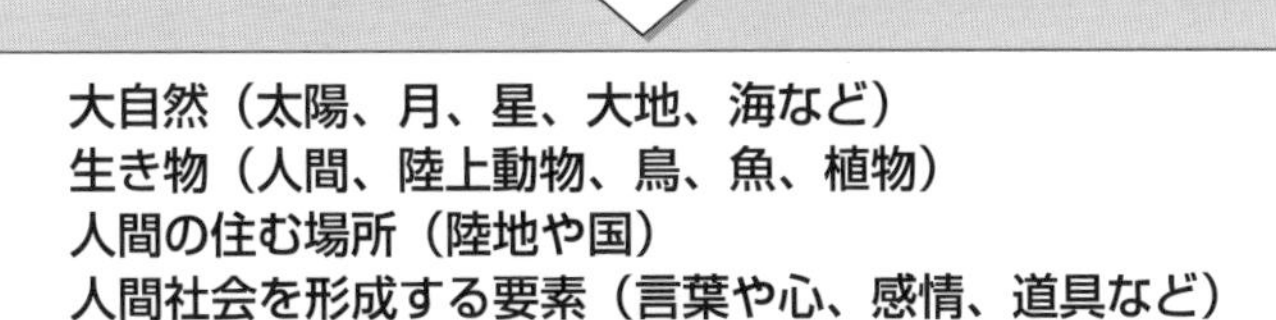

創世神話の中で生まれる

- それらはどのように生まれてくるのか？
- 何を材料とし、どんな きっかけ（エピソード）があって創られたのか？
- 最初からあったのか？

れている。十二星座やオリオン座、こと座、白鳥座などの名前は誰もが聞いたことがあるのではないだろうか。日本にも牽牛星(けんぎゅうせい)と織女星(おりひめせい)、天の川をめぐる七夕でおなじみの物語が伝わっている。

ファンタジー作品など独自の世界観では太陽や月を一つにする必要もない。星も現実と同じ状態にこだわることはないだろう。複数の月やオリジナルの星座、架空の大陸などを設定するのは決して珍しくない。そこに独特の逸話や成り立ちが加われば、意味深長な設定として生かすこともできるはずである。

例えば赤と青、二つの太陽がある世界というのはどうだろう。それぞれに太陽神がいて、信奉する人々も巻き込んで対立している。そんな設定があれば、人間同士の戦争も単なる対立ではなく、世界規模の思想に裏打ちされた壮大な戦いとして描くことができるのではないだろうか。もちろん、これはあくまでファンタジーなので、「太陽が複数あったら暑すぎる」などというのは野暮だ——が、そこをあえて深く考えてみるのも良い。片方の太陽は熱を発さないとか、結界で守られているとか、いろいろ考えられそうだ。

人間の誕生

創世神話において世界の創造と共に不可欠な出来事が人間の誕生である。神話をモチーフに作品を作るなら、少なくとも人間の誕生については何かの物語を付加しておきたいところだ。

星や大地と違って人間は作品の中心キャラクターとなり、物語を動かしていく特別な存在である。これが「最初からいた」ではなんとも寂しく、薄っぺらな印象になってしまいかねない。神々との関係性を連想させるドラマチックな起源を設定すれば、世界観にも深みが生まれることだろう。

人間の誕生に関する神話としては、まず旧約聖書のエピソードを思い浮かべる人が多いのではないだろうか。神が最初に創り当初エデンの園で暮らしたとされる人間アダムの名はあまりにも有名だ。彼の肋骨から生まれた最初の女性イヴもよく知られている(実はアダムの最初の妻はリリスという女性で、アダムと折り合いが悪かったためにエデンの園から出奔し、魔王サタンの妻として悪魔になったという伝説もある)。

「最初の女性」といえばギリシャ神話のパンドラも重要だ。ゼウスの命令によって神々に生み出された彼女は神エピメテウスの妻となる。そこで開けてはならない箱を開けてしまい、世界に病気や老衰、嘘、盗み、苦しみといったあらゆる災いがばらまかれることとなった。パンドラはあわててふたを閉めるが既に遅く、箱の中には希望だけが残されていたという。いわゆる「パンドラの箱」の物語だ。このように世界が成立する過程で人間が関わる場合もあり、神話の中でも人間は特別な存在と考えられていたのだろう。

メソポタミア神話では主神マルドゥークが悪神キングーの血から人間を生み出した。この地域では神々も肉体を持ち、仕事をして食糧を得なければならなかった。このため、人間の役割は神々の手伝いをすることだった、とされている。

ケルト神話の人間は神話の舞台となる島エリン（現在のアイルランド）に流れ着く形で登場している。こちらは時代ごとに異なる人々が現れ、それぞれの足跡や神話を残しているのが特徴だ。どこでどう人間が生まれたかについては詳しく触れられていないようだ。

このように神話では人間が登場する際にさまざまな背景や出来事が語られる。キャラクターに魔法や超能力が備わるような作品の世界観では、こうした要素が大きな比重を占めることもあるだろう。なぜ魔法が存在するのかという根本的な部分での説明にもなるはずだ。人間に限らず、異種族や精霊、妖精、宇宙人といった人間に近い存在についても神話をモチーフにして成り立ちを説明できるかもしれない。

例えば神々と悪魔の間に生まれた子孫が人間だとしたらどうか。それぞれの善性と悪性が打ち消し合って、人間は中立の存在となっている。その代わり、神や悪魔のような特別な力は使えない。

彼らは神からも悪魔からも疎まれるだろう。しかし、神も悪魔も相手の陣営を倒すには人間を味方に取り込むしかない。そうした板ばさみの状況で、人間はどちらにつくのか。あるいはどちらにもつかない道を選ぶのか。先祖返りを起こして神や悪魔の力を得た人間を交えても面白い。神、悪魔、人間。三つ巴の物語の中でさまざまな立場の人間が現れ、ドラマを形成していくことになる。

生き物の誕生

世界には人間以外にも各種の生き物がいる。神話によっては神の使いとして神聖視されたり、逆に不吉の象徴として敬遠されたりするものもあるだろう。架空の生き物が登場することも珍しくない。

エジプト神話には頭部が猫になっている神が登場する。世界で初めて猫を飼ったのは古代エジプト人だといわれており、親しみから神話の中に取り入れられたようだ。インド神話に登場するシヴァの息子ガネーシャは頭部が象である。シヴァが妻パールヴァティーの愛人と勘違いして首を斬ってしまい、あわてて近くの者の首をつけたためにこうなったのだという。それだけインドの人々にとって象は身近な存在だったのだろう。ちなみにガネーシャは富や大食の象徴として現代でも絶大な人気を誇っている。

逆に凶兆とされる代表格は蛇だろう。旧約聖書では人間を惑わせる代名詞的な存在として登場する。アダムとイヴがエデンの園を追放されたエピソードで、知恵の実を食べるようそそのかした蛇の存在はよく知られたところだ。北欧神話には悪神ロキの息子で、神々の黄昏で大暴れする大蛇ヨルムンガンドがいる。

また、想像上の生き物も神話には数々登場している。ギリシャ神話のペガサスやユニコーン、日本神話の八咫烏、ケルト神話を始めとして随所に語られるドラゴンなどはゲームや小説、マンガのモチーフとして広く活用されている存在だ。北欧神話には宇宙をつらぬくユグドラシルという大樹が登場し、植物がクローズアップされる珍しい例も見られる。

神話で重要視される生き物、架空の生き物は資料も多くて簡単に調べられ、モチーフにもしやすい。その上、由来や作品世界での扱われ方などが読者の想像力をかき立てて興味を引きつける要素にもなる。人間以外の部分にも着目してみると、神話の新たな一面が見えてくるだろう。

火の起源

人間が他の動物と大きく異なる点の一つが、火を使うことである。これによって人々は食べ物を焼き、あるいは煮炊きし、暖を取り、土や金属を加工する方法を手に入れた。文明の進歩に火は欠かせない存在だったのだ。

この「火の起源」については神話でも取り扱われることの多い出来事である。有名なのはギリシャ神話の神プロメテウスだろう。彼はゼウスのもとから火を盗み出し、人間に与えたことで知られる神だ。

また、火は古来より魔術や呪術など、強い力の象徴としてもとらえられてきた。日本神話のカグツチは母イザナミに火傷を負わせ、彼女が死ぬ原因になってしまった。インド神話には火の神アグニがおり、悪魔を退けて人々を守る守り神として崇拝されている。アグニはおだやかな顔と憤怒の顔とを兼ね備え、火の激しさや力強さを象徴する存在だ。イラン神話には火の精霊アシャが悪を打ち倒す役目を持って登場する。

アクションシーンを描く上で、火は重要な要素だ。杖の先から火球が飛んだり、手から炎が飛び出したりすれば破壊力や脅威を表現しやすい。全身を火に包まれたモンスターなどはファンタジー作品での敵役として強く目を引くだろう。

このように火は非常に特別な力である。これは魔法や特殊能力などのモチーフとしても考えやすい。プロメテウスは神の持ち物であった火を盗み、人間に与えた。同様に神々の特権とも言うべき魔法が人間に与えられれば、そこから物語は大きく動き出す。

火を手にした人間は社会を大きく発展させた。魔法も同じだろう。神のような力を持つ魔法使いが生まれ、それをもとにした武器や乗り物、いろいろな機械も作られる。人間は地上の支配者となるかもしれない。

しかし、神々はそれを許すだろうか。便利な生活から欲望にまみれ、神に近づいて傲慢になっていく人間を放置しておくとは考えにくい。バベルの塔の逸話のように天罰が下ってもおかしくないだろう。

例えば神々は、悪魔や悪霊に対抗する手段として人間に火や魔法を与えたのかもしれない。ところが、それによって人間は神々を脅かす存在にまで成長してしまった。そうなれば、今度は神々にとって敵となる。火を手に入れたのが本当に良いことだったのか、大きなテーマとして問いかける作品もできそうだ。

物語の根幹をなす特別な力の象徴としても、火の起源を一度見直してみよう。

創世神話と物語

世界創世神話は非常にスケールが大きい。また、さまざまな神話を読んでみても、（当然ではあるが）真っ先に描かれる。そこで、神話を作るのであればまず創世からしっかり考えたいと思う人は多いだろう。

しかし、世界の創世はあまりにもスケールが大きすぎて、物語の世界設定としては問題がある。つまり、実際のストーリーに絡めにくいのだ。特別ストーリーと関係するわけでもない創世神話を作中で語られても読者にとって面白さにはつながらない。作者としても、エネルギーを無為に使うことになってしまう。

そこで、「世界の創世についてはあまり深く考えない、作中でもそんなに深く触れない」という選択肢も有用になる。例えばキリスト教が深く関わってくるような物語でも、「光あれ」から始まる天地創造のことについて、じっくり語ったり取り上げたりすることは少ないはずだ。とりあえず設定としては「唯一神が混沌から世界を作り上げた」「さまざまな神々が虚無から浮かび上がる過程で世界が作り上げられた」「巨人の死体から世界が生まれた」などあったとしても、特に物語上意味がないのであればさらっと流したほうがいい。スケールの大きなバックボーン語りに興味を示さない読者も多いのである。

これは世界以外の創世神話についても同じことだ。ストーリーに関係のない「この世界がどのようにしてできたか」を語られて興味を持つ読者は決して多くない。ただ、例えば人間の誕生であったり、火の由来であったりといった創世神話は、世界の創世に比べればまだスケールが小さく、物語に絡めやすかったり、読者に興味を持ってもらいやすいようだ。

信心深い人が火をつける前に祈りを捧げたり、子どもに「人間が他の動物となぜ違うか」などというお題で説教をしたり、などの描写をすることも可能だろう。

もちろん、創世神話をしっかりストーリーに絡められるならまた話は別だ。世界の創世に関係して作中の現代に差別や対立が残っていたり、国家や組織が自分たちの権利を主張していたりする。あるいは、創世神話に隠されている宇宙的な秘密から壮大な戦争が始まったりするのは、当然アリなのだ。

人間の誕生、それ以外の出現

歴史や物語は人間を中心に語られる

↓

人間は作品の主役となる存在である

⇩

主役たる人間の誕生は神話に不可欠であり、
さまざまな神話でいろいろなパターンの人間の誕生物語が語られている

- 土や石、木、とうもろこしなどから体を創られ、命を吹き込まれた
- 神の代わりに地上を治めるため、神に似せた姿になっている
- 他の生き物とは違い、魂や知恵、感情、言葉、道具を持つようにされた
- 神々が何度も失敗をくり返した末、現在のような人間が出来上がった

など

⇩

多くの困難や事件があって人間が生まれたからこそ
それが「特別な存在」として機能する

神話における特別な存在といえば、「火」も重要

↓

動物の中で人間だけが用いるとされる「火」

人間社会には欠かせないものであり、人間の特徴的な能力の
一つでもある。魔法や強い力の象徴的な存在にもなる

- プロメテウスが天界から盗み出した
- カグツチ、アグニ、アシャなどの火を司る神
- 火を使って発展する文明と、火を軽んじたために滅びる文明

など

④冥界について

死後の世界

人が暮らしていく中で神の存在を意識したり、神話に接したりする機会はさまざまだ。その中でもとりわけ大きな一つが誰かの死に際した時だろう。

死は人間にとって最大の恐怖の一つであり、決して逃れられない出来事だ。少しでもおだやかな死を迎えたり、死後の幸福を求めたり、あるいは死そのものから逃れようと不死を求めたりして神に祈る、すがるということを人々はずっとくり返してきた。そして死後の世界に関する神話も生まれてきた。

死後の世界は大きく分けて二つある。天国と地獄だ。一般に天国は神々のおわすところで、光と幸福に満ち、ここに暮らすことを許された死者には救いがもたらされるという。生前に善行を積んだり、敬虔(けいけん)に神を信仰したりした人が迎えられるとされる場所だ。

逆に地獄は恐怖と絶望に覆われた恐ろしい場所とされる。悪魔や悪霊が巣くい、こちらに叩き落された死者はさまざまな形で痛めつけられ、苦痛にあえぐという。旧約聖書や仏教神話で語られる地獄は、それはもう恐ろしく背筋の凍るような様相だ。これらは生きているうちに悪行を働いたり、道理にそむくようなことをしたりしないように戒める意味も持つとされる。

ちなみに地獄に落とされても、長い年月をかけて罰を受けることで生前の罪が許され、天国へ行くことができるという神話(教え)もある。ただ、あまりに罪深い者は何十万年という途方もない時間を地獄で過ごしたり、永遠に許されたりしないこともあるようだ。

死後の世界で少し変わった情景を描くのが北欧神話である。それによると、勇敢な戦士たちは死後、主神オーディンの館へ迎えられ、歓待を受けるという。戦乙女ヴァルキリーが身の回りの世話を務め、豪華な食事と酒、立派な住まいを与えられるそうだ。彼らは死者の戦士エインヘリヤルとして体を鍛え、来たるべき戦い（神々の黄昏）に備えて鍛錬の日々を過ごすという。このため、北欧神話を伝えるゲルマン民族では戦いの中で死ぬことは栄誉であり、むしろ望むところと考えられたという説もあるらしい。

死者は蘇る、と考える宗教や神話も多くある。その筆頭はエジプト神話だろう。エジプトの王が遺体をわざわざミイラ化して保存するのは、来世に帰ってくる魂の器にするためだった。神々の裁判を受けて許されたものだけが帰ってくることができたという。

変わった冥界（あの世）の話はまだまだある。

パプアニューギニア、キリウィナ島の近くにはあの世があると考えられていた。この島の人々は、死ぬと実在する近隣の島に行くと信じていたのだ。そこでは新しい人生があり、最後にはまたしても生まれ変わってこちらの島に戻ってくる。輪廻の変形バージョンとでもいうべきなのだろうが、昔の人々が遠くに見える島にあの世を見たというのはなんとも興味深い話だ。

あの世は地下にある、と考えていたのは古代日本だ。日本神話には死者の世界として「黄泉の国」「根の国」「常世の国」があるとされていたが、このうち前者二つは地下にあると考えられていた。もし本当に物理的に地下に死後の世界がある場合、技術の発達や魔法の力で生きながら地下へ、死者の世界へ行けたならばどうなってしまうのだろうか。死者の世界の法則にとらわれて死人になってしまうのだろうか。それとも、生者としての力であの世の支配を打ち破ることができるのだろうか。

この世で別の姿に変わってしまうという話もしばしば見る。フィリピンには「コオロギになる」、アイルランドには「蝶になる」、フランスには「ハエになる」、スラヴ地域には「鳥になる」という話が受け継がれている場所があるという。神話とは少しばかり離れた話になるが、現代においては死者の身体が姿を変えることがある。遺灰に強烈な圧力をかけてダイヤモンドに変えることができるのだ。ファンタジー世界なら死者がゾンビになって歩き出したり、モンスターになったりすることもあるだろう。さて、あなたの世界では、死者は安らかに眠ることができるだろうか？

もっとすっぱりとした死の形もある。ジプシー（ロマ族）の考え方の中に、「人が死んだら忘れる」というものがある。墓も作らない、遺品も持たない。あの世という概念もない。物語ではしばしば「人が真に死ぬのは忘れられた時だ」という概念が語られるが、まさにジプシーはその意味で死者に永遠の別れを告げるわけだ。旅の中で厳しい暮らしに生きる彼らには死者を振り返る余裕などなく、仕方がなかったのだろうが、なんとも寂しい話である。さて、もしあなたの作る世界に死者を忘れる習慣があったなら、それはなぜだろうか。忘れなければいけない理由があるのだろうか。

なお、日本語には死を暗示する「死神」という言葉もある。これは特定の神を指す言葉ではなく、死をもたらす存在や死そのものを恐れて使われるものだ。

天国、地獄、死神などが物語のモチーフに使われることは多い。神々や天使、悪魔といった存在を登場させやすく、彼らを主人公にすることもできる。また、死をからめて人間の心や社会を大きく動かすこともできるからだ。

天国で幸せに暮らしていたキャラクターがそこを追放されれば、どうにか戻ろうとするだろう。逆に地獄で苦しむキャラクターはなんとかそこから逃げ出そうとする。死をもたらすことをためらう死神や、救済を名目に人間の魂をかき集める天使など、既存のイメージを逆転させるのも一つの手法だ。

人間も死後の世界があると分かればじっとしてはいられない。亡くなった人と再会するために死者のもとを訪ねることも考えるだろう。死者が現世に帰ろうと奮闘することも考えられる。幽霊やゾンビがキャラクターとして登場する作品も少なくない。死後の世界から一方的に現世を見る、あるいは干渉するという構造も面白いのではないだろうか。

明るい地獄や、増え続ける人口に悩む死者の国(苦悩の末、蘇りを推奨する)など、一風変わった設定も作れるだろう。

冥界に関わる神々

死後の世界は冥界と呼ばれることもある。天界(空)、地上と並んで世界を構成する重要な場所であり、ここを治める神も少なくない。

代表的なのはギリシャ神話のハデスだ。彼はゼウスの兄で、海神ポセイドンと三人でそれぞれ治める場所

神話と冥界

神話の中でも死後の世界がさまざまな形で語られ、
そこを管理する神々や死者の暮らし、蘇りなどの物語が生まれた

- 死後の世界とはどういうものか。人間は死んだ後、そこで幸福に過ごせるのか
- 生前に正しい行いをした者は祝福され、誤った行いをした者は罰せられる？
- 悪魔に魂を奪われたり、地獄に落とされて死後も苦しみ続けるのではないか

など

では、作中世界においてはどうだろう？

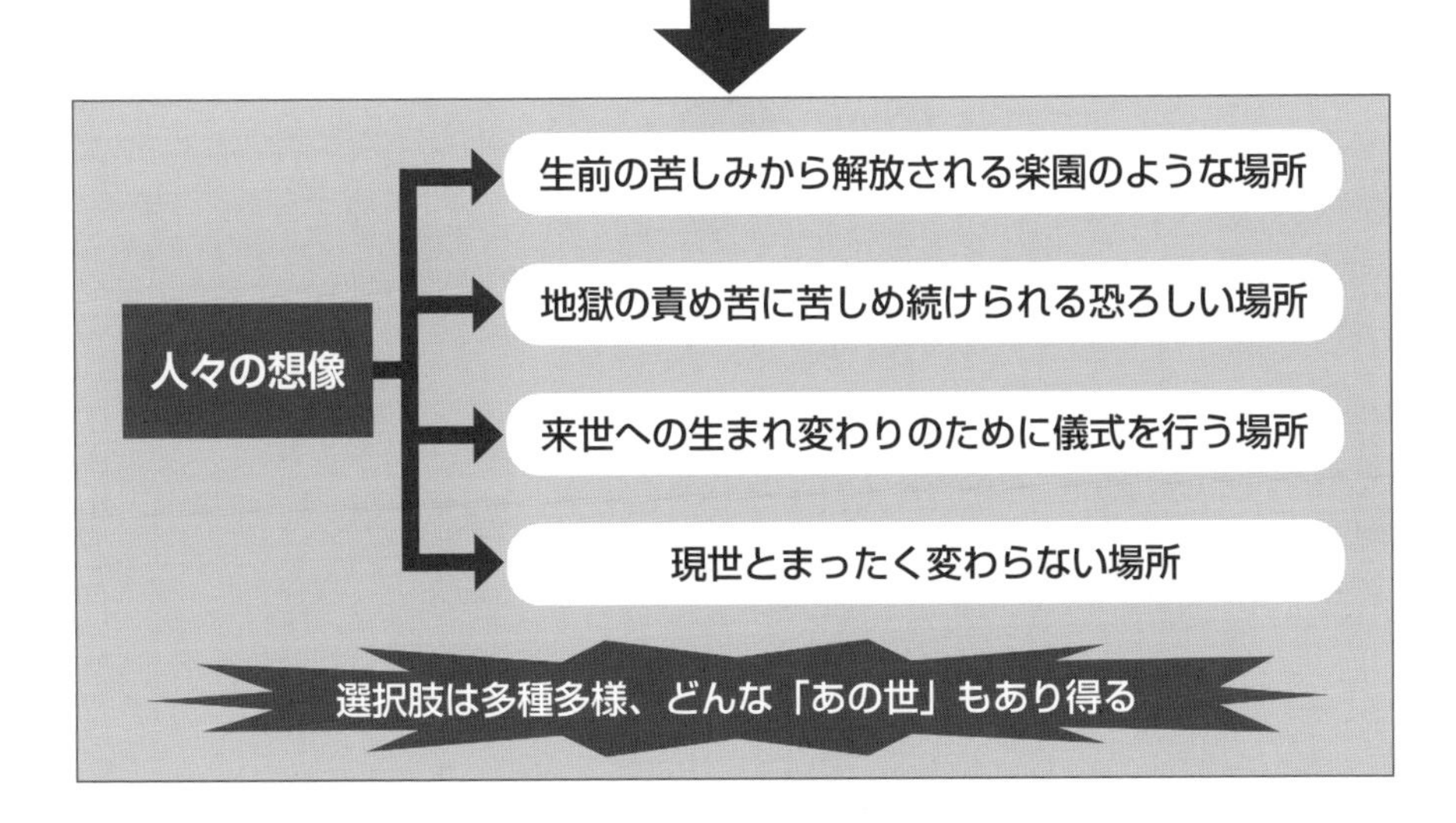

を決める際、冥界を選んだ。彼は非常に厳格な性格で、死者を厳しく戒め、秩序をもって冥界をしっかりと治めたとされている。反面、生きている者には寛容で、死者からは恐れられつつも、生者からは深い感謝を捧げられたそうだ。地上にはハデスを祀る神殿も祭壇もなかったが、人々は冥界と同じく暗い夜を選んで儀式を行い、ハデスへの感謝を表した。その時供物として捧げられた獣は頭を下、つまりハデスのいる冥界のほうを向くようにされていたという。

エジプト神話のオシリスも冥界を治める神として知られている。彼はもともと地上を治める神だったが、弟セトの陰謀によって命を落としてしまった。妻イシスが亡骸を探し当てて復活させるものの、再びセトに殺され、冥界の王になることを選ぶ。ちなみに復活したオシリスとイシスの間の子が後のエジプト神話の主神ホルスである。

オシリスの特徴は死者の生前の罪の重さを量る判事を務めていたことだろう。エジプト神話では人々は死後、オシリスの前で心臓を天秤にかけられる。反対側の皿には真実を司る女神マートの羽根が載せられ、死者は生前の罪を告白するのだ。正直に話せば死者は復活を約束される（エジプトでミイラが作られ、遺体を保存する慣習が生まれたのはこのためだとされている）。しかし、嘘をつけばワニの頭を持つ怪物アンムトに飲み込まれ、復活は叶わないそうだ。

旧約聖書の神話では神は一人しかいない。当然、いるのは天国だ。周りには天使たちがいて、まさに楽園と言うべき光景が広がっているとされる。

その一方で、地獄にも天使がいる。彼らの役割は地獄に落とされた死者を罰することだ。地獄で与えられる苦しみは、あくまで死者が罪を償うための刑罰であり、やみくもに痛めつけることが目的ではない。悔い改め、浄化された死者の魂はやがて天国に昇ることを許されるのだ。なので、その役目は神の使いである天使が担っている。地獄にいる天使への恐怖は悪魔への恐怖とは違い、嫌悪するようなこともないのである。東洋では閻魔大王が同様のイメージを持つ存在だろう。

他にも日本神話のイザナミ、メソポタミア神話のエレシュキガルなどが冥界の神として挙げられる。また、ギリシャ神話に登場するハデスの妻ペルセポネもここ

冥界の神々

さまざまな神話に、いろいろな個性と事情を持つ「冥界の神々」がいる

ギリシャ神話

主神ゼウスの兄・ハデス

↓

冥界に秩序を与え、生者に感謝される神。
しかしペルセポネを無理に連れ去って妻にしてしまったことも

エジプト神話

主神ホルスの父・オシリス

↓

冥界の裁判官として、
復活を許すか消滅かを裁決する

聖書神話

地獄には天使がいる

↓

死者の魂に罰を与え、
やがて天国へ迎え入れる役目

に入れられるだろう。

ペルセポネはハデスにさらわれて妻となり、冥界の住人となった。この時取り乱したのがペルセポネの母デメテルだ。豊穣の女神だったデメテルが娘を探して役割を放り出したため、地上はまたたく間に荒廃してしまったという。

ゼウスは事態を収めるため、ハデスにペルセポネを返すよう言った。しかし、彼女は既に冥界の食べ物を口にしており、地上には戻れなかった。そこでゼウスはペルセポネが一年の三分の二を地上で、残りを冥界で過ごすことに決めたという。このペルセポネの不在の時間が冬なのだ（デメテルが娘の不在を嘆き、役目を果たせないからだとされている）。

死や冥界については、このように多様な形があり、また物語がある。人々の死後の世界への興味は尽きず、それだけ想像の余地があるということだ。キャラクターが死者の国から帰ってきたり、大切な人を取り戻しに冥界に踏み込んだりすれば、ただ違う場所へ行くだけでは表現できない独特の雰囲気が物語に生まれることだろう。

⑤神話：その他の神話要素

半神や人間の英雄・聖人

神話には神々以外のキャラクターも登場する。

特に有名なのはギリシャ神話のヘラクレスなど、神の血を引いたりしつつも神ではない英雄たちだ。神話は基本的に神々が中心となって紡がれていく物語だが、世界の創造などの大事業が終わって時代が下っていくと、やがて人間の歴史ともつながり始めるところがある。そういった時に神ではない存在の活躍が描かれることがあるのだ。

前述のヘラクレスはギリシャ神話最大の英雄とも呼ばれる人物で、ゼウスの血を引く半人半神の存在である。彼は十二の難行といわれる苦難を乗り越え、ヒュドラやケルベロスといった怪物と戦ったり、黄金のりんごを探し求めたりと、数々の冒険をくり広げた。しかし、最後は怪物ネッソスに騙された妻デイアネイラに浮気を疑われ、毒殺されてしまう。

ヘラクレスの祖先には、同じくギリシャ神話を代表する英雄ペルセウスがいる。こちらもゼウスの血族である半人半神で、目を合わせた相手を石にする怪物メドゥーサを退治した物語は有名だ。その後、彼は美しい姫君アンドロメダを助け、彼女を妻とした。ちなみにメドゥーサの首は戦いの女神アテナに届けられ、彼女が持つ最強の盾イージスの表面に埋め込まれたとされている。

ギリシャ神話では他にもクレタ島の怪物ミノタウロスを退治した英雄テセウスと彼に救われた王女アリアドネ、父親を殺し、母親と結婚してしまった王オイディプス、「アキレス腱」の語源として知られるトロイア戦争の英雄アキレウス、そのトロイア戦争で「トロイの木馬」を考案した智将オデュッセウスなど、名だたる人々が活躍している。

一方、一神教の神話の代表格である旧約聖書は聖人の宝庫と言って良いだろう。ここに描かれる物語には

「預言者」という人々が登場する。彼らは神の言葉を人々に伝える役割を持つ特別な存在で、社会の指導者として重要な立場にあった。

人々を救った預言者としてはモーセが名高い。彼は迫害を受けた人々を連れてエジプトを脱出し、約束の地カナン（パレスチナの古名）に導いたと伝えられている。その途中、エジプト軍に追いつめられたモーセが手をかざすと、海が真っ二つに割れて道ができたという話はあまりにも有名だ。また、彼はシナイ山で神の啓示を受け、生きる上での戒律を授かったという。これがいわゆる「十戒」だ。

英雄や聖人とは、いずれもその人の功績に応じて与えられる呼び名である。ただ、後者は神への信仰が深いことも条件になるだろう。英雄は神々の存在とは関係なく登場するが、神々を信仰しない聖人というのは普通は聞かない。同じように人々を救ったとしても、キャラクターの態度や信条によっては英雄と呼ぶべきか聖人と呼ぶべきか、少し変わってくるはずだ。

作品の中において英雄や聖人というキャラクターは非常に使いやすい。ヒーロー性が強く、人々を守り救う善のキャラクターとして分かりやすい記号になるからだ。もちろん、英雄や聖人と呼ばれるにふさわしい過去や功績がなければならない。そこを逆手に取って「偉大な人物と勘違いされている英雄」「敬虔だと思われているだけの聖人」というキャラクターにするのも一つの手法だろう。引っ込みがつかなくなって必死に嘘をつく英雄たちというのも面白い。かつてはそのように呼ばれたが、今は落ちぶれてしまった英雄・聖人といったキャラクターも物語のアクセントとしてよく使われるようだ。

そして、王道のパターンとしてはやはり主人公が英雄や聖人と呼ばれるまでの物語を描く形になる。ラストシーンまでたどり着いた結果、彼らが英雄にふさわしい姿となった時の爽快感はいわゆる英雄物語の一番の醍醐味だろう。

オリジナルのキャラクターにどんな冒険をさせ、どんな偉業を達成させれば、英雄・聖人と呼ばれても違和感がないようにできるか。神話における英雄たち、聖人たちの大活躍をひも解けばそのためのヒントがいくらでも見つかるはずだ。

神話の中の怪人

英雄や聖人がいるからには、それに敵対する存在も当然いる。神話には各種の怪物や悪魔といった悪役の姿が描かれているのは周知のことだろう。

そんな中、旧約聖書に少しばかり異彩を放つ人物がいる。古代イスラエルの王ソロモンだ。

ある時神はソロモンの枕元に立ち、望むものを与えようと告げた。そこでソロモンは知恵を望み、すばらしい英知を授かったという。

ソロモンはその賢さとカリスマ性から国に空前の繁栄をもたらした。彼の明晰ぶりを表すエピソードには有名なソロモンの裁判がある。一人の赤ん坊に対し、二人の女性が母親だと名乗り出たところ、ソロモンは剣を抜いて「赤ん坊を二つに裂き、それぞれに分け与える」と言った。そこで泣き崩れ、赤ん坊を殺さずに相手に与えてほしいと答えた女性を本物の母親と見きわめたという話だ。神話に付随する伝説の一つとして広く知られているものである。

そんなソロモンだったが、異教徒との結婚をしてはならないという戒めを破ったため、旧約聖書では悪とされているようだ。後世にはさらに話がふくらみ、彼が悪魔と契約して国を繁栄させたという話まで出来上がってしまった。ソロモン王と七十二の悪魔の逸話がそれである。

ソロモンはどこかの英雄に倒されたわけではないし、人間を滅ぼそうと暗躍したわけでもない。このため明確な悪役とは少し違うのだが、知名度やキャラクター性は抜群だ。作品のモチーフにされることも多く、正義の英雄であったり、強大な黒幕であったりとさまざまな描かれ方をする。七十二の悪魔の性格や能力、ソロモン王との関係性なども多様で面白い。

英雄、聖人、悪役などのカテゴリーにとらわれず、独自の存在感を持つキャラクターを追求するのも悪くない。ソロモン王はその一例になるだろう。

神殿・遺跡

神話を現在に伝える物はいろいろある。書物や口伝はもちろんのこと、石碑に刻まれた碑文や発掘された神像なども研究され、解読されている。その中でも大

神話のいろいろなポイント①

神に近い「人」

神話の中で活躍するのは、必ずしも神だけではない！

↓

神に近い、特別な人間もしばしば神話の中に登場する

- 神の血を受けた半神
- 人間離れした英雄
- 信仰ゆえに特別な力を持つ聖人
- 悪魔を支配する怪人

神殿や遺跡

神話の痕跡は時に後の時代にはっきりとした形で残っているもの

↓

神話（のもとになった）遺跡や、神を信仰する人々が集まった神殿など、
はるかな過去を思わせる施設

きな手がかりになるのが神殿や遺跡だ。

　神々には神殿がつきものである。古代の人々は神々を敬い、祀るために大きな建物を建てた。それが豪華で立派なものであるほど神の権威を強く表すと考えられた一面もあり、目もくらむような高価な装飾が施されたり、とてつもない威容を誇る巨大な建物だったりする場合も少なくない。その一方で断崖絶壁の途中に建てられたり、潮の満ち引きで陸と行き来する道がなくなったり、釘を一本も使わずに造られたりと、不思議な工夫をされた神殿もある。教会や神社、寺院も神殿の一種と言っていいだろう。

　神殿は神々と人々との接点だったとされている。神々の像が祀られたり、聖印が掲げられたりして、神聖な空気に満ちていた。そこでは神々への感謝を捧げる儀式が執り行われ、時には神々が降臨することもあったという。また、結婚式や葬式が営まれたり、年や季節の節目に人々が参拝に訪れたりと、生活に密着した一面も持っていた。こうした習慣は現代にも受け継がれているものがいくつもある。

　中世西洋風ファンタジー作品では神殿や遺跡は欠か

せない要素の一つだ。都市はもちろん、さびれた農村でも小さな神殿や祠を登場させると作品の雰囲気がぐっと深まるだろう。王都には総本山となるような大神殿を建てたり、神殿を中心にして栄えている聖地の街を造ったりもできる。そこには作中で聖人と呼ばれる重要人物もいるはずだ。

遺跡はさらに多様な使い方ができる。まず、人里にある必要がない。森の奥深くや湖の中の島、海の底、砂漠の地下などどこにあってもかまわないのだ。

その正体も神々の残した痕跡でも良いし、英雄たちの戦いの跡でも良い。かつて神が暮らしていた街などという設定も読者の興味を引くだろう。

そして、遺跡の活用法として「冒険の舞台にする」というものがある。ゲームなどではおなじみの手法ではないだろうか。遺跡は神殿と違って人が立ち入らない場所であることも多い。危険や謎に満ちていて、キャラクターがそこを探索するだけでも一つの物語になり得るだろう。

現代でもピラミッドやナスカの地上絵、日本各地の古墳などは遺跡である。ここにモンスターが出現したり、宝箱が置かれたりしていることはないが、作品の中なら自由にして良い。それこそ神が実際に暮らしていたってかまわないのだ。神々の使った神器が眠っていたり、神や悪魔を呼び出す呪文が残されていたりしても良いだろう。

地面に巨大な穴が空いていたり、荒野の中で一カ所だけ草が茂っていたりする場所を神が降り立った跡と設定すれば、それで遺跡が誕生だ。ケルト神話の舞台であるアイルランドには二つの丘陵が並んでいる場所があり、大地母神ダヌの乳房と形容されている。由来はこれくらい単純でも良いので、あとは自由に物語の舞台として活用しよう。

神々による奇跡

神々が起こす超自然的な出来事は、しばしば「奇跡」と呼ばれる。

英雄や聖人の中にも奇跡的な出来事を起こす人はいる。しかし、神々の奇跡はやはりけた外れのスケールでなされることが少なくない。

例えばインド神話の破壊神シヴァは、妻パールヴァティーにいたずらをされて両目をふさがれた時、額に第三の目を開眼した。その時放たれた光はヒマラヤを吹き飛ばすほどの力を秘めていたという。エジプト神話の女神ハトホルは「ラーの眼」という別名を与えられるほど強大な神で、神への信仰を怠ったとして人類を滅亡寸前まで追いつめた。ラーがあわてて止めに入り、人類はからくも生き残ったのだが、ハトホルの殺戮によって流れ出た血によって砂漠は真っ赤に染まり、今もその色に見えるのだという。

そして神の奇跡を語る上では、旧約聖書の神話を外すことはできないだろう。世界規模の神の奇跡といえばノアの大洪水だ。一隻の方舟を残して全世界を押し流してしまったのだから、その力は計り知れない。

旧約聖書にはこの他にも大小さまざまな奇跡が描かれている。

預言者モーセが人々を率いて約束の地カナンを目指していた時、一行は荒野を進むことを余儀なくされた。やがて水が尽き、食糧もなくなってしまう。と、神は水の在り処を示したり、天からパンを降らせたりして彼らに与えたという。

信仰の父祖とされるアブラハムには、子どもが授かるという予言を授けた。その時アブラハムは百歳、妻のサライは九十歳だったため、敬虔なアブラハムもにわかには信じられなかったようだが、一年後に夫婦の間にはイサクという子どもが生まれた。ちなみにその後、アブラハムは神への信仰の証としてイサクを殺すよう言われ、それに従おうとする。神はアブラハムの信仰の厚さを認め、すんでのところでそれを止めたという逸話も残されている。

同様に子どもが生まれることを告げる話では、神ではないが天使ラファエルによるイエスの受胎告知が有名だ。こちらは新約聖書の神話となる。

また、奇跡の代表格としては死者の復活がある。
神々の復活は奇跡と言われるほど大げさにはならない。
それくらいはできそうなイメージがあるからだろう。

だが、人間の復活はそれこそ奇跡的な出来事で、神々にすがるくらいしか方法がない。不可能を端的に表しており、それゆえに神の手で復活がなされると奇跡と呼ぶにふさわしい出来事になるのだ。

作品では人間が魔法や超能力を使うことは珍しくな

いだろう。しかし、神々が大規模な出来事を起こしたり、不可能を可能にしてみせたりするのなら奇跡という表現を使いたい。魔法よりも重く、人間にはたどり着けない領域を思わせて神の強大さを伝える手法の一つになるはずだ。

奇跡という言葉を使う際にはもう一つ、乱用しないことにも気をつけたい。古代ギリシャの演劇にはラストシーンで神が降臨してすべてを解決してしまうデウス・エクス・マキナ（機械仕掛けの神々）という演出法があった。神の力や奇跡の凄味がよく分かる演出ではあるのだが、これを多発するのはあまり良くないとは分かっていただけるだろう。何もかも神が解決してしまってはキャラクターの見せ場がない。

神による奇跡にも同じことが言える。作中で奇跡が頻発してはキャラクターの存在感が薄れるし、緊張感もなくなってしまう。死んでしまったキャラクターが端から復活しては泣きどころもないだろう。復活するのは悪くないが、それに足る背景事情を語ったり、そのためにキャラクターが奮闘（苦労）する姿を描いたりすることも忘れないようにしたい。

奇跡は作品世界の切り札的な存在として、ここぞという場面に限って用いてこそ輝くはずだ。

天罰

時には神の怒りを買い、天罰を下されることもあるだろう。

こちらも旧約聖書に各種の例を見つけられる。ノアの大洪水に並んで知られるのがソドムとゴモラを滅ぼした天の火だ。死海の南端にあったとされる都市ソドムとゴモラは繁栄したが、同時に人心は荒廃し、堕落してしまった。神は激怒し、二つの街に燃え盛る硫黄の雨を降らせて根こそぎ焼き払った上、死海の底に沈めてしまったという。

また、ギリシャ神話のアルテミスも厳しい罰を下すことで知られる。彼女はゼウスに純潔を誓った強い貞操観念の持ち主だった。アルテミスの水浴びを覗いてしまった猟師は鹿に姿を変えられ、自分の飼っていた猟犬に食い殺されてしまう。アルテミスの気に入っていた牡鹿を殺してしまった王は娘を生け贄に捧げた上、妻によって殺されるという非業の運命をたどった。特

神話のいろいろなポイント②

神は奇跡を起こすもの

人に恵みをもたらす奇跡

人を助け、導き、救ってくれるからこそ信仰が集まる

空から食べ物が降る / 預言者を通して導く / 死者を復活させる

人を罰する奇跡

恐ろしい罰を下す神を、人は畏れ崇める

大洪水 / 天の火 / 動物に変える

に男性への容赦ない姿はアルテミスの特徴とも言われるほどだ。

天罰は人間にとって避けようのないものであり、恐ろしい存在だ。キャラクターに天罰が下るかもしれないという状況を演出すると、物語にも緊張感が生まれる。命を左右したり、街や家族の運命を決めたりする大きな罰だとなおさらだろう。

ただ、そうした天罰を恐れずに自分が正しいと思ったことを貫く覚悟を見せるのもキャラクターの魅力の一つとなる。困難に立ち向かい、打ち勝つというのは主人公の格好良さの定番だ。それが神の下す天罰となれば、それだけ壮大なイメージにつながる。主人公の存在感も大きくなるだろう。

天罰に逆らうという構図には二つのパターンがある。起きてしまった天罰から逃れる形と、天罰そのものを阻止する形だ。前者は大洪水や神々・天使の襲来といった危機的状況からの脱出（または生還）もの、後者は神を説得したり、出し抜いたりといった策略ものを展開できる。神々の力にどこまで抗い、どのように勝利するか。物語は盛り上がるはずだ。

⑥もし神々が実在したならば……

神と人が共存する世界とは

ファンタジー作品などの中には神々が実在する世界観を持つものがある。人々が暮らしている横で、神々もその世界での生活を営んでいるのだ。

メソポタミア神話がこうした世界観に近い。この神話体系では人間は神の労役を助けるための存在で、神の身の回りの世話をする義務を負っているのだ。神々も食べ物を手に入れなければならないし、戦いで受けた傷がもとで死んでしまうこともある。神と人との距離感が比較的近いのだ。

もちろん、神と人間の上下関係は絶対である。力関係も神のほうが圧倒的に上だ。メソポタミアの人々は神の住居として巨大な神殿を築き、供物を捧げて神に仕える立場を明確にしていたという。実際に神がいたわけではないのだが、神像を神に見立てて、神がいるのと同じように接していたそうだ。戦いに敗れて神像が持ち去られると、人々は「神が去ってしまった」と嘆き悲しみ、時には神像を取り返すために戦いを挑むようなこともあったらしい。こうしたメソポタミアの社会をモチーフにすると、神が実在する世界観の想像もしやすいのではないだろうか。

一方で、こうした人間に近い性格の神だけではなく、超越的な存在としての神々が存在する世界観も考えられる。神々は基本的に絶対者であり、不可能はない。簡単に言えば、人間社会の常識やルールに従ったり、人間に配慮したりする必要がないのだ。

しかも、神々の力は際立って大きく、ふとしたはずみで山を吹き飛ばしたり、嵐を巻き起こしたりもしかねない。人間と同じ尺度で生活することは難しいだろうし、人がそれに対して文句を言うこともできない。そんな神々の奔放さに振り回される人々も少なくないはずだ。

作品によっては神々の存在が人間にとって害にな

神々が実在する世界

「神が（隣に）いる」という
特殊な設定によって生まれる物語がある！

- 人間は神々を敬いながら生活し、供物や歓待によって直接の感謝を示す
- 神々の強大な力が目の前で発揮され、人間を守ってくれる
- 王や貴族などの権力者も、神々の前ではひれ伏さざるを得ない
- 面と向かって話せることから神々がかえって身近に感じられ、親しく接する神と人間も出てくる
- 神々が人間の生活に興味を示し、その中に溶け込もうとする
- 強大過ぎるため、かえって神々の存在が人間の害になることも

など

り、敵役のように扱われることもあるだろう。そんな時、大きな役割を果たすのが「神殺し」の英雄である。人が神を倒すことは原則としてできないが、例外的にそれを可能にする人物が現れると話は変わる。強大な武器を使ったり、他の神や悪魔の力を借りたりと方法は多種多様だが、勝てるはずのない神に勝つイレギュラーな存在として彼らは独特の物語を生み出すはずだ。神と人の戦いを描く時には神殺しの英雄も上手く活用していきたい。

また、人間とは距離を置きながら神々が生きているという場合もあるだろう。例えば神々の住む天界と人間の住む地上とが分かれていて、ほとんど交流がない世界観も成立する。ただ、完全に隔絶していては神々を実在させる意味がなくなってしまう。節目の祭事の時などに神々を降臨させ、奇跡を起こさせるなどすると作品独自の色が出せるだろう。絶体絶命の危機に人々の祈りが届いて神々が現れるなどすれば、クライマックスの盛り上がりにも使えるはずだ。ただし、キャラクターではなく神々が何でも解決してしまうやり方は避けるようにしよう。

現代社会に神々を登場させる作品ももちろんある。妙にコンピュータに詳しい神がいたり、逆に近代文明についていけない神がいたりしても面白い。信仰が薄れたと激怒した神との大戦争に発展することだってあるかもしれない。ライトノベルやマンガでは主人公と一緒に学校に通う神も少なくないようだ。

神々が実在する世界観では、人々の生活様式や考え方にも変化が生じる。そこをしっかりとフォローするのは大変だが、それだけ広がりのある世界観にでき、作品に独自性を持たせられるのも事実だ。人間とは異質の存在を登場させることで生まれるドラマもある。

神々に限らず、悪魔や魔物、神器などを持ち込むのも良いだろう。そちらはまた違った印象の作品になるはずだ。

まつろわぬ神

物事にとらわれず、我が道を行く神々を表現する際に「まつろわぬ神」という言葉が使われることがある。元来は主神など力ある神々の決定に従わなかった神を表す言い方のようだ。「まつろう」とは「服ふ」「順ふ」と表記し、つき従うことを意味する。転じて、自由奔放にさまよったり、気ままに振る舞ったりする少々はぐれ者のようなきらいのある神々を指す際にもこの言葉が使われるようである。

神々が実在する世界観を考える時、このまつろわぬ神を取り入れると広がりが出るだろう。まつろわぬ神のキャラクターとしてしばしば用いられるのが、正体を隠している神々だ。彼らは何食わぬ顔で人間社会に溶け込んでいたり、気の向くまま各地を旅して回ったりしている。

相手が神だと分かっていれば、人間は一定の敬意を払うだろう。神殿で歓待し、立派な祭祀を執り行って失礼がないようにする。神は王侯貴族などよりずっと偉大な存在なのだから当たり前だ。

まつろわぬ神の場合、これがなくなる。相手が神でありながら文句を言ったり、冷たく当たったりする人が出るだろう。神はそれを受け流すかもしれないし、無礼と感じてやり返すかもしれない。自分が正体を隠しているからそうなるのだが、そんな人間側の事情を考慮するかどうかは神次第だ。ある意味では非常に厄

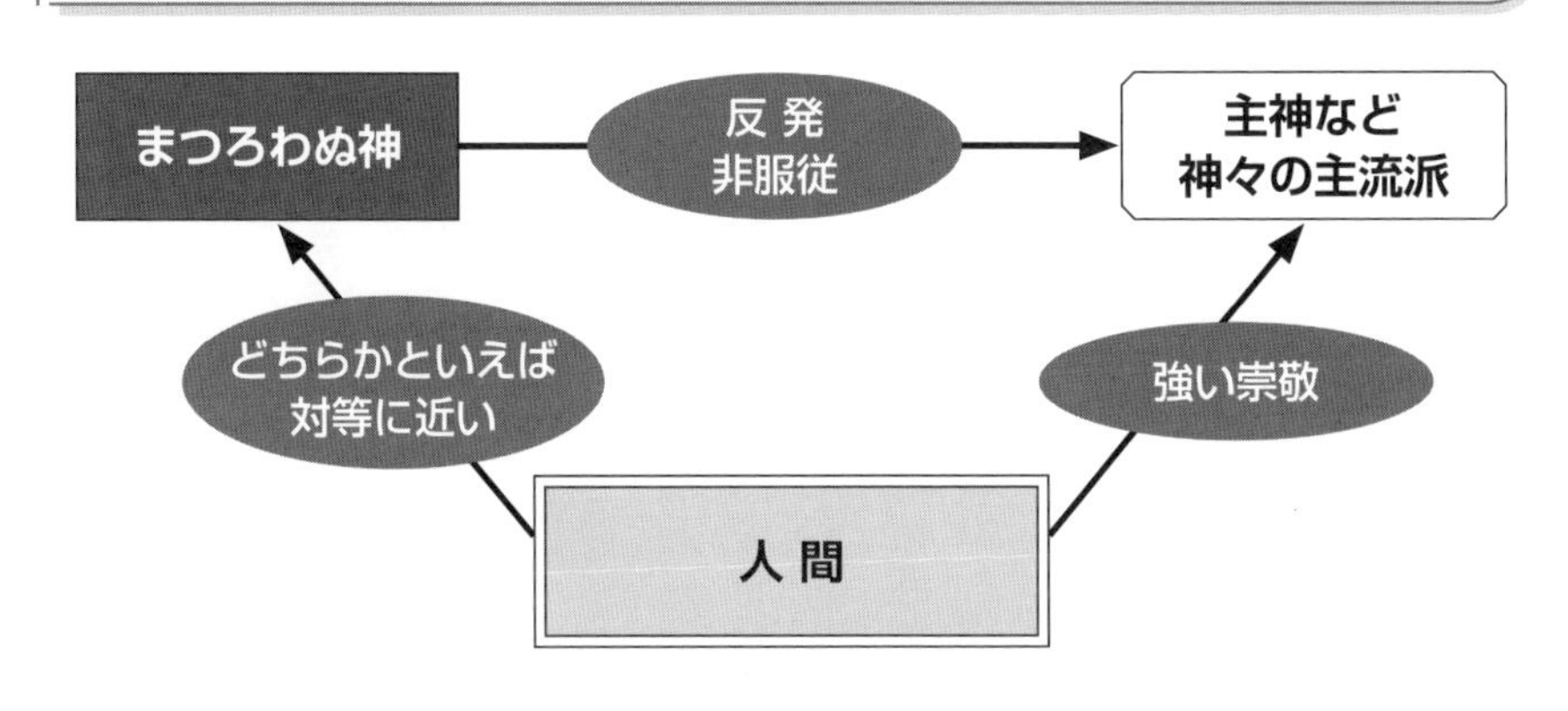

介な存在にもなるだろう。

まつろわぬ神はまた、神々と人間とが戦いに陥った際、人間側に味方する可能性もある。元来は主神や神々の意向に従わなかった者たちだ。神に歯向かうという事態を歓迎して人間を助けることもあるだろう。もちろん、まったく無関心を貫くこともあるだろうが（それをどうにか説得したり、上手く利用したりするキャラクターがいても面白い）。

ギリシャ神話や北欧神話を見ると分かるが、神々の間にも仲間意識があったり、逆に敵対関係があったりするものだ。ギリシャ神話に描かれるトロイア戦争では軍神アレスがトロイアを、戦神アテナがギリシャを後押ししており、神々の代理戦争のような様相も呈している。神が気に入った人間同士が争ったり、神と人が剣を交えたりした例もある（前出のアレスはトロイア戦争で人間の将軍ディオメデスに敗れている）。

奔放で常識にとらわれないまつろわぬ神がここに加われば、いっそうの混乱をもたらすはずだ。敵か味方か分からない、そんな神がいる世界観も読者の興味を引きつける要素になるかもしれない。

⑦終末神話

世界の終わりを語る神話

神話には世界の終わりを告げるものもある。

もっともよく知られるのは北欧神話の「神々の黄昏」だろう。ラグナロクとも呼ばれる神々の最終戦争が起こり、主神オーディンを始めとする神々は、悪神ロキに率いられた怪物や巨人の軍勢と剣を交え、ことごとく命を落としてしまう。さらに世界を貫く大樹ユグドラシルも焼け落ち、神々の時代が終わって人間の時代が訪れるという衝撃的なラストシーンだ。

イラン神話では「最後の審判」が行われる。善神アフラ・マズダと悪神アンリ・マンユとの長きにわたる戦いに終止符が打たれ、世界は終末を迎えるという。この時、勝利するのはアフラ・マズダだ。

死者はアフラ・マズダの手によって蘇り、生前の罪の重さを問われる。ここで地獄に落とされる者もいるが、三日後には許されて天国へ行き、悪の打ち倒された世界で永遠の命を授けられるそうだ。

旧約聖書のノアの大洪水も終末神話の一種と考えられている。神をないがしろにした人々とその世界は一度滅び、消え去っているからだろう。

ヨハネの黙示録

ここでは、もっとも有名な世界の終末の物語として、新約聖書の黙示録を比較的詳細に紹介することにしたい。これは新約聖書の一片、『ヨハネの黙示録』に記されている物語である。

物語はヨハネが啓示を受け、霊視した光景として描かれる。彼が最初に見るのは天上界の玉座に座った神だ。その周囲には長老たちや不思議な生き物がいて、それぞれに神を讃える言葉を唱える。神の手には七つの封印がなされた巻物があった。これをイエス・キリストが開くことで終末が訪れるのだが、この時の彼は七つの角と七つの眼を持っているのが特徴だ。

終末神話

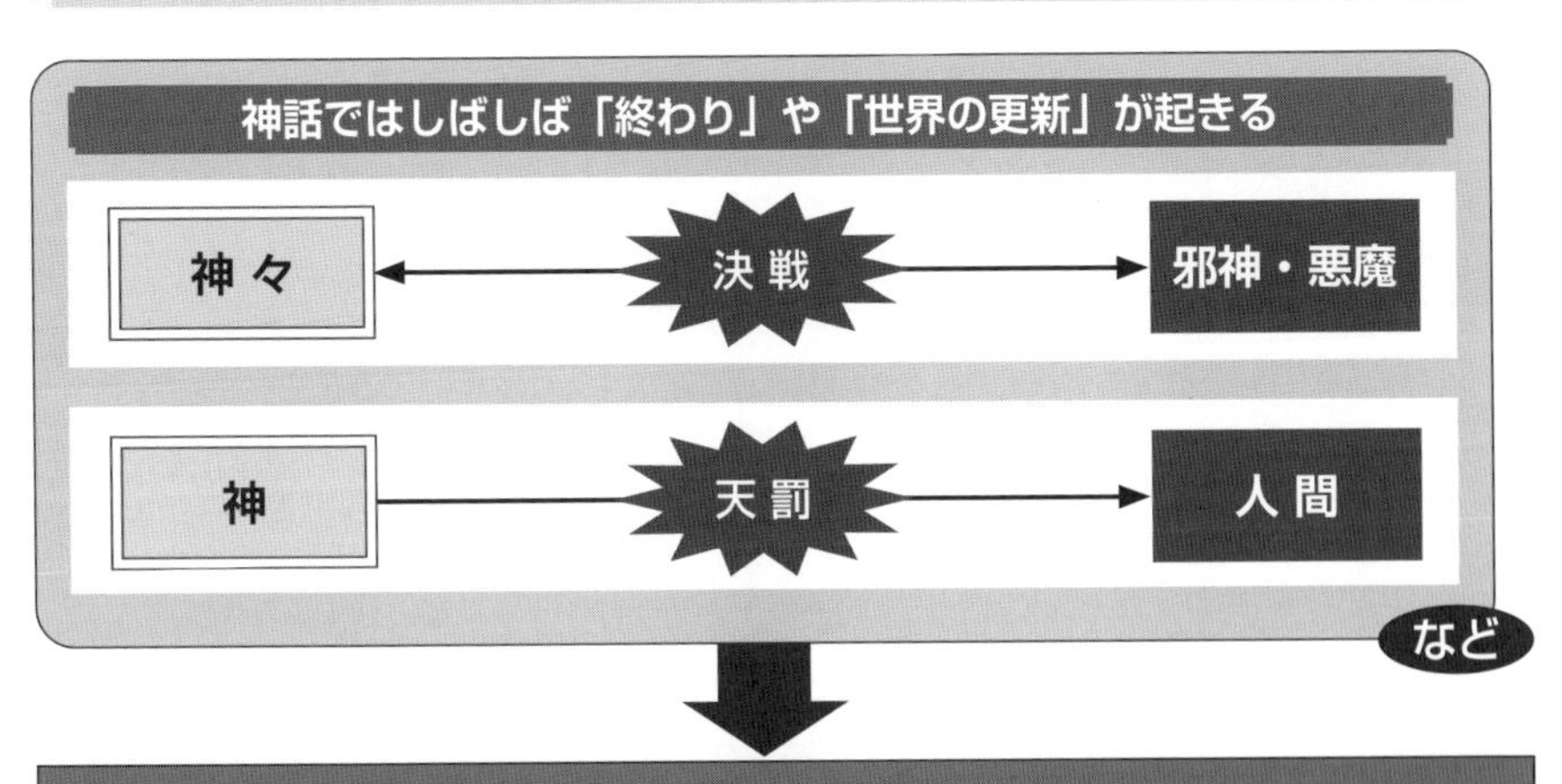

神話ではしばしば「終わり」や「世界の更新」が起きる
神々
決戦
邪神・悪魔
神
天罰
人間
など
これらは本当に「おしまい」「滅亡」であることは少なく、
「素晴らしい世界が待っている」「新しい世界が始まる」ことが多い

七つの封印のうち第四までは、白、赤、黒、青の馬に乗る人物が現れる。これらはそれぞれ悪疫、戦争、飢饉、死を示すという。第五では殉教者たちが現れて神の裁きの到来を待ち望み、第六では大地震と星の落下が起こる。そして第七でラッパを手にした七人の天使が現れる。

この天使たちがラッパを吹いてもたらすのが地上における七つの出来事だ。血の混じった雹（ひょう）と火が降り注ぎ、巨大な火の塊が海に落ち、彗星が河や水源を汚染し、太陽や月や星が壊れて暗くなり、星が落ちて開いた底なしの穴からイナゴの大群が現れ、解放された四人の天使が人々を殺す。そして最後のラッパとともに最終的な終末がやってくる、という。この時の彗星が「苦よもぎ」の名を持ち、これを意味するウクライナ語が「チェルノブイリ」であるとされ、チェルノブイリ原発事故を予言していたのではと語られたことは有名だ。

これとは別に、ヨハネは金の鉢を持った天使がもたらす終末も見る。人々に悪性のできものができて、海の生き物が死に、川が血のようになり、太陽の炎で地上が焼かれ、国が暗くなって人々は苦痛に苦しみ、水が枯れ、雷と地震が国を滅ぼした。

終末は海と地中から現れる怪物と小羊（イエスのこと）の戦いという形で描かれる。海から現れるのは七つの頭と十の角を持つ獣だ。これはキリスト教を弾圧していたローマ帝国、特に皇帝ネロのことを暗示しているとされる。また、地からは小羊の二本の角を持つ獣が現れた。小羊といえばイエスのことであるから、人々を誤った方向へ導くこの二番目の獣は偽救世主であるという。有名な「666」の数字は、偽救世主が人々に刻みつける印であり、これもまたネロの暗示であるといわれている。しかしこれらの怪物もイエスの前に打ち果たされ、善と悪の決戦は終わる。

イエスは千年にわたって地上を支配し、幸福な時代をもたらす……が、時間を区切った通り、これはあくまで一時的なものである。千年が経つとイエスが封じ込めていたサタンが蘇り、一部の人々をそそのかして再び戦いを挑む。とはいえ結局のところ彼らは天の火によって討ち滅ぼされてしまう。

その後、天と地は消え、すべての人々が蘇って神の御前に出て最後の審判を受ける。彼らの行いは何もかも「命の書」に書いてあるので裁きはこれを元に行われるが、名前が書いていないものもいて、彼らは火の池に投げ込まれる。

裁きで選ばれたものたちは新しい天と地で幸福に暮らすことを許される。そして、この地の都、新しいエルサレムは空より降りてくる……。

これがヨハネの黙示録に描かれた終末だ。キリスト教信仰の世界には、これ以外にもさまざまな形で終末が描かれており、それらはしばしば実際にキリスト教徒たちが置かれていた状況や、彼らの想いが反映されていた、と考えられている。そのため、「神話的事件としての終末」の参考にするだけでなく、「人々の状況や想いが神話にどんな影響を与えるか」の例としても見てみると面白いのではないだろうか。

仏教の末法思想と弥勒の到来

仏教にも「終末」に近しい考え方がある。それが「末法」思想だ。これは仏法、つまり仏教が衰退する時代がやってくるという考え方で、釈迦（仏陀）が亡くなってから千五百年あるいは二千年を経過すると仏教によって困難な「末法の世」がやってくるという。日本では一〇五二年からが末法の世とされる。この末法が一年続いた末に仏教が滅びる時が来るのだという。

キリスト教の黙示録のように派手な展開が予言されているわけではない（天変地異が起きるという話はある）が、世の中が乱れる……という点では似ている。「社会の秩序を保っている教えや考え方、理想が失われる」というのも、立派な終末のあり方であろう。

一方、仏教には終末の果ての救世主伝説に類するものもある。釈迦がこの世を去ってから五十六億七千万年後という遠い未来に、新たな菩薩として弥勒が現れ、人々を救うというのだ。その時まで、弥勒は兜率天という場所で修行しているという。

世界の終わりと物語

世界の終わりと言うと、やはり人類の滅亡などの不吉なイメージがつきまとう。しかし、神話にそうした救いのない話が描かれることはほとんどないようだ。むしろ、そこから新しい世界が始まるなど、希望を感じさせる物語のほうが多い（そうでなければ何千年もの間、語り継がれるようなことはないだろう）。

また、人間が滅亡するようなことがあれば、必ずその理由がある。道理に反することをしていたり、私利私欲に走って社会を乱したりしたから終末が訪れる、という形で因果応報を伝えているのだ。すなわち、そうならないように努力しなさいという戒めである。

作品に終末神話を取り入れるなら、滅亡に向かう危機感とそれに抗う人々の覚悟、そしてキャラクターがつかみ取る希望をからめて物語を作っていこう。なすすべもなく滅亡してしまっては救いがないし、簡単に終末を回避できても物足りない。終末とは文字通り、世界の命運を左右する最大の出来事なのだ。神々も悪魔もモンスターも英雄も聖人も、そして無力な人々もすべて登場させて盛り上げるべきだろう。

強大な神々ですらどうにもできずに迫る終末の時。それをキャラクターたちがどのように回避するのか。神々は助けてくれるか、悪魔は邪魔をするか。第三の存在が攻めてくるのか。作品の最大のクライマックスシーンになるはずである。

コラム(2)　「神と仏」

本書は神話事典であるから、神については扱っているが、仏については積極的には紹介していない。この二つは基本的には別物だからだ。ただ、中国では道教儒教に加えて仏教も神話的世界に深く影響を与えているし、日本では「神仏」という言葉もあるくらい両者は近しいものと見られている。このコラムでは触りだけではあるが神と仏の関係に迫ってみたい。

　仏とは何か。死者のこともいうが、基本的には仏教の創始者である釈迦のことを指す。何が特別なのか。『世界大百科事典』の「〈仏陀〉は古来から存する真理を悟った人の意であり、真理の創造者ではない。」という記述がもっとも分かりやすいだろう。だから他に悟った人がいるなら彼らも仏陀と呼ばれ得る。

　では、日本人はその仏と神をどのように区別してきたのか。歴史的には平安時代頃から「仏は神よりはるか優位に位置し、神は人よりは上位に位置するが、なお人と同様に煩悩（ぼんのう）に悩む衆生（しゅじょう）の一つ」という形で、まず仏を神の上に置く考えがあった。その次には本地垂迹説が出てくる。これは「神と仏とは本来同一」という考え方である（共に『ニッポニカ』）。

　このような経緯を経て、「日本人の神仏信仰は目に見えない神（カミ）と目に見える仏（ホトケ）との共存・重層の関係にもとづいて発展した」（『世界大百科事典』）のが日本における神と仏の関係であった。神はあくまで目に見えない存在であり、山や森などに宿る一方であちこちに分霊して移動もする。人間に何らかのメッセージを伝える時は、巫女などに憑依してその口から言葉を発するわけだ。一方で仏は肉体があり、個性があって、「こういうことで悩んでいたらこの仏さまにお願いする」というルールがあった。

　このように、日本人の宗教観において神と仏は一緒くたでごちゃごちゃになっているようでいて、意外と重層的に棲み分けもしていたのである。種類や出典の異なる神や霊的存在が共存する神話を、日本をモチーフに作ってみるのも面白いのではないだろうか。

第二章
神話を構成する要素

それぞれに独自の個性と物語を持つ神々。神話にまつわる場所や地域。神話とはどのような構成要素によって出来上がっているのか。

⑧さまざまな神々

主神

神話にはその世界観の頂点に立つ最高位の神が登場する。それが主神だ。

一神教では当然、唯一の存在である「神」がその座に納まる。とはいえ他に神はいないため、主神という呼ばれ方は基本的にされないようだ。旧約聖書の神は一柱だけで、上にも下にも他の神は存在しない。比較対象のいない唯一の存在に「主」という言葉を冠することはないのである。

一方の多神教では神々の中心にして最高の権威と力を誇る者が主神として奉じられ、その神話の代表的な存在となる。他の神々よりも高位であるため、主神や最高神などと呼ばれることもあるようだ。

神々の頂点に立つ主神は絶対の存在で、なんでも思い通りにできるような印象もつきまとう。なにしろ人智を超えた力を持つ神々の、さらに上にいる者たちなのだ。全知全能という言葉にふさわしく、どんなことでも解決してしまうように思われるだろう（事実、旧約聖書の神は完全無欠の存在として描かれている）。

しかし、神話に登場する主神は意外に周りに振り回され、苦労している面も多い。たしかに絶大な力や権威を持っているのだが、他の神たちの言動や性格に翻弄され、思い悩んだり手痛い失態を演じたりすることも少なくないのだ。ギリシャ神話の主神ゼウスなどは他の女神や人間の娘にうつつを抜かしては正妻ヘラの強烈な嫉妬にさらされ、あわてふためくという姿も見受けられる。北欧神話の主神オーディンは各地を旅して英知を求めたり、魔術の奥義を授かったりしているが、そのたびに目を失うなどの代償を払わなければならなかった。エジプト神話の主神ラーは年老いた後、その座を新しい主神ホルスに追われてしまったほどだ。

主神の中にはこのように人間臭い一面も持っている者もある。彼らの性格や、彼らを取り巻くエピソードなどにも創作のヒントがいくつも隠れているだろう。

それでも主神を登場させるのなら、やはり他の神々をひざまずかせるような存在にしておきたい。彼らは神々の序列の頂点にいる者たちだ。これが軽々しく扱われてしまうと、神の立場そのものがあやふやになりかねないのである。

家に戻ったら妻の尻に敷かれていたり、子どもに逆らえなかったりするのはかまわない。それはそれとして、表に出る時は威厳を備え、主神の名にふさわしい力を示すべきだろう。例えば悪魔との戦いでは神々をきちんとまとめ、いざという時は前線に立って敵の親玉を打ち倒す。世界を滅ぼすような災厄（大悪魔の復活、隕石の落下など）が降りかかったらそれを払いのける。なればこそ主神の格も保たれるというものだ。

もちろん、厳格さを前面に出した融通の利かないイメージの主神でも良い。彼らは神々の王だ。人間の治める国にもさまざまな王がおり、それによって国の色も変わる。同じように主神にもさまざまなタイプを登場させ、人々と神との関わり方などにその特徴を反映させると良いだろう。

主要な神々

多神教の神話には文字通り多くの神々が登場する。そこには主神のそばにあって、彼らを支える者も少なくない。時には主神に代わって神話の物語の中心に立つこともあるだろう。

ギリシャ神話ではオリュンポス十二神という神々が天界の中心となる。ゼウスの他、海神ポセイドンや冥界の神ハデス、ゼウスの妻ヘラ、戦神アテナ、太陽神アポロン、月と狩猟の女神アルテミス、愛と美の女神アフロディーテなどそうそうたる面々だ。それぞれにエピソードも豊富で、ポセイドンはゼウスから主神の座を奪おうとし、アフロディーテは他の神々を誘惑して天界を混乱させることもあった。さらに彼らの家族や友人、子孫などにもよく知られた名前が並ぶ。

一神教では脇を固める神々は登場しないが、大天使と呼ばれる存在がそれに代わる。神だけでは目が届かないことを片づけ、特に人間の前には天使が姿を現すことも少なくない。ミカエルやラファエル、メタトロンなどといった天使の名前も知られているだろう。

主神を神話の主人公とするのなら、主要な神々はメインキャラクターである。ヒロインや味方、ライバル、主人公の兄弟姉妹など、一緒に物語を動かしてくれる重要な登場人物たちだ。彼らには彼らなりの背景事情や抱えている秘密、果たすべき目的などがあり、それぞれの形、それぞれのタイミングで物語に関わってくる。また、それぞれにできることが違っていて、活躍の場面が異なるのも特徴だ。

主神にもキャラクター性があり、得意なことも苦手なこともあるだろう。そんな時主要な神々が穴を埋めたり、手助けをしたりすることは珍しくない。これは作品の主人公でも同じだ。メインキャラクターをどのように配置し、どのように主人公の弱点を補うか。神話にはそのヒントが隠されている。

トリックスターの神々

トリックスターとは詐欺師やペテン師という意味の言葉だ。神話では秩序や道徳を乱す一方、文化の活性化を担うような二面性のある存在を指すとされる。いたずら者や周りに迷惑をかける人物を言い表す時にも使われるだろう。

数ある神話、無数の神々の中でもトリックスターの名にふさわしく、突出した存在感を誇るのは北欧神話のロキだ。彼はオーディンたち神々の血と、それに対立する霜の巨人の血とを引いており、しばしば神々を混乱に陥れている。既に紹介した通り、最終的には霜の巨人や自らの子である魔狼フェンリル、大蛇ヨルムンガンド、冥界の女王ヘルらを引き連れて神々に戦いを挑んだ。これが最終戦争ラグナロクである。

神々に対立するという立場ではエジプト神話の戦神セトも挙げられる。エジプト最強と謳われた彼は名君オシリスの弟だが、オシリスを殺して地上を支配しようとした。エジプト神話ではオシリスの妻イシスと、彼らの間に生まれたホルスを中心に描かれる部分が多いが、その中でセトは最大の敵役として機能している。最終的にはホルスに敗れ、追放されてしまうのだが、それまでは神々の勢力を二分する存在として強いキャラクター性を発揮するのだ。

ロキやセトほどではなくとも、神々の中で異端となる存在がいると物語に幅が出るのは理解していただけるのではないだろうか。問題児やはぐれ者といったキャラクターはそれだけで目立つ。物語は順調に進み過ぎると予定調和に見えてしまうものだが、彼らの行動によってアクシデントを起こせば単調な雰囲気を打破することができるはずだ。

また、ロキのように完全な悪役になってしまうパターンも良いが、土壇場で主人公たちを助けるなどして本当は良いヤツだという印象を抱かせるのも一つの手法だろう。セトの場合、追放された後に太陽神ラーに拾われ、その護衛として活躍するようになる。もともと戦神だったため、セトは新たな役割で存分にその力を発揮したそうだ。このように憎まれ役だったキャラクターが再登場し、かつて主人公を苦しめた力で味方になってくれれば頼もしさも倍増する。せっかくならトリックスターというキャラクター性を余すところなく活用しておこう。

大地母神

人間は大地の上に生きる生き物だ。家を建て、狩猟をし、作物を育てて生活を営んでいる。大地は人間が生きていくために絶対に欠かせないものなのだ。

また、死者を葬る際には埋葬が行われることがある。生き物は土から生まれ、土に還るという言葉を聞いたことはないだろうか。大地は命を生み出し、それを育てる役割も持っていると考えられていたようだ。

そこから想像されたのが大地母神という神である。命を生み、育てるのは母親だ。すなわち大地を司り、母なる大地という言葉を体現する女神たちである。

代表例としてはギリシャ神話のガイアやデメテル、ケルト神話のダヌなどが挙げられるだろう。特にダヌは、ケルト神話に登場する者たちの中で唯一、神の一族として伝えられるトゥアハ・デ・ダナンの母神とされる神だ。トゥアハ・デ・ダナンは後に先住民族との戦いを制し、ケルト神話の主役に躍り出る。

作品のモチーフとして用いられる時、大地母神は慈愛に満ちたおだやかな気性で描かれることが多いようだ。母性を象徴する存在として、人々を守り慈しむ姿がイメージによく合うからだろう。戦いや愛憎劇で大地母神の名が挙げられることはあまりない。そのぶん、やや存在感が薄い印象にもなってしまうが、信仰の基礎となる神々だけに祭祀や儀式は盛大に行われ、信徒も多いという描写もされるようである。

ちなみにケルト神話では最高神ダグダにも似たような性格が見て取れる。こちらは父性の象徴であり、ふくよかな体格で人々に日々の糧をもたらしてくれる神だ。ただ、大地母神とは違って戦いの場でも家を守る父として武器を持ち、勇敢に戦う。家族を守る父の姿を顕現する存在なのである。

その名の通り母親、あるいは父親や保護者としてのキャラクター造形として、大地母神の神話は参考になるだろう。

太陽神

太陽は地上を明るく照らし、昼をもたらす存在だ。世界を暖め、植物の実りも助ける。そもそも人間や動物は日光を浴びないと生きていけない。神話の時代から太陽は非常に重要な存在であり、人々の崇拝の対象だったと考えられている。

そんな太陽を象徴する神々は強大なものばかりだ。日本神話のアマテラス、エジプト神話のラー、ギリシャ神話のアポロンなどの名前は神話に詳しくない人でも知っているだろう。特にアマテラスとラーはそれぞれの神話における主神の役割も担っている。それほど太陽は偉大で、神々の威光を象徴する存在だったのだ。そのため、古代では日食はとてつもなく不吉な出来事であり、ともすれば世界の終わりであるかのように恐れられたともいう。

アマテラスやラーの強大さは言うまでもないが、アポロンも彼らに負けず劣らず力強い神だ。ゼウスの子である彼は医術、音楽、詩歌、算数などの知識や芸術も司り、さらに予言の力まで持っていた。しかも弓の名手であり、大蛇ピュトンを退治している。トロイア戦争でギリシャを苦しめた英雄アキレウスの唯一の弱点である踵を射抜いたのもアポロンの弓だとされているそうだ。

太陽神をモチーフとするキャラクターとなると、まずは主人公がイメージに合うだろう。仲間たちの中心に立ち、抜群のリーダーシップを発揮して周りを引っ張っていく姿が思い描かれるのではないだろうか。

主人公を弱い存在にして、その成長に焦点を当てるなら、太陽神のようなキャラクターは頼りになる味方として配置しておきたい。周りが憧れるような頼もしいキャラクターとして登場させ、最後に主人公がそのキャラクターと肩を並べられるようになると良いエンディングになるだろう。

ただ、太陽は時に酷暑や日照りをもたらす恐ろしい存在になることもある。地域によっては暖かいだけでは収まらないだろう。そうしたイメージから暴君的な太陽神、強大な力を持っているために手がつけられないキャラクターなどを設定してみるのも物語の幅を広げる一つの手になるはずだ。

月の神

月は太陽と同じく空にあり、太陽とは対照的なイメージを与える存在だ。

太陽が昼、生命力、明るさなどの象徴なら、月は夜や静けさの象徴となる。死や狂気といったマイナスのイメージを与えることもあるようだ。

太陽が一日を表す暦となれば、月は一月を表す暦として用いられた。常に真円を描く太陽とは違い、月には満ち欠けもある。神秘的な天体として人々から多種多様な想いを向けられてきたことだろう。

月の神としてはギリシャ神話の女神アルテミスを挙げておきたい。彼女は太陽神アポロンの双子の妹で、狩猟の守り神としても知られる。非常に気高く、自立心に満ちた女神で、尊敬する戦神アテナにならって生涯の純潔を誓った。母親が自分たちを生む際、ゼウスの妻ヘラに嫉妬されて大変な苦労をしたため、男に頼らずに生きていくと心に決めたそうだ。ゼウスから贈り物を受けた時も、きらびやかな服や装飾品ではなく動きやすい服と弓矢を欲しがったという。

ただ、アルテミスの気丈さは男嫌いという性格にたびたび反映され、容赦ない罰を下すことでも有名だ。彼女の水浴びを偶然覗いてしまった猟師は鹿に姿を変えられ、飼っていた猟犬に食い殺された。こんなエピソードがアルテミスにはいくつもあり、非情で冷酷な女神といわれることもあるそうだ。

月は満ち欠けによっていつも違う姿を見せ、移ろいやすいものの例えにも使われる。アルテミスの気高さと凶暴さという二面性はこうした月の姿から連想されているのかもしれない。

月の神のようなキャラクターはもの静かで神秘的なイメージになるだろうか。太陽とは対照的にするとお互いの特徴が分かりやすくなるだろう。それでいて別の一面を持たせ、ギャップを演出するとそれらしく描ける。

月も時代や地域によってさまざまな印象を持たれる存在だ。日本では「月影さやかな夜」など、静かで神秘的なイメージの言葉も多い。だが、西洋では狼男が現れるのは満月の夜と決まっており、月の光が狂気をもたらすという物語もある。変幻自在で謎めいたキャラクターのイメージとよく合うモチーフなのだ。

豊穣の神

豊穣の神は人々に実りをもたらし、食べ物を与えてくれる神々だ。生活のもっとも根本的な部分を支えてくれる神であり、ある意味では主神より厚く信仰されていると言っても良いかもしれない。大地母神と同一視されることもある。豊穣は人が神に願うことがらとして最上位に位置し、他の有力な神々が豊穣の加護を与えることになっている場合も少なくない。また、作物の実りになぞらえて多産の神としても崇拝されることがあるようだ。

豊穣の神として名前が挙がるのは北欧神話のフレイ、メソポタミア神話のイシュタル、ケルト神話のブリジットなどだろう。フレイは主神オーディン、戦神トールに次ぐ第三位の神とされ、平和の神でもある。人々を苦難から解放し、贈り物を与えることばかりを考えていた彼は誰からも嫌われることがなかったという。

イシュタルもメソポタミア神話を代表する女神だ。イナンナの別名でも知られる。彼女は責任感が強く、冥界が天界の命令を聞かずに荒れ果てた際、これを救うために冥界へと降り立った。しかし、冥界の神にして姉であるエレシュキガルと犬猿の仲だったため、力を奪われて閉じ込められてしまう。このため、今度はイシュタルを失った地上が荒れ果ててしまい、あわてて神々が彼女を救い出したという。

ブリジットは春の女神とも呼ばれ、大地母神ダヌと混同されるほど人々に慕われた女神だ（実際にはダヌ

主要な神々

神にもさまざまな種類があり、力や特性、役割、神話での活躍なども異なっている

神話の主要なキャラクターたち

- **主神**
  神々の頂点に立つリーダー的な存在。人々からも広く信奉される
- **主神に関係する神々の集団**
  主神を支え、準ずる活躍をする。主神の兄弟や妻、子どもなども
- **トリックスターの神々**
  たびたび騒動を巻き起こす。時には悪役になることも
- **大地母神**
  大地を創り（守り）、人間を守る。やさしく慈愛に満ちた存在
- **太陽神**
  太陽の化身。地上を照らし、恵みをもたらす重要な存在
- **月の神**
  夜の世界を見守る。狂気をもたらすなど、謎めいた面も

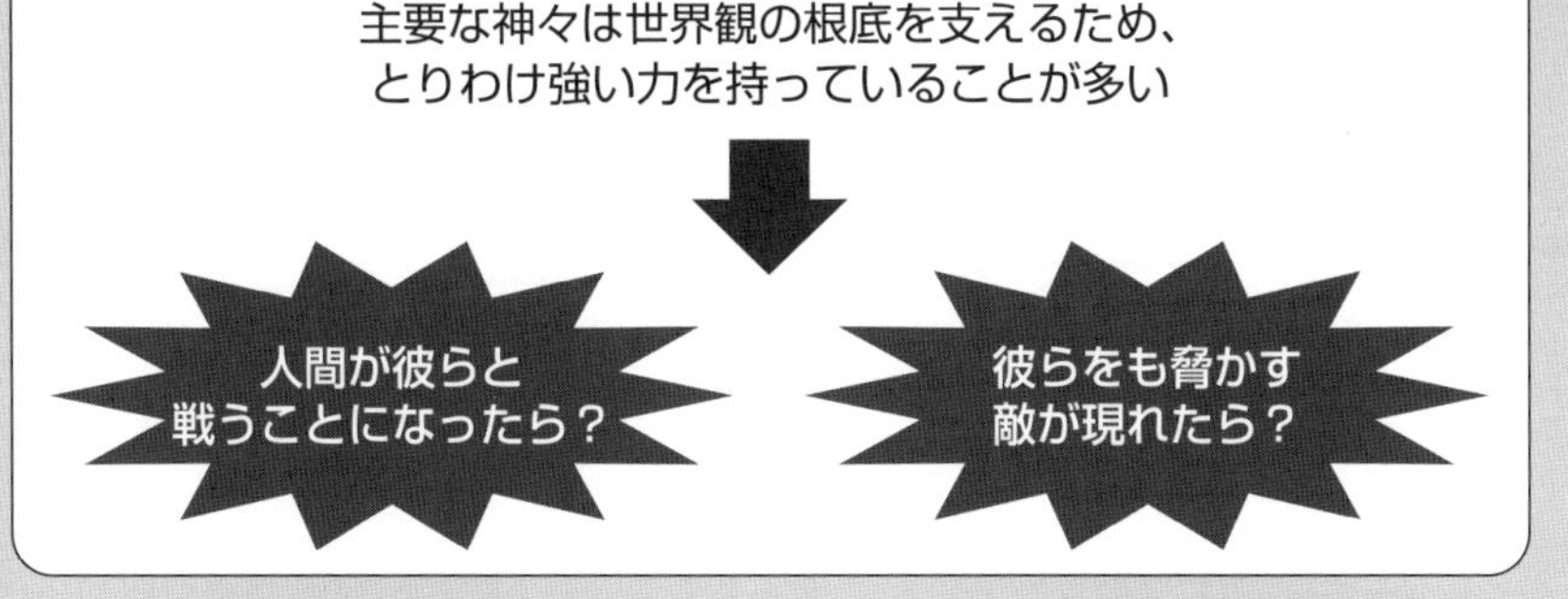

主要な神々は世界観の根底を支えるため、
とりわけ強い力を持っていることが多い
人間が彼らと
戦うことになったら？
彼らをも脅かす
敵が現れたら？

の娘とされる)。冬を追い払って春の訪れを告げるという力強い一面も持っている。

豊穣の神々は人々にとって暮らしを支えてくれるもっとも身近な守り神だろう。おだやかで温かなイメージは大地母神に通じるところがある。ただ、イシュタルのエピソードを見るように、ひとたび豊穣の神の力が失われると人々の暮らしは根底から崩れてしまいかねない。強い加護を与えるとともに、失われた時の損害も大きいのだ。そうした危ういキャラクター性のモチーフとして使ってみるのも良いだろう。

戦いの神

神話には戦いがつきものだ。神々の力や威光をもっとも明らかに、もっとも単純に示す手段として悪や敵を打ち倒す姿に勝るものはない。単純な強さの表現として戦いが用いられ、読者に爽快感を与えるのは今も昔も変わらないのである。

ほとんどの神々は戦う力を備えているものだが、ここでは特に戦いを司り、戦神と呼ばれる神々を取り上げよう。

まずは何と言ってもアテナだろう。主神ゼウスの額から完全武装した姿で生まれたとされる彼女はギリシャ神話最強の女神として名高い。勝利の神ニケを従え、類まれな武勇と知略をもってあらゆる戦いに勝利したという。ギリシャ神話にはゼウスの息子で軍神と呼ばれるアレスもいるのだが、力押しに頼るアレスに対し、アテナはすぐれた戦略も身につけていた。このため、アレスもアテナには歯が立たなかったといわれる。

北欧神話には稲妻を象徴する鎚ミョルニルを携えたトールがいる。彼は主神オーディンをも凌ぐほどの武勇を誇り、敵対する霜の巨人たちを震え上がらせた。神々の黄昏では悪神ロキの息子である大蛇ヨルムンガンドと壮絶な戦いを演じ、相討ちとなる。

日本神話の戦神としてはタケミカヅチの名が知られている。高天原最強の武神といわれ、オオクニヌシの国譲り神話では高天原の武力を示す切り札的な存在として遣わされたそうだ。彼を祀る鹿島神宮にあやかって、現代にも「鹿島」と名を冠する剣術の流派がいくつも伝わっているという。

他にもエジプト神話のセト、インド神話のハヌマーン、マヤ・アステカ神話のテスカトリポカなどが戦神として知られる。神話には神々以外の英雄たちも数多く登場するが、彼らに加護を与えることも多い。また、神がかり的な強さを持つ英雄への称号として戦神や軍神といった言葉が用いられることもあるだろう。

戦いの神は作品のモチーフにもしやすい。エピソードも豊富で、分かりやすいものばかりだ。彼らになぞらえたキャラクターは、単純に強いキャラクターにすると良いだろう。仲間内での武力担当という位置づけにすれば活躍もさせやすいはずだ。

神話の戦いのエピソードは戦神に限らず、他の神々や英雄などにもいくつも描かれている。要点を抜き出して組み合わせたり、別の神や悪魔を戦わせてみたりするだけでも新しい物語が生まれるだろう。

死にまつわる神・冥界の神

人間に死をもたらしたり、死後の世界を司ったりする神々は、時に誰よりも恐れられる存在となる。人は死を避けられず、そこから戻ってくることも基本的にはできない。死は人々にとってもっとも恐ろしい出来事であり、それを左右することもある神が恐れられるのは当然のことだろう。

同時に人々は死後の幸福を願い、死の恐怖をやわらげようともした。冥界やそこを治める神々の存在はそうした考えから生まれたという説もある。

死にまつわる神として有名なのがエジプト神話のオシリスだ。彼は陰謀によって殺された後、妻イシスによって二度も蘇った。しかし死んだ自分が現世にとどまるのは良くないとして、冥界の支配者となった。人々は死後、オシリスの前で裁判にかけられ、生前の罪を問われる。そこで天国へ行けるか、地獄に落ちるか、オシリスの審判を待つのだ。

対照的に、インド神話には破壊と殺戮（さつりく）の女神と呼ばれるカーリーが登場する。彼女は破壊神シヴァの妻の一人で、四本の腕に武器や生首を持ち、生首を連ねたネックレスと斬り落とした手首で作ったスカートを身に着けるという姿をした女神だ。さらに血を求めて舌をだらりと垂らし、魔神や怪物を片っ端から殺して回った上、勝利の歓喜にひたって踊り狂ったというのだから凄まじい。カーリーの獰猛さにはシヴァですら手を焼いたようだ。

死には絶対的なイメージがあり、それを司る神々には底知れない雰囲気が感じられる。戦神はたしかに強いだろうが、それでも抵抗の余地があるように思えるだろう。しかし、死の神にはそれを許さない空気がつきまとうのだ。

作品に登場する死の神は冷酷で、容赦のない性格で描かれることも多い。死には抵抗の余地がないというイメージを表すためだろう。

そこにひと工夫加えて、オシリスのようなおだやかなキャラクターやカーリーのような荒々しいキャラクターを登場させてみても良いかもしれない。また、おっちょこちょいな死の神、涙もろい死の神など、イメージを一変させるキャラクターが活躍すればそれだけで独創的な物語になるだろう。

各種の産業の神

人間は手を使い、知識を用いて多彩な産業を生み出してきた。物づくりは他の生物にはない人間だけの特徴だ。衣服や道具を生み出し、それを活用して人々は文明を築き上げてきた。

狩猟や農耕と同じように人々の生活の基盤となった各種の産業。そこにも神々の加護を求めるのは当然のことだろう。

ギリシャ神話には鍛冶の神ヘパイストスが登場する。彼はゼウスとヘラとの間に生まれた由緒正しい血統でありながら、オリュンポスの神々の中でも有数の苦労人だ。ヘパイストスは生まれながらに容貌が醜かった。ヘラはそれに驚き、彼をオリュンポス山から放り落としてしまう。だが、ヘパイストスは海の女神テティスのもとで鍛冶の技を学び、名声を得た。その評判を聞いた神々によってオリュンポス山に呼び戻される。そこでヘパイストスは座った者を鎖で縛りつける玉座を作り、ヘラに贈った。ヘラは鎖にからめ取られ、ヘパイストスは彼女を解放することと引き換えに神としての復権を果たしたのだった。

ヘパイストスの鍛冶の技は神々にも賞賛され、さまざまなものを作り出した。ゼウスの武器である稲妻やアポロンの弓、最初の人間の女性であるパンドラの体も彼の手によるものだとされている。

　エジプト神話には一風変わった産業の神がいる。犬の顔を持つ神アヌビスだ。彼が司り、加護を与えたのはミイラづくりだった。世界で最初にミイラを作ったとされるのもアヌビスだ。

　エジプト神話では死者の復活がよく語られる。そのためには遺体を保存しておかなければならないと考えられていた。ゆえにミイラ作りは非常に重要なことであり、専門の職人もいたそうだ。彼らにとってアヌビスはもっとも信奉すべき神であっただろう。

　職人たちは自分たちの仕事に誇りを持つとともに、それを加護する神々に深く感謝していた。工房に小さな祭壇を飾ったり、一年の初めに神に感謝する儀式を行ったり、出来上がった最初の品を神社や神殿に奉納したりと、それぞれの形で産業の神に祈りを捧げたのだ。また、道具を奉納して神の助けを得られるよう祈ることも少なくなかった。職人ならではの形で神への信仰を表しており、こういったところをモチーフにするのも独自性が出るだろう。

　産業の神をキャラクターに流用するなら、それぞれの産業の特性を活かして誰かを助けたり、相手をこらしめたりする姿が一番のアピールになる。自らの鍛冶の技だけを武器に、ヘパイストスが苦境を乗り越えてみせたことがそれを示しているはずだ。独自の技や能力の持ち主として主役にもなれるし、物語を引き締める名脇役にもなれるだろう。

知恵の神・学問の神

　賢くありたいというのは、人間の根源的な欲求の一つだろう。知識の豊富さや頭脳の回転の速さ、機転の利いた言動などは肉体的な強さと同じように周囲を魅了するものだ。時代が下ってさまざまな分野の学問が成立し、教育も発展するようになると、そちらに神々の加護を求めることも増えていった。現代でも受験シーズンには各地の学問の神にお祈りをする人が絶えない。

　神話の中でも知恵の神など、頭脳の明晰さを表す神々は欠かせない存在だ。戦神のように肉体派の力強い神もいれば頭脳派の賢い神もいて、上手くバランスが取られている。

知恵の神は他の神々の相談役を引き受けることも少なくない。エジプト神話に登場するトトはあらゆる知識を身に付けており、イシスやホルスといった主要な神々にもしばしば助けを求められて知恵を貸している他、人々の生活に役立つ知識も与えた。

メソポタミア神話のエアも同様に神々を助けたり、人々を導いたりもしているようだ。彼は工芸、耕作、文字、法律、建築、魔術などを一日で人間に伝えたとされる。最高神マルドゥークの父であり、世界を創造した新しい世代の神々の代表格でもあった。

ギリシャ神話の知恵の神ヘルメスはただ知識があるだけではなく、頭の回転が早いことで知られている。悪知恵が働き、盗賊の神ともされるヘルメスは生まれてすぐに太陽神アポロンの所有する牛を五十頭盗み、証拠を隠滅しようとした。アポロンにそれを見破られると竪琴の音色で彼を魅了し、牛と竪琴を交換することで話をまとめてしまったという。その利発さに舌を巻いたアポロンはヘルメスの力を認め、以降の二柱は親友とも言うべき間柄になったそうだ。

知恵の神のようなキャラクターは作品にも反映させやすい。仲間内の知恵袋的な存在として活躍させるのが一番だろう。他のキャラクターが解けないパズルをあっさり解いたり、他人の嘘をズバリと見破ったりするとそれらしく見えるはずだ。

神々は力を持っているため、頭脳担当の知恵の神も前線に出て戦ったり、実力行使に訴えたりすることもある。そこで、神ではなく人間に設定することでより知恵に特化したキャラクターにできるだろう。他者に行動指針を示したり、助言を与えたりしつつ、自分は動かないという姿勢でも良いだろう。気の利いたセリフやヘルメスのような機転一つで充分な存在感を出せるはずだ。

その他の神々

◇美の女神

神々の中でもひときわ美しく、愛欲を司る神々である。たいていは女神で、絶世の美人として知られる者たちだ。また、恋多き神々でもある。

代表例はギリシャ神話のアフロディーテ、北欧神話のフレイヤなどだ。いずれも神々を翻弄するほどの美

その他の神々

強大で近寄りがたい神々とは異なり、人間の生活に密着している神も存在する

↓

いろいろな特徴や権能の神々

- **豊穣の神**
  大地に実りをもたらす。人間の食を支え、深く感謝される存在
- **戦いの神**
  戦いを加護し、勝利を与える。
  魔物や邪神を退け、神々や世界を守ることも
- **冥界の神**
  死後の世界を治める。生と死の境界を保つ厳格な神
- **各種の産業の神**
  ものづくりに加護を与える。職人にとっては欠かせない存在
- **知恵の神**
  さまざまな知識を授ける。
  暦や文字、法律を人間に与えて社会を築かせる
- **その他の神**
  愛、美、医療、芸術などを司る。人間の暮らしを豊かにする

↓

非常に強い個性を持ち、得意分野や苦手分野がある
↓
キャラクターのモデルになる

他の神々との間に多種多様な関係がある
↓
そこからドラマが生まれる

貌を誇り、そのことに絶対の自信を持っていたとされている。

　美人でトラブルメーカーというのは作品を彩るキャラクターとしてうってつけの存在だ。見栄えもするし、キャラクターたちを混乱させて心情を大きく揺らしてくれる。男女の愛憎劇はいつの時代も人気のある物語で、愛と美の女神たちは神話の中でそれを見せてくれるのだ。ただ、美を誇るだけでは深みが足りない。美へのこだわり、愛のポリシー、そんなものも見せてほしいところだが、どうだろう。

◇医療の神

　まだ医療技術や知識が充分でなかった頃、人々は病気やけがの回復を神々に頼った。いわゆる医神はこうした思想から生まれたと考えられるという。彼らは医術に長け、命を救ってくれる神々だ。

　すべての医師の祖とされるのがギリシャ神話に登場するアスクレピオスである。優秀で博識な彼の医術は治療はおろか、死者の蘇生まで可能にしてしまったという。ただ、これが世界の秩序を乱すとしてゼウスとハデスの怒りを買い、雷に打たれて死んでしまった。

　医療に携わり、仲間を救うキャラクターはそれだけで目を引く存在になるだろう。これは他のキャラクターにはない特殊な能力を持っているのと同じことだ。キャラクターの命がかかった場面で彼らの存在は大きな意味を持つはずである。

◇芸術の神

　人間は踊りや歌、音楽、演劇、絵画、彫刻などさまざまな芸術を生み出し、それを楽しんで文化を育んできた。アポロンもそうした芸術に加護を与えるが、彼は太陽神を始め、他の肩書きも多い。芸術に特化した神となると日本神話のアメノウズメや、インド神話のサラスヴァティーなどが挙げられるだろう。

　芸術に秀でたキャラクターは肉体派、知性派とはまた違った魅力と特技を持っている。楽器を扱ったり、絵を描いたりといった形での活躍は彼らにしかできないため、貴重な存在となるだろう。他のキャラクターにはない芸術へのこだわりや奇抜な発想を見せるのも魅力の一つになるはずだ。

⑨天の使い

神に仕える天界の住人

本項で紹介する「天の使い」とは神に仕え、神に代わって働く存在である。彼らは神々の世界の住人ではあるが基本的に神々とは区別される。かといって人間とも異なる。神は天使に強大な力を与え、あるいは一時的に貸して地上における代行者として振る舞わせる。人々は天の使いを神に準じる神聖で偉大な存在として敬い、時に信仰の対象にさえすることがある。神よりは一段低くなるものの、特別な力を持った存在。それが天の使いだ。

一般には天使といったほうが通りが良い。なのになぜここまで「天使」と言わなかったかといえば、天使と言ってしまうとイメージが一神教のそれに固定されてしまうからだ。一般的には天使は背中に羽毛の翼を持ち、頭上に光輪を備え、光り輝く姿で優雅に舞う、そんなイメージを持っている人が多いはずだ。これは旧約聖書と新約聖書、そしてキリスト教の信仰から来る天使のイメージの影響が大きいと考えられる。天使という言葉を使ってしまうと、このイメージから逃れるのが難しい。

だが、天使的な存在は他の宗教や神話にも見られるものだ。例えばイラン神話には善神アフラ・マズダに仕える六人の大天使がおり、対応する悪魔たちと激しい戦いをくり広げる。彼らは火や水、森、大地などを司り、他の神話では神々が担うような役割を果たしている存在だ。旧約聖書や新約聖書の天使とはだいぶ異なる印象を受けるだろう。

また、天使と言ってもおだやかで優しい者ばかりではない。人々を厳しく罰したり、戦場で先頭に立って剣を振るったりする者もいる。慈愛に満ちていつも微笑んでいるというのは天使の側面の一つにすぎない。彼らもまた神々と同じように特徴があり、キャラクター性を持った存在なのだ。神でも人でも半人半神でもない立場として作品の新たなモチーフとなってくれるだろう。

一神教の天使

一神教では神は一柱しかない。そこで神が手足とするのが一神教における天使だ。霊的な存在であり、人間的な性別はない。無性、中性、あるいは両性具有とされる。

一神教の神話の代表格である旧約聖書や新約聖書には多数の天使たちが登場する。ミカエル、ガブリエル、メタトロン、ラファエル、サンダルフォンなどの名前は神々と並んでよく知られているだろう。

旧約聖書の神は己のみで世界のすべてを監督しなければならない。ここには全宇宙の全生命が含まれており、人間ばかりを見ているわけにもいかない。このため人々の前にはしばしば天使が現れ、神の意思を伝えたり、神に代わって人々を助けたり、あるいは罰したりするのだ。

また、一神教の天使は（天使である限り）必ず善の存在と考えられたようだ。彼らが悪を働くことはない。なぜなら彼らの上に立つ神が絶対的に正しく、天使はその神の使いとして存在している。神に代わる彼らが悪であるわけがないのだ。

天使の中には容赦ない天罰を下すウリエルや人に死を宣告するイズライールといった、人々からすれば恐ろしい者たちもいる。しかし、彼らの存在があってこそ世界は滞りなく回り、人々は正しく生きていくことができるのだ。彼らはいわば憎まれ役を買って出た天使たちと解釈するべきなのだろう。

天使は神よりも人間との距離が近い。地上に姿を現したり、声を聞かせて進むべき道を示したりと、個人にまつわる神話やエピソードを残していることも特徴的だ。

例えば大天使ラファエルは悪魔アスモデウスに取り憑かれたサラという娘を助け、トビヤという旅人と結婚させた。さらに盲目だったトビヤの父の目も癒やし、救いの天使としての名を不動のものにしたとされる。天使はこのように人々の身近な悩みや危機を救ってくれる逸話が多い。キャラクターにまつわる具体的なエピソードを考える時、彼らの残した物語は大きな参考になるだろう。

　天使の集団は神に従い、その命令を実現するための軍団である。ゆえに、階級があるとされる。この階級が上であるほどに神のそばにいて、下であるほどに人間と接する機会が多いと考えられた。しばしば天使を代表するとされる大天使が下から二番目という位置にあるあたり、単純に天使の中での偉さや力とは関係が薄いのかもしれない。

◇上級三隊
・熾天使　セラフィム
　六枚の翼を持つがうち二枚は顔を隠し、もう二枚は足を隠すためのものなので、空を飛ぶのに使うのは残りの二枚。常に神の周りを飛んでいるという。
・智天使　ケルビム
　炎の剣を持つ天使。天使、人間（牝牛とも）、獅子、鷲の四つの頭を持つことで有名。
・座天使　オファニム
　いくつかある名前の一つに車輪を意味するものがある通り、神の座を運ぶことが役目であるという。

◇中級三隊
・主天使　ドミニオンズ
　神の言葉を広めるのが役目。笏（しゃく）を持つとされる。
・力天使　ヴァーチューズ
　神の恩寵を人間に与え、また地上に奇跡を起こすのが役目。イエス・キリストは一度復活してから天に召されたが、これを行ったのは彼らだともいう。
・能天使　パワーズ
　地獄の悪魔との戦いを役目とし、常に戦いに備えているとされる天使。

◇下級三隊
・権天使　プリンシパリティーズ
　人間の国家や都市を統治する（実際に指示を与えるということではなく、悪い方向に行かないよう監視するということであるらしい）役目の天使。
・大天使　アークエンジェル
　ミカエル、ガブリエル、ラファエル、ウリエル他、名の知れた天使たちが所属する。人数は七人だというが、構成する天使の名は宗教によって、あるいは文献ごとに違う。それでも先に挙げた四天使は人気があるのか、多くの場合不動だ。

四天使をざっくりと紹介しよう。火を象徴するミカエルはもっとも優れた天使とされる。ガブリエルは水を象徴し、女性的存在、あるいは例外的に女性の天使とされる。ラファエルの象徴は風で、治療技術やエデンの園の生命の木の番人を務めるなど、癒やしと関係が深い。地を象徴するウリエルは最後の審判で善人の復活と悪人の地獄行きを担当する天使だ。

他にも大天使の一人に数えられる天使はいろいろいるが、面白いところにラジエルがいる。ラジエルは豊富な知識を有し、彼の名を冠された『天使ラジエルの書』にはあらゆる知識が詰め込まれているという。この書物からアダムとイヴは地上での生き方を学び、ノアは方舟の製法を知ったとされているほどだ。

・**天使　エンジェル**

もっとも位階が低く、人間に近しい天使。人間の前に現れる天使といえば、まずはエンジェルということになるのだろう。とにかく数が多いとされ、人間より多いという。

多神教の天使

多神教の神話にも天使、天の使いというべき存在がいてもおかしくはない。しかし、クローズアップされることは多くない。特別な力を持つ存在はほとんどが神として扱われるからであるようだ。

その中で例外的に名前が通っているのが北欧神話のヴァルキリーではないだろうか。彼女たちは死者の戦士エインヘリヤルをスカウトし、またヴァルハラにおいて彼らの世話役を任される存在だが、神々に使役される立場にあるようだ。ヴァルキリーという名前も個人ではなく、前述の役割を与えられた女性たち全体を指している。ちなみに有事には武器を取り、戦うことも辞さないため戦乙女の異称でも知られている。

その他に現在の天使のイメージソースとして翼を持つ愛らしい童子の姿をしたローマ神話のクピド（キューピッド）が有名だが、これは愛の神であり、本を正せばギリシャ神話の愛の神エロスである。

日本の伝説には天女が登場する。羽衣の力によって天上と地上を行き来することができるが、これを失う

天の使い

代表的なのはやはり、一神教的な天使

羽毛の翼
頭上の光輪

神の権威の
地上での代行

無性、中性、
両性具有

など

しかし、それだけではない

多神教神話の中にも北欧神話のヴァルキリーがいたり、
日本の伝説における天女など類する存在はいる

あなたの作る多神教神話に一神教的天使を出してもよい

と天に帰れなくなる。彼女たちの羽衣をめぐる羽衣伝説は日本各地にある。天使、天の使いの一類型として考えることができるのではないか。中国でも、天界には天の役人がいて仕事をしている、と考えられている。

　とはいえ、あなたが作る世界において多神教だから天使を出すのはやめたほうが良いとか、そういうことを言いたいわけではない。多神教の神々が下位の神の代わりに、あるいはまた別に天使的な存在、使いを持っていてもかまわないのだ。その時、一神教的な天使のイメージを流用すると読者にも分かりやすいが、ヴァルキリーや天女などのイメージを活用しても独自性が出せそうだ。

堕天使

　堕天使とはもともと天使でありながら、悪に転落して天国を追放された者たちのことだ。旧約聖書の神話に登場し、人々の欲望をかき立てたり、病気や災いをまき散らしたりして世界を脅かす。神や天使とは対極を成す絶対的な悪の存在で、天使たちと戦いをくり広げることもある。

堕天使の筆頭とされるのがルシファーである。彼はかつて最高の天使と評され、神にもっとも近いと言われた。階級は熾天使、その長であった。ところが神になり代わって世界を治めようとしたため、神の怒りを買い、地獄に叩き落された。そして悪魔たちの長となり、魔王サタンと呼ばれるようになったとされている（この辺りの解釈は多種多様なので、一説だと考えてほしい）。

堕天使の中には、人間と深く関わりすぎたがゆえに堕ちた者たちがいる。聖書外典『エノク書』に登場する彼らは、「グリゴリの天使」と呼ばれ、リーダー（格）としてシェミハザ、あるいはアザゼルなどの天使の名が知られている。

グリゴリの天使たちはもともと、神から「世界を監視する」という使命を与えられて地上に降りていた。ところが、彼らは美しい人間の女たちにすっかり骨抜きにされてしまう。結果、武器や薬、冶金、宝石、化粧品といった品物の作り方や使い方を教えるとともに、人間と交わって混血児を生み出すことになる。人間と天使の混血はネフィリムと呼ばれる邪悪な巨人としてこの世に誕生し、大いに暴れて人間を喰らった。このことで神は怒って地上に大洪水をもたらし、またグリゴリの天使たちを封じて、罰を与えたという。

彼らは人間を愛するがゆえに神の命令に背き、堕天することになった天使たちだ。また、その振る舞いは神からすれば許されないことだし、実際にネフィリムの存在は地上の人々に多くの被害を与えてもいる。しかし、さまざまな知識や技術——すなわち文明を与えて人々の生活を豊かにしたことも間違いない。堕天使にはそのような側面もある。

面白いところでは、「中立の天使」と呼ばれるものたちがいる。名前だけ聞くと善（神に従う天使）と悪（神に叛逆する堕天使）の狭間にいて人間の味方をしてくれそうだ。しかし、伝承や物語に残っている中立の天使は、どうもそのような者たちではないらしい。

地獄、煉獄、天国をめぐるさまを描いたダンテの『神曲』地獄篇に登場する中立の天使は、かつてルシファーが神に反逆した際、神にもルシファーにもつかず、中立の立場を選んだ天使たちである。漁夫の利を得ようと様子見していたのか、それとも手をこまねい

堕天使

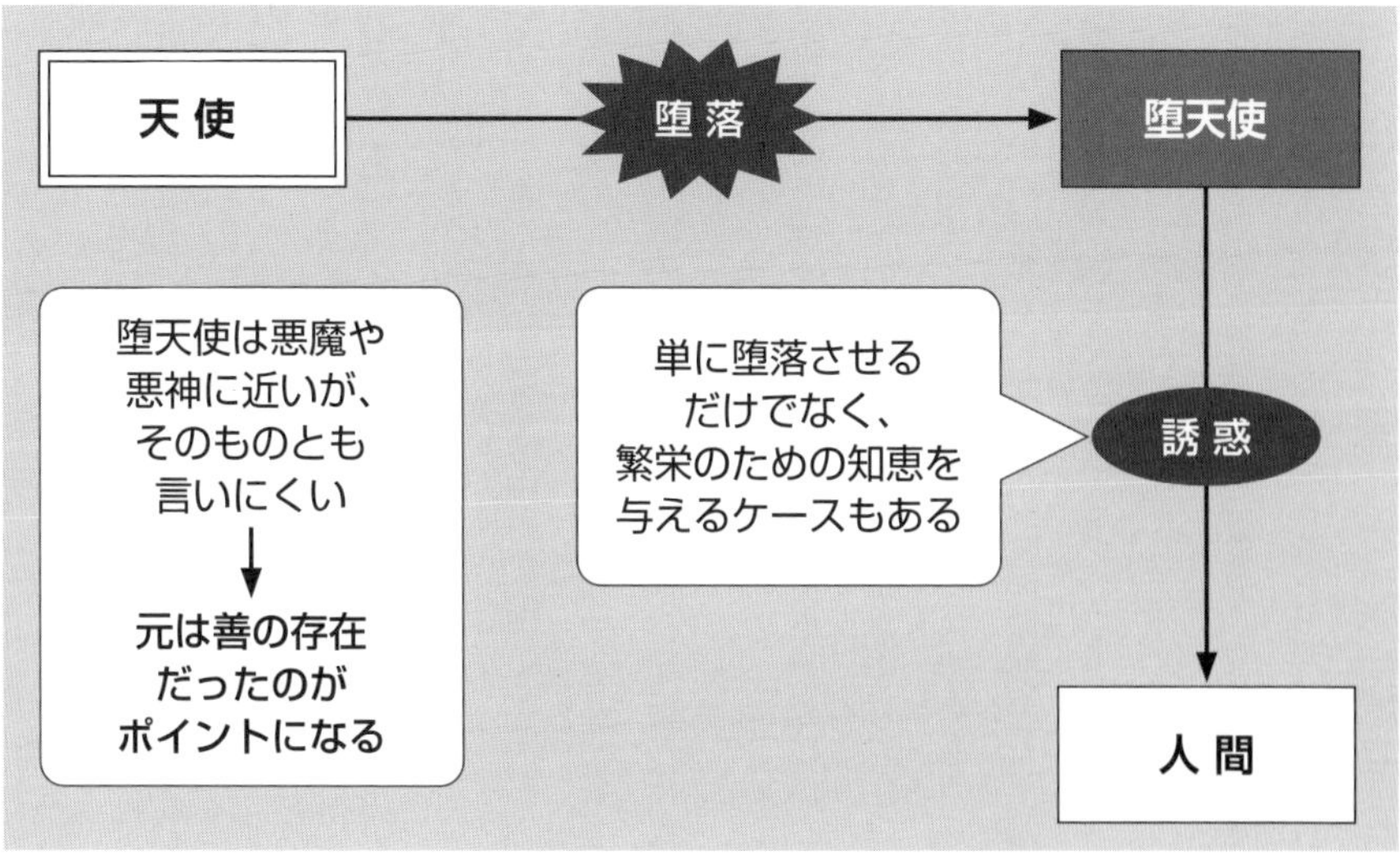

天使 → 堕落 → 堕天使 → 誘惑 → 人間

堕天使は悪魔や
悪神に近いが、
そのものとも
言いにくい
↓
元は善の存在
だったのが
ポイントになる

単に堕落させる
だけでなく、
繁栄のための知恵を
与えるケースもある

ているうちに戦いが終わったのか。ともかく、どちらにもつかなかった中立の天使たちは神のところへ戻ることも許されず、かといって叛逆の誇りを掲げた堕天使たちにも受け入れてもらえず。よるべなく放浪することしかできなくなってしまった、という。

神に積極的に叛逆するわけではないが、天から堕とされたという意味では堕天使に類する存在であろうと思ったので、ここで紹介した。

堕天使は悪魔や悪神とは違う存在とされることが多い。もとから悪だったのではなく、善から悪に堕ちたという特徴がある。このため過去を悔いて天国に戻りたいと考えている者や、ことさらに神や天使を恨む者、悪魔たちの動きを天国に伝えるスパイのような者など各種のパターンがあり、多様なキャラクター性が見て取れる。これもまた作品のキャラクターの背景設定などに生かすことができるだろう。

裏切り者の汚名を着せられたり、過去の自分と現在の自分との違いにとまどったりと、複雑な事情を抱えるキャラクターのモチーフとして、堕天使は良い素材になるはずだ。

⑩邪神・悪神・怪物

神々の戦い

神話のクライマックスシーンの一つに神々の戦いがある。それぞれの神話の主役となる神々にさまざまな立場で敵対する者たちがおり、両者が衝突するのだ。世界規模の力を持つ神々と、それに対抗できる敵対者たちとの戦いは圧倒的なスケールを誇り、神話の壮大さを伝えてくる。

神々は基本的に善の存在だ。光や正義など正しいことを象徴する立場にあることが多い。神話を追いかけてみるととても善の存在とは思えない振る舞いをする神も多いが、それは多くの場合、当時の常識としてはその振る舞いが善であったり、あるいは悪とはいえない当然の行為であったりする。

これに対する敵対者たちは悪、闇などのイメージで語られ、神話の中での敵役を務めることになる。それは魔物や怪物であったり、あるいは神ではあるけれど邪悪なイメージ、乱暴者のイメージをまとった邪神、悪神であったりする。

当然、人間としては善の神々に勝ってもらわなければならない。神話の中でも神々の戦いはたいてい善の神々が勝利している（ただし、一度や二度は善の側が負けて、リベンジ展開に持ち込むことはよくある）。イラン神話や旧約聖書などでは神、すなわち絶対的な善が悪を打ち倒し、救いに満ちた世界が創られると伝えているし、インド神話のヴィシュヌは十の化身となってそれぞれの時代に現れた悪神を退治した。日本神話のスサノオも怪物ヤマタノオロチを退けている。

ただ、一概に神々が勝つとも言い切れない。北欧神話の最終戦争ラグナロクは引き分けか、あるいは神々の敗北と言っても良いだろう。ロキを始めとした悪神や魔物は倒されるものの、オーディンら神々もほとんどが倒れ、世界を支える大樹ユグドラシルも燃やされて神々の時代は終わってしまうのだ。

神話の悪役

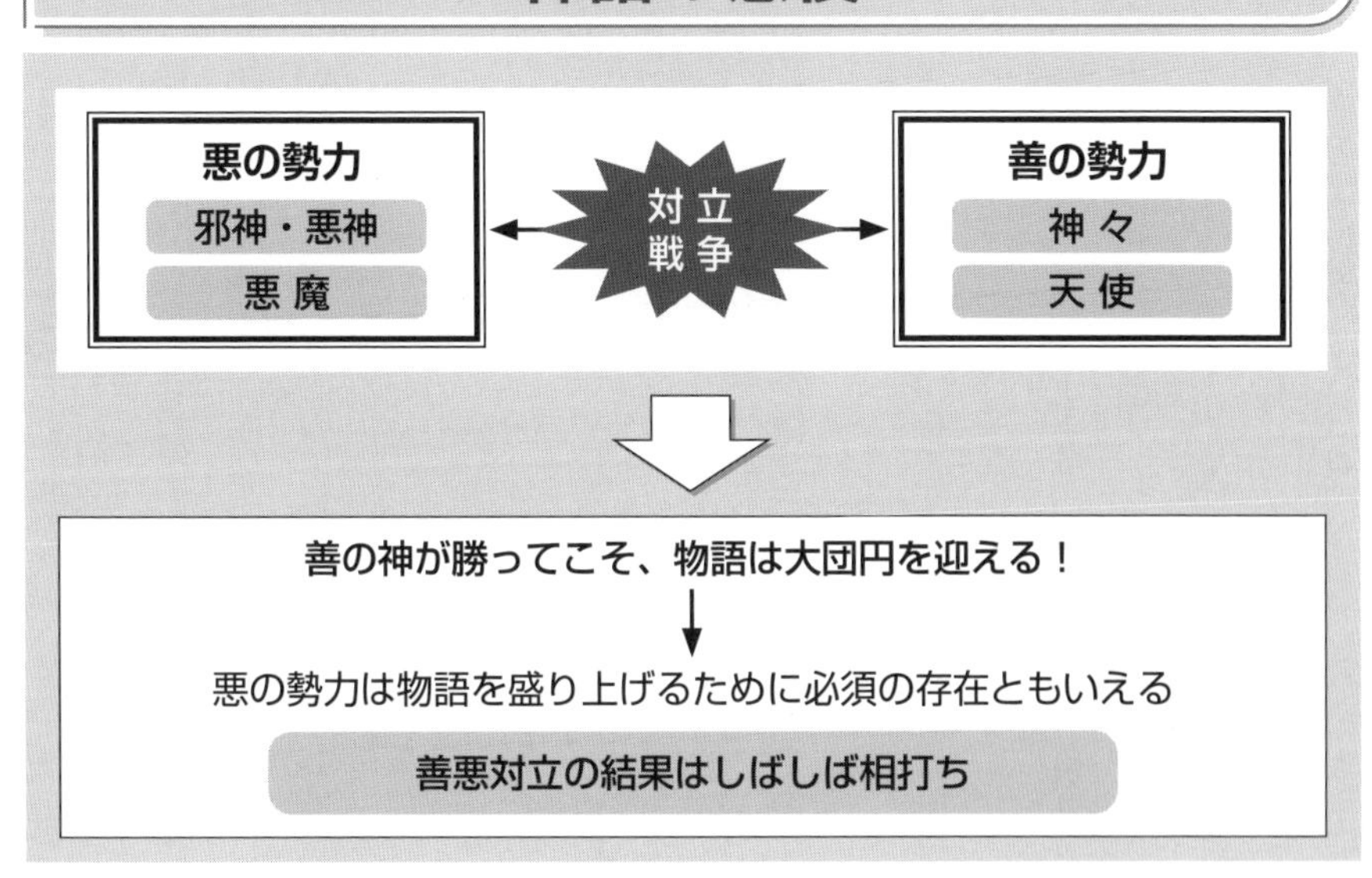

悪の勢力
邪神・悪神
悪魔
対立
戦争
善の勢力
神々
天使
善の神が勝ってこそ、物語は大団円を迎える！
悪の勢力は物語を盛り上げるために必須の存在ともいえる
善悪対立の結果はしばしば相打ち

神々の戦いが必ずしも善と悪に分かれてのものとも限らない。ギリシャ神話でゼウスが主神の座を父クロノスから奪う戦いティタノマキアは、言ってみれば神々の中での権力争いだ。メソポタミア神話の主神マルドゥークはティアマトを倒して世界を創造するが、ティアマトは古い世代の神であって邪神でも悪神でもない。互いに対立関係にあっただけで、善悪の戦いではなかったのだ（神話の流れとして、ゼウスやマルドゥークが正しいというイメージを持たせるのは仕方のないことだろう）。

とはいえ邪神や悪神、あるいは魔物や怪物といった神話ならではの存在との戦いが盛り上がることに変わりはない。物語には魅力的な悪役が必要だ。それが憎らしく強大な存在であればあるほど、勝利した時の爽快感は引き立つだろう。

邪神、悪神といった悪の存在も神話の物語には欠かせない要素なのである。

邪神・悪神・破壊神

それでは、どんな存在が邪神や悪神と呼ばれるのか。

もっともシンプルなのは、「世界を滅ぼす」「人間を滅ぼす」ものだろう。その存在が世界にとって害になり、いずれ世界や人間を消滅させるとすれば問答無用で悪と認識されるはずだ。作品の中で登場する邪神、悪神といったキャラクターのほとんどがこの一言で表現され、それにふさわしい言動を取るのではないだろうか。

彼らは時に悪の軍団を率い、神々や人類に挑戦をしてくる。神話においてこれを体現するのは旧約聖書の魔王サタンだろう。彼は絶対的な悪であり、人間を堕落させて世界を滅ぼそうとする。また悪魔の軍団を率いて神に弓を引き、天使の軍勢と全面対決に突入するという、まさに悪の名にふさわしい存在だ。

悪役としては北欧神話のロキが活躍する。彼の場合はオーディンら神々に協力することもあり、サタンほど完全な悪ではないイメージなのだが、やはり最終戦争ラグナロクのきっかけを作ったことは大きい。ロキの息子のフェンリル、ヨルムンガンドも神話を代表する魔物として名高い存在だ。

一方、悪の側に追いやられる神がすべてそのように絶対的な悪とは限らない。善の神々と価値観が違うせいで相対的に悪と見られたり、あるいは「ある宗教で崇拝されている神は、別の宗教から見ると悪神」などというケースもある。

一般的には善神なのだけれど、わがままが過ぎたり、こだわりが強過ぎたりして、他の神や人間たちに迷惑をかけるような神は、迷惑をかけた相手から「邪神」「悪神」のレッテルを貼られても仕方があるまい。例えば「次々と人間の女に手を出して子どもを作るゼウス」や「己の美を誇るあまりにトロイア戦争の引き金を引いたアフロディーテ」「ギルガメシュへの求愛が断られるや怪物をけしかけたイシュタル」などがそれだ。

力を持て余した破壊神などは、そのような「相対的悪神」の典型と言えよう。

破壊神といえばインド神話のシヴァが有名だ。ただ、シヴァは世界に終わりを告げる役割を担っているだけで、私欲から世界を滅ぼそうというわけではない。絶大な力を持つために恐れられている。日本神話のスサノオも、必ずしも悪神ではないのだが、癇癪を爆発させて他者に迷惑をかけることが多いので、破壊神的なイメージで見られることが多いようだ。

シヴァと同じインド神話には雷神インドラとヴィシュヌという英雄的な神々がいる。彼らが信奉されるのは悪神や魔神を次々に打ち倒したという面も大きい。

インドラの宿敵とされたのが魔神ヴリトラだ。彼は命ある者、動く者のすべてに逆らい、天界を含むあらゆる水の流れを止めてしまったという。これをインドラが打ち倒したことで河は流れ、地上には雨季が訪れるようになったそうだ。一方のヴィシュヌは悪魔ヒラニヤカシプを退治した。人にも獣にも殺されることのないヒラニヤカシプを倒すため、ヴィシュヌはナラシンハという半獣半人の化身に転じたとされている。

邪神や悪神には神々の宿敵にふさわしい存在感がある。敵役は弱くては物足りない。恐ろしくなければ物語の緊張感もそがれてしまう。最終的には敗れるにしても、そこに至るまでは「どうやったら勝てるのか」「このまま世界（人類）が滅ぼされるのではないか」といった絶望感を演出できるキャラクターでありたいものだ。

また、邪神や悪神の中には疫病を流行させたり、人を狂気に陥れる呪いをかけたり、害虫を大発生させたりと不気味な情景を想像させる者もいる。こうした雰囲気を出すのも作品のアクセントとして作用するかもしれない。

他勢力の神々

神話には「悪」ではなくても、中心となる神々とは別の勢力に属し、協調したり対立したり中立を保ったりする神々も登場する。

例えば北欧神話のヴァン神族だ。豊穣の神フレイとその妹のフレイヤらが生まれた血統で、これはオーディンたちアース神族とは別になる。個々の神同士には交流があり、オーディンがフレイヤからセイズという巫術を教わるようなこともあったが、神族全体としては対立関係にあったようだ。

メソポタミア神話でも神々の対立が描かれている。こちらは古い世代の神々と新しい世代の神々との間で対立が起こり、激突することになった。主神マルドゥークは新しい世代の神の代表であり、彼に倒されて世界の礎となったティアマトは古い世代の神だ。血筋をたどれば、マルドゥークはその子孫に当たるという。

ギリシャ神話でもゼウスが父クロノスから主神の座を奪ったり、母神ガイアの子の巨人族と戦ったりしている。神々の敵対勢力と言っても、必ずしも邪神や悪神といった存在とは限らないのだ。

善対悪という対立の構図は分かりやすいが、単調な印象になってしまうこともある。その点、本来は味方であるはずのキャラクター同士が、立場や主張の違いからやむを得ず対立するというのはドラマチックな展開を引き起こしやすい。そこにもとから敵対するキャラクターが加わって三つ巴の争いになるのも面白いだろう。

魔物

神話には神とは呼ばれないまでも、それに匹敵する力を持つ魔物が数多く登場する。ゲームなどではひんぱんにモチーフにされ、広く名前が知られた者も少なくない。特殊な外見や能力を持つ場合も多く、ある意味では神々よりも印象に残りやすい存在だ。

◇メドゥーサ

ギリシャ神話に登場し、英雄ペルセウスに倒される怪物。髪が蛇になっており、目を合わせた者は石になってしまうという能力は有名だ。ペルセウスはポリュデクテスという王にメドゥーサ退治を押しつけられ、アテナとヘルメスに助力を求めてこれを成し遂げた。その帰り道、岩肌に縛りつけられたアンドロメダを発見し、彼女を喰おうとした海の怪物を退治してアンドロメダを救ったという。ちなみにペルセウスは帰還後、母に暴行しようとしたポリュデクテスにメドゥーサの首を突きつけ、石にしてしまったそうだ。

◇フェンリル

北欧神話を代表する魔物で、世界を飲み込むほど巨大な狼。ロキの息子でもある。神々が体を縛りつけようとした鎖をたやすく食いちぎり、魔法の紐グレイプニルでようやく動きを封じられたという。最終戦争ラグナロクでは自由を得て暴れ回り、主神オーディンを飲み込んでしまった。

フェンリルの兄弟にはトールと相討ちになった大蛇ヨルムンガンドや冥界の女王ヘルがいる。

◇ヤマタノオロチ

日本神話最大の怪物。八つの頭と八つの尾を持つ巨大な蛇で、出雲の地で恐れられていた。一年に一度、若い娘を生け贄に要求し、クシナダヒメを喰おうとしていたところで高天原を追放されたスサノオと相対する。八つの甕（かめ）に注がれた酒を飲んで眠ったところをスサノオに斬り刻まれ、絶命した。尾の中からは三種の神器として伝えられる草薙剣（くさなぎのつるぎ）が見つかったという。

◇龍

中国神話で霊獣の代表格とされる存在。天の力や地に恵みをもたらす水、あるいは風の流れを象徴する生き物とされ、たびたび姿を現す。魔物ではなく神聖な生き物で、古代中国の文化ではもっとも重要視され、皇帝を表す印ともされたという。

その一方で西洋ではドラゴンと呼ばれ、獰猛な獣として伝えられている。姿も大きく異なり、長い体をくねらせて天を横断する龍に対し、ドラゴンは被膜の翼とがっしりとした脚を持つ爬虫類として描かれるようだ。アーサー王の伝説では円卓の騎士に牙を剥く怪物として登場している。非常にポピュラーで人気のある魔物であり、作品に登場するモンスターの代名詞的な存在になっているほどだ。

神話の怪物

神話に出てくる怪物は、必ずしも人に害をなすような存在ばかりとは限らない。本項の最後には、人や神の手足になったり、その神話世界にしかいないような特別な怪物を紹介する。

◇ペガサス

ギリシャ神話に登場する背中に翼を持つ馬。ペルセウスがメドゥーサの首を斬り落とした際、その血の中から生まれたという。天空を自在に駆ける力を持ち、天馬とも呼ばれる。英雄ベレロポンの愛馬であり、彼はペガサスに乗って怪物キマイラを退治した。キマイラもまた、神話の代表的な魔物として知られる存在だ。

◇スレイプニル

北欧神話に登場し、オーディンの愛馬とされる軍馬。八本の脚を持ち、空を駆けることもできるという。無敵の槍グングニルと共にオーディンの姿を現す象徴的な存在で、速さにかけては右に出る者はいなかったそうだ。

◇ガルーダ

インド神話でヴィシュヌに仕えた存在。大鷲と人間とをかけ合わせたような姿をしている。奴隷にされた母を救うために神々のもとから不死の霊薬を盗み出し、さまざまな妨害を突破した。その勇敢さと力をヴィシュヌに称えられ、彼に仕えることにしたという。

◇ユグドラシル

北欧神話で宇宙を貫き、世界を支えるとされる大樹。世界観の根底を成す存在だが、最終戦争ラグナロクにおいて焼け落ちてしまう。

神話の時代の「悪」がいまは……

ここまで紹介してきたような「悪」の勢力は、皆神話の時代だからこそ存在していたものたちだ。あるいは善の神に殺害・封印され、あるいは改心して自分の役目を果たすことで生きることを許されるなどの結末をたどり、作中の「いま」には悪として存在していないのが普通である。「神話の時代の濃厚な魔力、神秘の中でしか生きていられない」ということもあろう。

そんな悪の勢力の者たちが作中の現在に登場するなら、どんな形を取るのだろうか。巨大な怪物の末裔がスケールダウンした形で登場する、というのはわかりやすい。魔力の濃い特別な地域だから神話の時代のそのままの姿で登場するというのもアリだろう。封印を打ち破ろうとする邪神もいれば、善神に殺された悪神の陰謀だけが現在も受け継がれ、実行され続けているというパターンも考えられる。邪神、悪神が用いた道具や秘術が発見されて世界に混乱をもたらしたり、一度死んで転生した怪物が大暴れしたりする、なんてこともあるかもしれない……。

邪神、悪神、怪物……

ひと口に神話における「悪」の勢力と言っても、
その素性や事情、神々や人間に対するスタンスは実に多様

どのような神々や怪物がいるのか

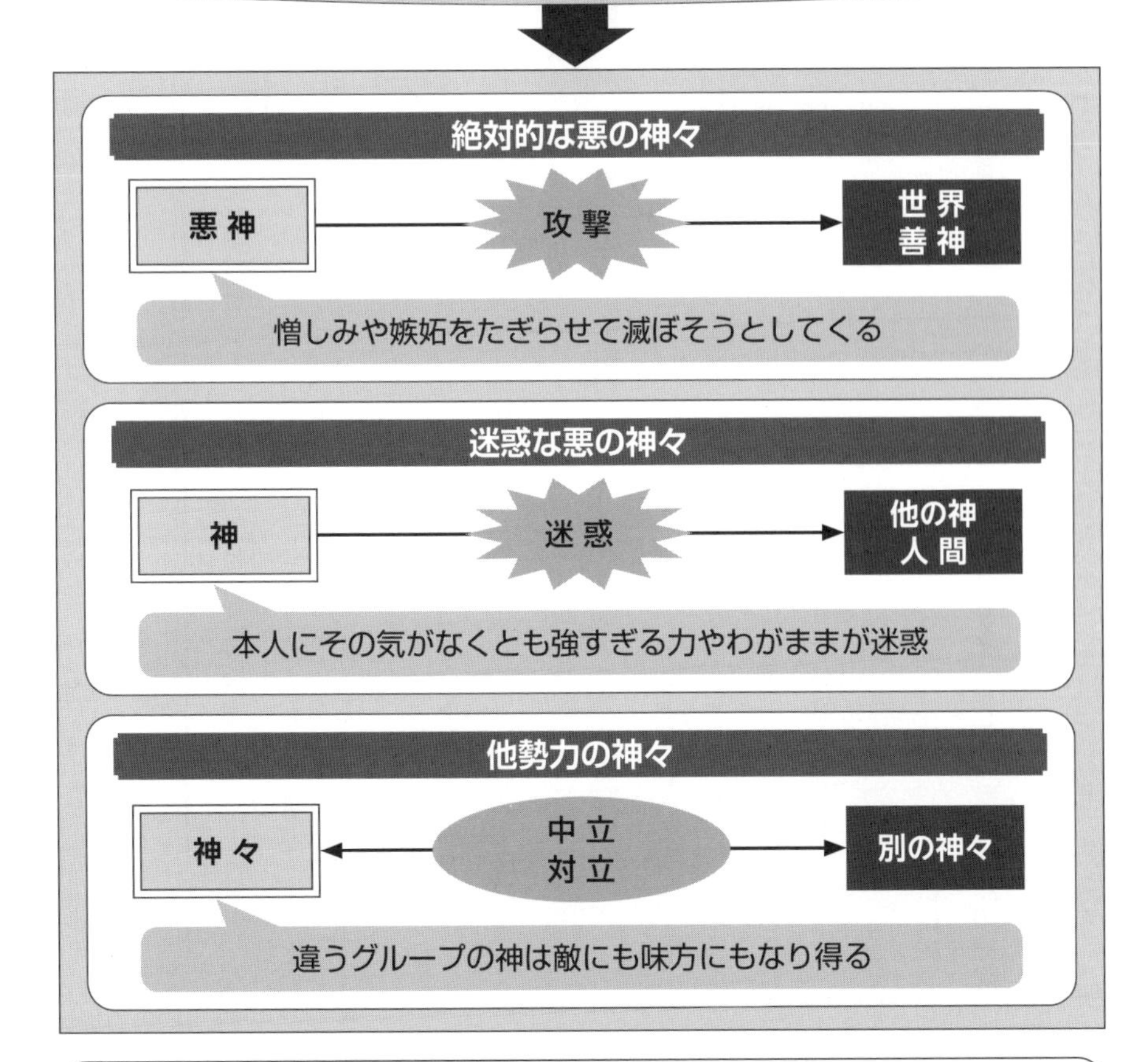

その他の怪物

悪の存在以外にも、神々や人間の乗り物になったり、世界を
支えていたりと、さまざまな怪物が出てくるのも神話の醍醐味

⑪英雄神話

ヘラクレスの十二の難行

英雄と呼ばれる人々は世界中の神話に登場するが、中でも有名で代表的な人物がギリシャ神話の大英雄ヘラクレスだ。ゼウスとアルクメネという女性との間に生まれた彼は、生まれた直後からゼウスの妻ヘラの嫉妬にさらされ、ゆりかごに二匹の蛇を放たれた。しかし、生後間もないヘラクレスはそれを素手で絞め殺したという。

やがて成人したヘラクレスだが、ヘラの力で発狂し、我が子を殺してしまう。この罪を償うため、ヘラクレスは十二年をかけてさまざまな試練に挑んだ。これが十二の難行として知られる物語だ。

①ネメアのライオン退治

ネメア谷に棲息する獰猛なライオンと戦う。ヘラクレスは洞窟の入り口をふさいでライオンを追いつめ、弓も棍棒も効かない相手を素手で絞め殺した。

②ヒュドラ退治

九つの頭を持つ大蛇ヒュドラと戦う。ヒュドラの首は斬り落としてもまた生えてくるため、切り口を火で焼いて倒すことに成功した。

③エリュマントスの猪狩り

森を荒らしていた猪を生け捕る。その最中、半人半馬の怪物ケンタウロスたちとも戦った。

④ケリュネイアの鹿狩り

黄金の角を持つ巨大な鹿を一年がかりで生け捕る。この鹿はアルテミスの持ち物だったが、ヘラクレスが難行に挑む理由を話すと納得して見逃したという。

⑤ステュムパロスの鳥退治

湖畔に巣くう無数の猛禽を音で驚かせ、飛び立ったところをすべて弓矢で射落とした。

⑥アウゲイアス王の家畜小屋の掃除

汚れきった王の家畜小屋を、川の向きを変えて一気に水洗いする。この後、アウゲイアス王が約束の報酬

ヘラクレスと12の難行

12の難行とは何なのか？

ギリシャ神話最大の英雄・ヘラクレスが贖罪のために挑戦した、
12種類の試練のこと

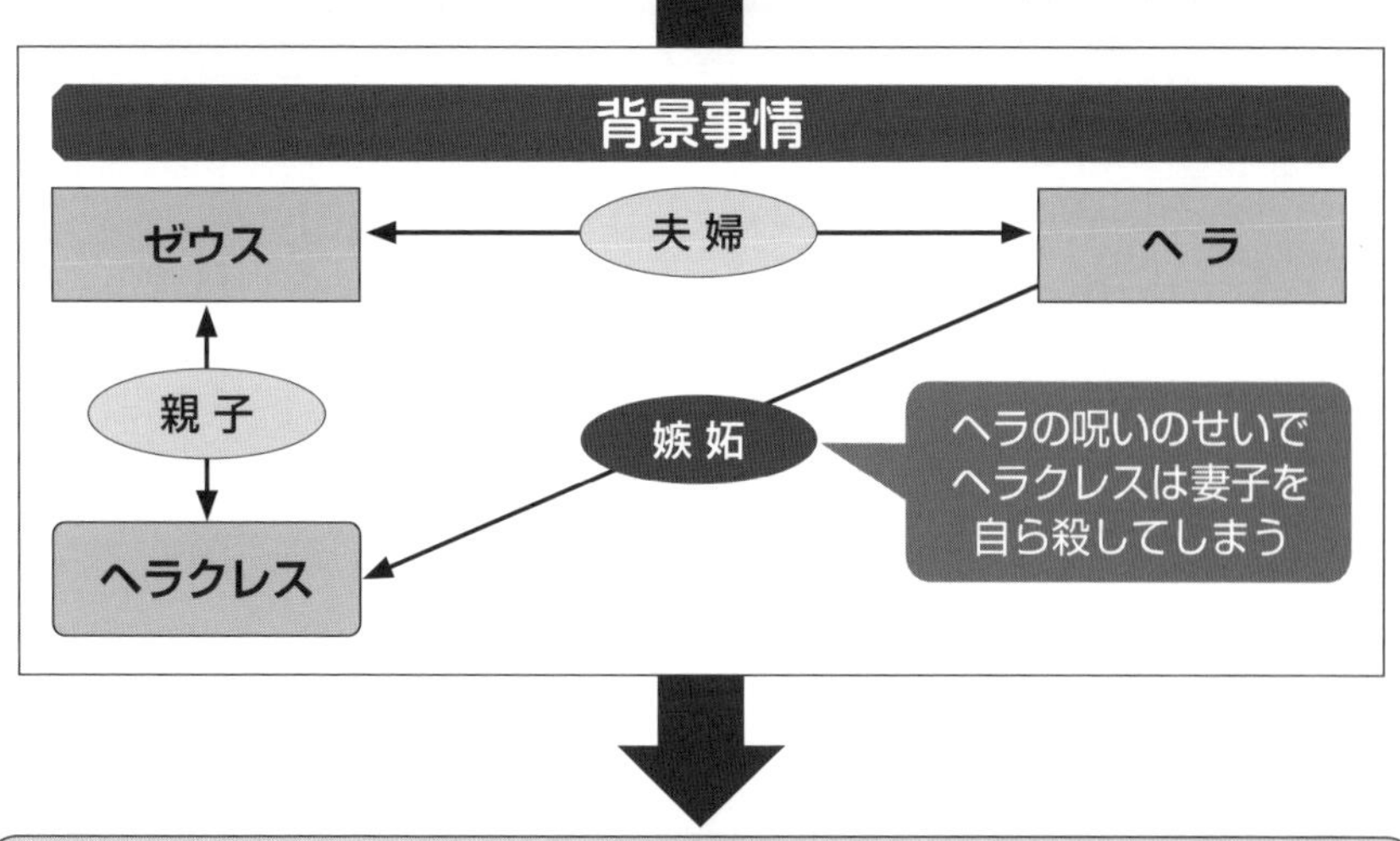

ヘラクレスが挑戦した12の難行

怪物退治から問題解決まで、その中身はバラエティ豊か

①ライオン退治	②ヒュドラ退治	③猪の捕獲
④鹿の捕獲	⑤鳥の追い払い	⑥家畜小屋掃除
⑦牡牛の捕獲	⑧人食い馬捕獲	⑨帯の入手
⑩巨人の牛奪取	⑪ケルベロス捕獲	⑫黄金のりんご入手

を払おうとしなかったため、ヘラクレスは王と戦うはめになった。

⑦ミノスの牡牛

クレタ島を荒らしていた牡牛を捕まえる。牛はヘラに捧げられたが、彼女は受け取らなかった。

⑧ディオメデスの牝馬

ディオメデス王の飼っていた人食い馬を奪い去る。追ってきたディオメデス王たちはヘラクレスに殺され、馬のえさにされてしまった。

⑨ヒッポリュテの帯

女戦士アマゾネスの女王ヒッポリュテの腰帯を奪う。当初、ヒッポリュテは友好的だったのだが、ヘラの横槍によって結局は戦いになってしまう。

⑩ゲリュオンの牛

巨人ゲリュオンの所有する牛を奪う。ヘラクレスは太陽の杯によって海を渡り、ゲリュオンと番犬オルトロスを倒して牛を手に入れた。

⑪ケルベロスの生け捕り

冥界の番犬ケルベロスを生け捕る。ヘラクレスは知恵の神ヘルメスの助力を得てハデスに会い、武器を使わずにケルベロスを倒すよう言われた。五十の頭を持つケルベロスをヘラクレスは素手で倒したという。

⑫ヘスペリスの黄金のりんご

ゼウスとヘラの結婚祝いに贈られた黄金のりんごを探す。このりんごは天を支える巨人アトラスにしか手に入れられなかった。ヘラクレスはアトラスの代わりに天を支え、りんごを取ってきてもらう。

これら、十二の難行は非常にバラエティ豊富な冒険譚だ。一方で、ヘラクレスの目的自体は贖罪というシンプルな設定にされている。明確な目的に対し、ストーリー面で急展開やどんでん返し、ドキドキ・ハラハラする演出を盛り込んで物語を構成しているのだ。

いわゆる「アイテム集め」「試練もの」などがこの構造に適している。「七つの宝物を集める（試練をクリアする）」といった分かりやすい目的に対し、それぞれの宝物（試練）について独特の展開を用意する。すべての宝物が順調に集まっても面白くないし、時には乗り越えられない試練にぶつかっても良いだろう（再挑戦して突破したり、一度目とは異なる方法を試したりできる）。試練を課した神の怒りを買い、ノーカウントにされてしまうこともあるかもしれない。それもまた読者の興味を惹く展開だ。

多種多様な冒険をくぐり抜け、武勇だけでなく知略や機転も必要な困難に打ち勝ったがゆえに、ヘラクレスは最大の英雄と謳われる。作品の主人公にも力が必要だったり、知恵が必要だったり、仲間との協力が必要だったり、時には相手を出し抜くずるさが必要だったりと、通り一辺倒ではない試練を課すと良い。

アルゴナウタイの物語

そのヘラクレスを始めとするギリシャ神話の綺羅星の如き英雄たちが集合するエピソードがある。それが「アルゴナウタイの物語」だ。

若き英雄イアソンは叔父に奪われた父の領地を取り戻すことを望み、叔父が条件として出した「黒海の奥にあるコルキス国の金羊毛」を取りに行く旅に出る。ヘラの助けで彼のもとには五十人あまりの英雄が揃い、アテナの加護で立派な船「アルゴ船」も作られ、コルキスへ向けて出発することになった。

アルゴ船の乗組員、すなわちアルゴナウタイには、説明不要の知名度を持つヘラクレス、ミノタウロス退治のテセウス、冥界下りのオルフェウスなど、本書の別項で紹介している名高い人々の名が並ぶが、それだけではない。例えば、次のような名高い英雄がアルゴナウタイに加わっている。

◇カストールとポルックス

ゼウスと人間の女の間に生まれた双子。拳闘が得意なポルックスは神として不死であったのに、馬術が得意なカストールはあくまで人間として不死ではなかった。ポルックスは神に願って不死の力を二人で分けたという。「双子座」は彼らを示したもの。

◇アタランテ

熊に育てられた伝説を持つ女狩人。求婚してきた男と競争をし、追いついたら殺すことをくり返していた。ある時挑戦してきた男は、アフロディーテから黄金のりんごを授かっていた。彼は追いつかれそうになったらりんごを投げ、彼女が拾っているうちに逃げる作戦で走りきったので、二人は結婚することになった。

◇アスクレピオス

アポロンの子で、医術の神。アテナから授けられたメドゥーサの血によって死者さえも蘇らせたが、その力ゆえにゼウスの怒りを買い、殺された。蛇をシンボルとし、「へびつかい座」は彼の伝説がもと。

アルゴナウタイはさまざまな島（多くが実際に存在する島で、例えば後世の『ガリバー旅行記』のような架空のものはほとんど見られないという）で事件や神秘に遭遇し、数々の冒険を繰り広げた。途中でヘラクレスが離脱するなどの事件もありつつ、ついにコルキスへたどり着く。コルキスの王は金羊毛を渡す代わりに無理難題を押し付けてきたが、イアソンはヘラの介入で彼に魅了された王女メディアの魔法に助けられてこれを切り抜ける。

ところが王が金羊毛を渡さないので無理やり奪って逃げることになる。その際、追手から逃れるためにメディアは自分の弟をバラバラにしてしまったという。

帰路も数々の冒険はありつつ、アルゴナウタイの旅は終わった。ただ、イアソンとメディアの物語には続きがある。それも、少々苦い結末だ。

金羊毛を手にしたイアソンは故郷へ戻ったが、結局王になることはできなかった。それどころか、故郷にいられなくなってしまった。父が叔父によって殺されていたことが分かったため、メディアの魔法によって叔父を殺害したことが原因だ。

この時の殺害方法がコルキス脱出の時に負けず劣らずショッキングなものだった。叔父の娘たちに、羊を釜で煮て若返るさまを見せたのである。メディアにそそのかされた彼女たちは己の父を同じように煮て、殺してしまった。

事件の後、メディアと共に別の国へ逃れたイアソンは、そこの王に気に入られて王女を妻に迎える。メディアのやり口に恐怖を感じ、疎んじていたせいでもあったのだろう。激怒したメディアはその王と王女、それどころか自分とイアソンの間の子まで殺してしまった。

その後のイアソンについては諸説あるが、「朽ちたアルゴ船に潰されて死ぬ」という何とも言えない顛末の物語がよく知られている。

アルゴナウタイ

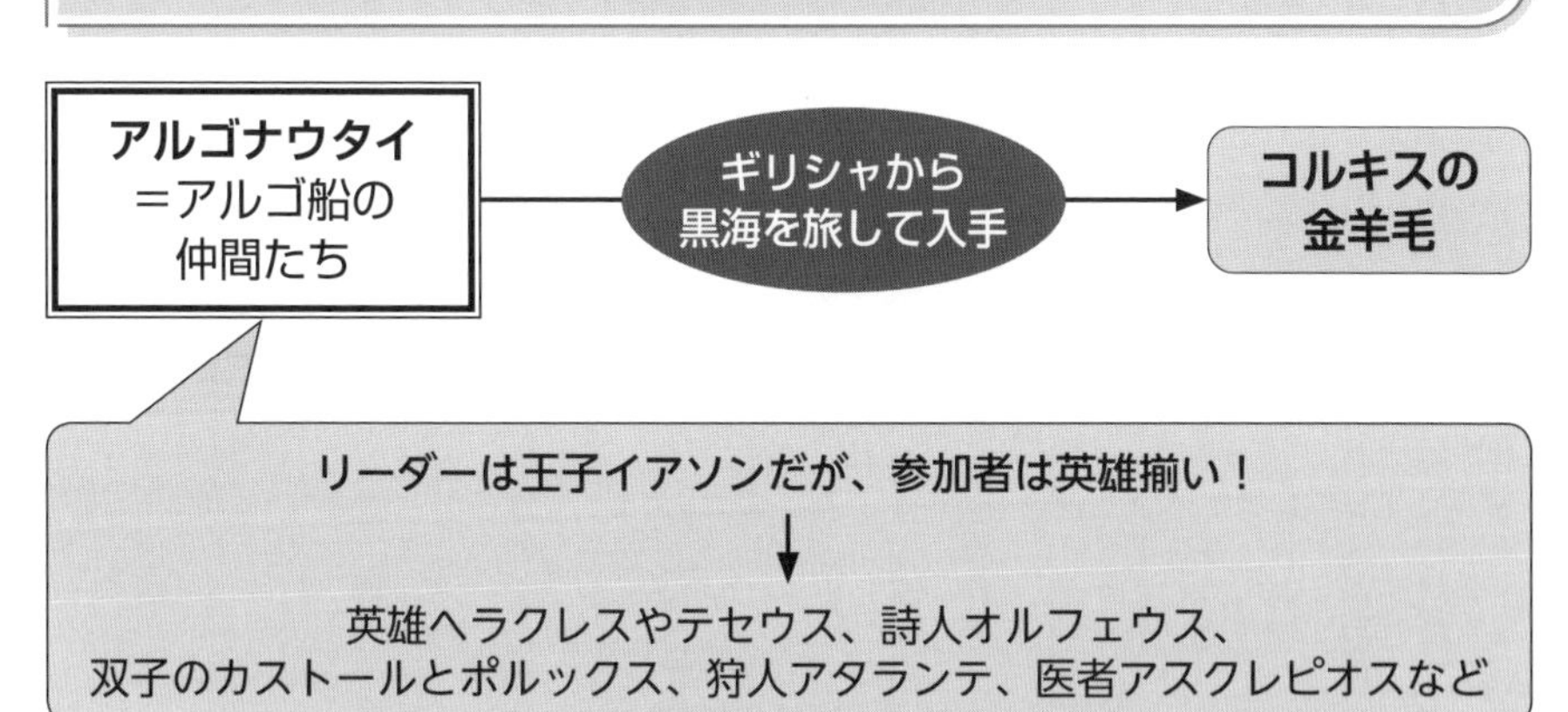

結末は何とも苦いが、この物語が豪華かつ賑やかであることに変わりはない。それぞれ別のエピソードで主人公を務める英雄たちが一つのチームを組み、長い旅をする。冒険の背後にはより巨大な力を持つ存在の思惑も見え隠れする……いわば、ギリシャ神話版『アベンジャーズ』がアルゴナウタイの物語なのである。ワクワクする人は多いはず。このあたり、今も昔も私たちの心を沸き立たせるものはそう変わらない、という証拠にならないだろうか。

ギルガメシュ叙事詩

ギルガメシュはメソポタミア神話に登場する英雄だ。彼の活躍を記した一大巨編『ギルガメシュ叙事詩』は非常に人気が高く、子どもの教育にも用いられたという。英雄神話の中でももっとも古いものと考えられており、代表的な作品の一つだろう。

ウルクの王ギルガメシュは三分の二が神、三分の一が人間という存在だった。彼は暴君として知られ、創造の女神アルルはギルガメシュを抑えつけるために同等の力を持つ野人エンキドゥを生み出す。

ところがエンキドゥはギルガメシュよりさらに乱暴者で、神々すら扱いに困ってしまった。そこへエンキドゥの噂を聞きつけたギルガメシュが現れ、二人は激しい戦いに陥る。これによってお互いの力を認め合ったギルガメシュとエンキドゥは、神々の予想に反して固い友情を誓い、終生の親友となった。

ギルガメシュとエンキドゥは力を合わせ、怪物フンババを退治する。その帰り道、ギルガメシュは女神イシュタルから求愛された。だが、彼はこれを拒み、イシュタルは激怒して強大な力を持つ「天の牛」を地上に送り込む。これもギルガメシュとエンキドゥの二人によって倒されるのだが、イシュタルはさらにエンキドゥに死の宣告をした。病に倒れたエンキドゥは苦しみの末、そのまま死んでしまう。

命のはかなさを知り、自分もいつか友のように死んでしまうのではないかと考えたギルガメシュは不死を求めてウトナピシュティムという人物を訪ねた。ウトナピシュティムはギルガメシュに若返りの草の在り処を教え、ギルガメシュはついにそれを手に入れる。

ところが、帰る途中でギルガメシュが水浴びをしていたところ、一匹の蛇が若返りの草を食べてしまった。こうしてギルガメシュは不死を得ることはできず、ウルクの地へと帰ったのだという。

ギルガメシュの英雄神話はエンキドゥという「親友」の存在が特徴的だ。神話の英雄は一人で大活躍することが多いが、この二人はコンビで活躍している。しかも出会った当初は敵同士だった。ライバル同士がぶつかり、互いを認め合う典型的な展開ともいえるだろう。

親友の死に衝撃を受けたギルガメシュは不死を求める。他にも親友を蘇らせようとしたり、かたき討ちをしたりといった物語も考えられるはずだ。主人公だけでなく、脇役にもスポットを当てるとまた違った英雄物語ができるだろう。

ラーマーヤナ

インド神話には『マハーバーラタ』と『ラーマーヤナ』という二大叙事詩と呼ばれる作品がある。前者は世界最長の叙事詩ともいわれ、バラタ族の戦いを描いたものだ。雷神インドラやヴィシュヌの化身である英

ギルガメシュ叙事詩とラーマーヤナ

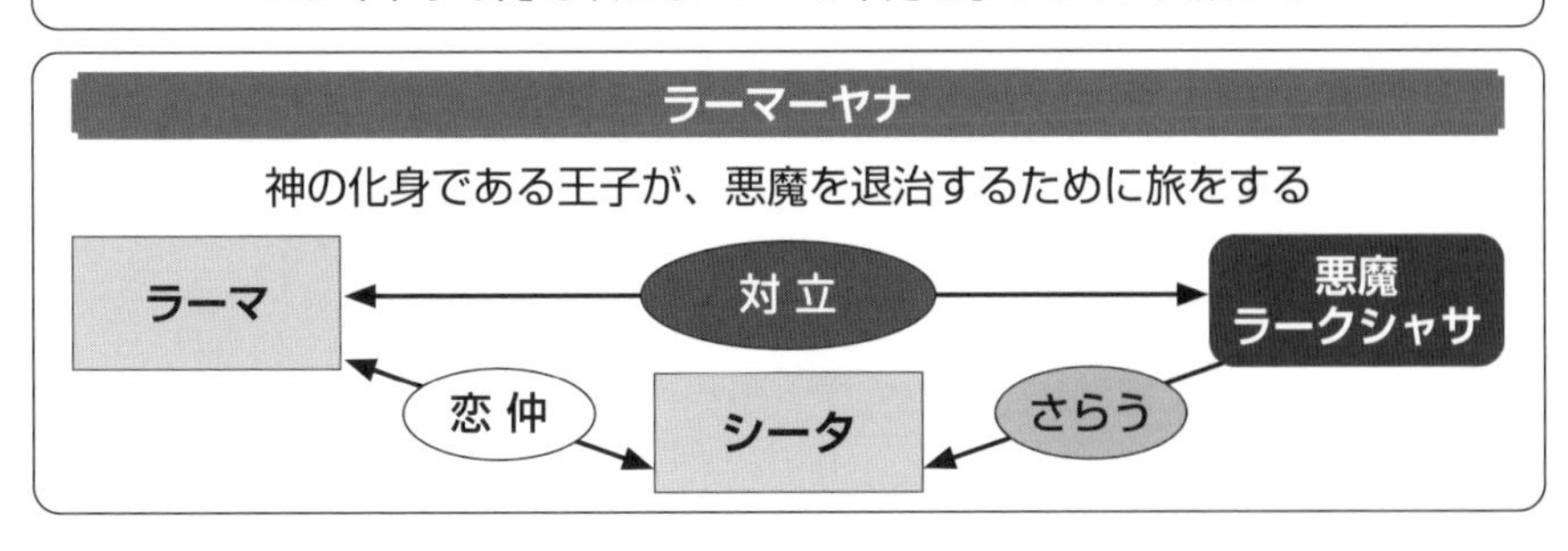

雄クリシュナが活躍する。こちらは後ほど、インド神話の項で紹介する。

一方の『ラーマーヤナ』は王ラーマと王妃シータをめぐる物語だ。このラーマもヴィシュヌの化身とされている。

コーサラ国の王子ラーマは文武両道に優れた人物で、美しい娘シータを妻とした。しかし、継母に憎まれたラーマは国を追放されてしまう。

この頃、世界の平和はラークシャサという悪魔たちによって乱されていた。ラーマはラークシャサの王ラーヴァナと対立し、シータをさらわれてしまう。

ラーマは猿神ハヌマーンらの助けを借りてラーヴァナを打ち倒し、ラークシャサも一掃した。そもそもヴィシュヌがラーマに化身したのはラークシャサを倒すためだったのだ。

ちなみにヴィシュヌにはラクシュミーという愛妻がいて、ヴィシュヌが何かに化身するたびに彼女も姿を変えてついてきたという。シータもまた、ラクシュミーの化身なのだそうだ。

さらわれたヒロインを助け、悪を打ち倒すのはいつの時代も愛されるヒーローの姿だろう。ラーマーヤナはこの展開を見事に踏襲し、ラーマとシータの愛を描く恋愛物語の側面も持っている。主人公とヒロインの恋愛と、そこに降りかかる障害はエンターテインメントの基本だ。障害があってこそ、愛は深まる。自らの手で宿敵を倒し、ヒロインを救い出すラーマの姿は王道の主人公のモチーフとして使いやすい。

その他の英雄たち

◇シグルズ

北欧神話の英雄。ドイツ語ではジークフリートと呼ばれ、ワーグナーによる大作歌劇『ニーベルングの指環』の主人公としても知られている。

シグルズの父シグムントはオーディンの血を引く名門ヴェルスング家の当主だった。しかしある戦いでオーディンに剣を叩き折られ、命を落としてしまった。

息子のシグルズは鍛冶屋のレギンに育てられる。レギンは実は竜で、兄弟のファーブニルと黄金を争って敗れた過去があった。レギンから父の遺した魔剣グラムを託されたシグルズはファーブニルを殺す。しかし、レギンがシグルズを殺して黄金を一人占めしようとしていると知り、シグルズはレギンも殺して黄金を手に旅立った。ところが、この黄金には「持ち主が必ず死ぬ」という呪いがかけられていた。

旅の途中、シグルズはヴァルキリーのブリュンヒルデと出会い、恋に落ちる。ところがシグルズはその先の国で「忘れ薬」を飲まされ、ブリュンヒルデのことを忘れてその国の王女と結婚してしまった。

衝撃を受けたブリュンヒルデは思い余った末、陰謀に加担してシグルズを殺してしまう。そして自らも命を絶ち、シグルズともども炎に焼かれたという。

死の呪いをかけられたアイテムは神話の定番の一つだ。シグルズの黄金もそれである。彼はその呪いを受け、悲劇の主人公となってしまった。ブリュンヒルデとの悲恋は衝撃的だ。

シグルズは黄金の呪いに翻弄され、悲劇的な結末を迎えるが、その呪いをどうにか解いたり、ブリュンヒルデのような一途なヒロインとなんとかして結ばれたりと、ハッピーエンドにつながる物語を考えてみるのも良いだろう。

◇テセウス

クレタ島のミノタウロス退治で知られるギリシャ神話の英雄。

クレタ島の王ミノスはポセイドンに牡牛を捧げるという約束を守らなかった。このためポセイドンは彼の妻に呪いをかけ、牛との間に子どもを生ませてしまう。これが牛の頭を持つ怪物ミノタウロスである。

ミノスは職人ダイダロスに命じて脱出不能の大迷宮ラビュリントスを造らせ、ミノタウロスを閉じ込める。そして七人ずつの男女を生け贄としてラビュリントスに送るようにした。

そこへ現れたテセウスがミノタウロス退治を請け負い、ラビュリントスに入ることになる。ミノスの娘アリアドネはテセウスに恋をしており、ダイダロスにラビュリントスからの脱出方法を尋ねた。ダイダロスは糸玉を持って迷宮に入り、帰りは糸をたぐってくれば良いと答える。テセウスは助言に従い、ミノタウロスを倒すと糸をたぐって迷宮から脱出した。このエピソードから、恋人たちを結ぶ赤い糸の伝説が生まれたとも言われている。

テセウスの物語は怪物退治に、王女との恋愛や迷宮の突破方法といった要素を絡めて単純な戦いから多面的なストーリーにしている点が面白い。現代に伝わる赤い糸の伝説につながるオチも秀逸だ。ただ強い敵を倒すのではなく、その過程でキャラクター同士の関係を見せたり、敵にたどり着く（あるいはそこから逃げる）方法を考えさせたりと、少しひねりを加えることで物語の奥行きはぐっと深まる。

◇クー・フーリン

ケルト神話の伝説的な英雄。アルスター地方最強の戦士と称され、アルスターに迫る危機をことごとく振り払ったとされる。女戦士スカータハから学んだ跳躍術と魔槍ゲイ・ボルグの力とで無類の強さを誇ったそうだ。

クー・フーリンは戦いに生きた英雄だった。七歳の誕生日、彼は「この日に武器を取る若者は短い人生を送る代わりに、永遠の栄光を手に入れる」という予言を聞き、アルスター王に進んで武器を求めたという。また、戦いの高揚感を抑えるために三つの大樽に満たされた冷水を浴びせられた。一つ目の樽の水は蒸発し、二つ目は煮えたぎり、三つ目はぬるま湯になって、そこでようやく平静を取り戻したそうだ。

アルスターを守り続けたクー・フーリンはコナハトの女王メーヴと対立する。メーヴは夫の所有する白い角の牛を奪おうとし、アルスターの専制君主コンホヴァルも味方につけた。さらにカラディーン一族の魔女や戦争の女神マハも敵に回し、クー・フーリンの率いるアルスター軍は劣勢に追い込まれてしまう。

クー・フーリンは重傷を負いながらも戦い続けるため、自分の体を岩に縛りつけた。そして、そのまま息絶えたという。

この戦いの前、クー・フーリンは死の女神モリガンの求愛を拒んだ。このため、モリガンの恨みも買っていたとされている。クー・フーリンの死後、モリガンは鳥の姿で彼の遺体の肩に止まったのだそうだ。ただ、そこでモリガンはクー・フーリンの遺体を持ち去ろうとする敵兵を追い払ったとも言われており、愛憎いずれの感情がそうさせたのかは定かではなく、解釈の余地がある。

◇フィン・マックール

ケルト神話最強と称されるフィアナ騎士団を率いた英雄。フィアナ騎士団はどこの組織にも属さず、金銭に動かされることもない集団だったという。

フィンはその団長の座をわずか八歳で射止めたとされている。当時、魔法の歌声で人を眠らせるアレン・マックミーナという魔物が恐れられていた。フィンは魔法の効力を無効化する妖精の槍を持ち、アレンの首を斬り落としてフィアナ騎士団の団長となったのだ。

フィンはすばらしい知恵の持ち主としても知られる。幼い頃、フィンは賢者フィネガスが釣った全知を与える鮭を焼くよう言われた。そして、網の上で鮭をひっくり返した拍子に親指を火傷してしまう。以来、フィンは親指を噛むことで英知を得ることができるようになったのだそうだ。

フィン自身も英雄として名を馳せたが、彼の物語ではフィンに付き従うフィアナ騎士団の存在も目を引く。彼の息子で吟遊詩人でもあるオシーン、部下であると同時にライバルでもあるゴル・マックモーナ、女性を引きつける美貌の持ち主のディルムッド、トリックス

いろいろな英雄たち

シグルズ	テセウス
北欧神話に登場する、竜退治の物語の英雄 ↓ **竜を殺して手に入れた黄金のせいで人生を翻弄され、ついには死んだ悲劇の英雄**	ギリシャ神話、牛の頭を持つ怪物ミノタウロス退治の英雄 ↓ **ミノタウロスの住む迷宮から無事戻るために糸玉を用いたエピソードが有名**

クー・フーリン	フィン・マックール
ケルト神話の大英雄。魔槍ゲイ・ボルグの使い手としてよく知られている ↓ **戦いの中で生きて、栄光のままに死んでいった英雄**	ケルト神話に登場するフィアナ騎士団のリーダー。魔法的な知恵と優れた部下を持つ ↓ **晩年になると女性目当ての愚かな振る舞いも**

ター的位置づけのコナンといった面々だ。彼らには主君と同じように不可思議な生まれや能力を逸話として持つものが多く、英雄にふさわしい存在であった。

突出した英雄に率いられる正義の騎士団は、集団として一つのキャラクターになるだろう。個人の力を見せるだけではなく、集団で英雄となる者たちを描くのも創作手法の一つとして有効だ。

ただ、晩年のフィンは老いたせいか精彩を欠くエピソードが増える。その象徴的事件は部下との仲違いという形で発生した。フィンはうら若きグラーニャと婚約したのだが、グラーニャのほうが年老いたフィンを嫌い、代わりにディルムッドに目をつける。そして彼を誓約で縛って駆け落ちしてしまったのである。当然、フィンとディルムッドは仲違い状態になる。

その後、二人は一旦和解するのだが、後にディルムッドが猪に襲われて傷ついた際、フィンは彼を救えるにもかかわらず救わなかった。こうしてディルムッドは死に、グラーニャはフィンのもとに戻った。この事件はフィンの名声を大いにおとしめる。英雄も長く英雄ではいられない、という典型的エピソードだ。

⑫神話に共通する要素

神話の共通要素

ここまでにもある程度登場したが、世界の各地で独自に誕生したはずの神話には、共通する要素がしばしば見られる。これを研究する学問として比較神話学があり、さまざまな神話に共通する構造が見出されている。

そのような共通性はどこから来るのか。人類が持つ普遍性から見出された部分もあれば、広範囲に起きた自然現象（大洪水や寒波など）から同時期に影響されて生まれた部分もあろう。移動する人々によって語り継がれた要素もあれば、まったくの偶然で似た要素もあるはずだ。ＳＦ的な発想をすれば「宇宙人が文明を伝えた際に同じ話をした」などという考え方もできる。

とはいえ、本書は神話学の本ではない。そこで、この項でも「このような要素が多くの神話に登場するので、あなたの作る神話にも登場させるとそれっぽくなる」と羅列するだけに止めることとしたい。もちろん、複数の神話を登場させ、その関連性から謎と謎解きを展開するのも、面白いストーリー作りではある。

洪水神話

世界各地に残されている神話はそれぞれに世界観を持ち、異なる神々が登場する。本来なら共通点などどなさそうなのだが、なぜか複数の神話に同じような物語が描かれていることがある。

その筆頭が洪水神話だ。旧約聖書のノアの大洪水に代表される、世界を押し流す洪水にまつわる物語である。かつて文明社会の多くは大河のほとりにあり、人々は場所を問わずたびたび洪水にさらされていたためだという説もあるが、明確な理由は分かっていない。

ノアの大洪水はあまりにも有名な話だ。アメリカの原住民族の神話にも類似した話が見られるという。ある男が土地を開墾していると老婆に出会った。老婆は男が切り倒した木々を元通りにして見せ、五日後に大洪水が起こると予言する。そして男に方舟を作り、五色のトウモロコシの種や雌犬、カボチャの茎などを一緒に入れるように伝えた。

男が言われた通りにすると五日後に洪水が起こり、世界は流されてしまう。方舟は山の上に流れ着き、老婆が一緒に載せた鳥が河を掘って水を流した。こうして陸地と海が生まれる。男は改めて土地を耕し、連れてきた雌犬が家を守った。この雌犬は実は女性で、犬の皮をかぶっていただけのようだ。男がそれに気づくと女性の姿のままになり、やがて二人の子孫が人類として繁栄したという。

メソポタミア神話にも洪水神話があり、ウトナピシュティムという人物だけが舟に乗って生き延びたとされている。その後、彼は神々から永遠の命を授かった。この話をもとに英雄ギルガメシュはウトナピシュティムを訪ね、不死の秘密を求めたそうだ。これは洪水神話そのものではなく、そこから派生した出来事（ウトナピシュティムが不死になったこと）が別の神話につながっている一例と言えるだろう。

洪水神話自体は非常に有名な話なので、そのまま作品のモチーフにすることは難しい。メソポタミア神話のように、別のエピソードにつながる原因とするのが良い使い方だろう。

前時代の文明が滅亡し、新たな歴史が語られる作品は少なくない。なぜ古い文明が滅びたか、そしてなぜ人間は生き残ることができたのか。こうした部分を説明する上で洪水神話は参考になるはずだ。

また、洪水神話では大洪水の起こった理由も語られる。多くは人間が不遜な行いをし、神々をないがしろにした罰だとされているようだ。だが、単に神々が世界の運営に失敗したため、リセットするくらいの軽い気持ちで洪水を起こすことも考えられる。もしくはなんらかの問題が生じて、どうしても世界を丸ごと押し流すしかなくなってしまったのかもしれない。

こうした事情も絡めることができれば、物語の幅は大きく広がるはずだ。

巨人神話

創世神話にさまざまなパターンがあるのは既に紹介

した通りだが、その中に「何者かの死体を使う」という共通点が見られる神話がある。

このパターンでは北欧神話とメソポタミア神話とが双璧になるだろう。前者は原始の巨人ユミル、後者は古い世代の神ティアマトを登場させている。

巨人神話の優れているところは世界のイメージがつかみやすいところだろう。何もないところから空や海、大地が生まれたというのも良いが、本当は巨人の腕であったり、血であったりといった背景が加わると具体性が出てくる。謎の地形や構造物も設定しやすいのも大きな特徴だ。

特にファンタジー世界などでは、見るからに異質な風景が広がる場所も珍しくない。人の顔のように見える岩肌があったり、剣で斬り裂かれた傷跡のような谷があったり、巨大な火口があったりといった具合だ。それらが巨人の顔面の名残や戦いで巨人が負った傷痕、巨人の鼻の穴だとしたら、かなり独特の世界観の雰囲気を演出できるだろう。巨人が今になって生き返ったらどうなるのか。死体が腐って崩れ始めたらどうなるのか。そんな新しい心配も湧いてきそうだ。それらもエピソードのアイディアの一つとして使えるかもしれない。

また、もしも世界の礎になった巨人の子孫がいたらどうなるだろう。祖先は尊い犠牲だったと受け入れるのか、それとも創造神を恨むのか。そして、そんな世界に生きる人々に対してどんな感情を持つのだろうか。キャラクターとしても魅力的な設定になりそうだ。

巨人神話そのものは世界創造によって終わってしまうことが多いが、その先に何があったかなどを想像する余地は充分に残されているだろう。

不思議な建造物や自然

神話の中に出てくるものや人が神を祀るために作ったもの、そして神話を思わせるほどに巨大なもの……神話や宗教と不思議な建造物は縁が深い。それから、神々の力を思わせるような自然もだ。

古くから語られるものに「世界の七不思議」がある。これは神話的、幻想的なものではなく、ある種の観光名所のようなものだったらしい。旅行をするギリシャ人たちの中で有名な七つの場所をピックアップしたものだ。

現存する唯一の七不思議である「エジプト、クフ王の大ピラミッド」、屋上庭園の一種と考えられる「バビロン、セミラミスの空中庭園」、神殿の中にあった「ギリシャ、オリンピアのゼウス巨像」、栄えた都市の壮麗な神殿であった「トルコ、エフェソスのアルテミス神殿」、ペルシア人総督の墓として作られた「トルコ、ハリカルナッソスのマウソロス陵墓」、太陽神ヘリオスの像「ロードス島の青銅巨人像」、登頂部ではレンズあるいは鏡で火を燃やしていたとされる「アレクサンドリアの灯台」……。

これはヘレニズム世界、すなわちギリシャやトルコ(当時の言葉で言えば小アジア)、エジプトなどの地域の名所だが、視点を広げればどんなものが入ってくるだろうか。

ヨーロッパだけでも、ギリシャならパルテノン神殿、イギリスならストーンヘンジ、そしてイタリアのピサの斜塔もほしい。

他にも南米、インカ帝国の空中都市マチュピチュに中国の万里の長城、塩分が濃すぎて体が浮く死海、ハワイの溶岩湖……。

ちょっと面白いところでは、トルクメニスタンの「地獄の門」がある。これは地面に開いた大きな穴で、天然ガス掘削作業中の爆発事故によってできたものだ。ガス漏れ事故防止のために火をつけた結果、四十年たった今もなお内に炎が見える、異様な奇景になっている。

今、世界遺産や観光名所になっている不可思議だったり巨大だったりする建造物や、そこにしかない自然の様相を、古代の人々が見たら何だと思っただろうか。きっと、神や精霊の御業と思ったに違いない。物語のネタとして、発想の余地がありそうだ。

冥界下りの神話

冥界下りの神話とは、死者の復活を求めて誰かが冥界へ行くという話のことである。ギリシャ神話に登場する詩人の名を取ってオルフェウス型の神話と呼ばれることもあるようだ。

オルフェウスの妻エウリュディケはアポロンの息子アリスタイオスに見初められ、執拗に追い回されてをしまう。逃げるエウリュディケは誤って蛇を踏みつけ、噛まれて死んでしまった。

妻を深く愛していたオルフェウスは嘆き悲しみ、冥界から妻を呼び戻そうと決意する。そして単身、死者の国へと踏み入った。オルフェウスの竪琴の腕前はすばらしく、悪霊すらも魅了してしまったという。

ハデスの妻ペルセポネはオルフェウスの竪琴の音色と妻への愛に心を打たれ、エウリュディケを連れ帰っても良いと告げる。ただし、地上に帰るまで絶対にエウリュディケのほうを振り向いてはならないという条件をつけた。

オルフェウスはペルセポネとの約束を守り、地上を目指す。しかし、次第にエウリュディケが本当についてきているのか不安になってきた。そして地上まであと一歩のところでついにこらえきれなくなり、後ろを振り向いてしまう。その瞬間、エウリュディケの姿は永遠に消えてしまった。再び冥界へ行こうとしても、その道は二度と開かれなかったという。

これは日本神話でイザナギがイザナミを取り戻そうとする話とほぼ同じ作りだ。相手（エウリュディケとイザナミ）の姿を見てはならないという条件や、こらえきれずに見てしまうという展開も共通している。それが取り返しのつかない失敗であり、相手と永遠に別れてしまうのも同様だ。

冥界下りは死者の蘇生と、それが叶わないという悲劇をキャラクターの行動を通して表現している。儀式や魔法が上手くいかないというのも充分に悲劇的だが、あと一歩のところで失敗し、目の前で大切な人がもう一度死んでしまうというのはかなりの衝撃だ。人々の印象にも残りやすく、それも冥界下りが語り継がれてきた理由の一つだろう。

また、死者の国という異質な世界に踏み込むのも冥界下りの特徴だ。地上や天界など同じ場所ばかりで物語を進めては、わざわざ冥界を生み出した（設定した）意味がない。冥界を登場させる理由も含めて冥界下りの神話のストーリーは上手くまとめられており、作品づくりの参考になるだろう。

神器

神話には神々や英雄たちが用いる魔法の道具も数多

神話に共通する要素

違う場所で作られた神話の中にも、
共通する要素や事件などを見出すことができる

洪水神話
世界をリセットする巨大洪水と
そこから生き残った人々

巨人神話
神々と戦った巨人、世界
の礎になった巨人……

建築物と自然
伝説に残る建築物と
神話的印象を与える自然

冥界下り神話
あの世へ赴くということは
大きな危険を伴う

神器
神の持ち物、神に与えられた
道具は特別な力を発揮する

く登場する。いわゆる神器と呼ばれるものだ。武器の類も多いがそれだけではない。

特に北欧神話は多彩だ。オーディンの槍グングニルやトールの鎚ミョルニル、シグルズの剣グラム、炎の戦士スルトの剣など名のある武具が続々と登場する。ケルト神話にはクー・フーリンの槍ゲイ・ボルグ、日本神話には草薙剣や十握剣、七支刀などが見られ、神々の力を垣間見せる。ゼウスの雷やアポロンの弓など、固有名詞はなくても神々の名を冠した道具には存在感があるだろう。

名のある神器にはそれぞれに由来やエピソードがつく。それとともに普通の道具とは違う特殊な力も備わっている。アテナの持つイージスの盾はどんな攻撃でも防ぐという。

神器はゲームでもよくモチーフにされており、作品世界を彩る小道具として優秀なのは周知の通りだ。無力な少年が神の武器を手にして戦う姿は冒険ものの基本と言っても良いだろう。人間が神々に匹敵する力を振るうことのできる理由として、神器を用いるのは非常に分かりやすい形である。

コラム(3)「人間は神になる?・」

祖霊という概念がある。文字通り、祖先の霊ということだ。これを「氏神さま」などと呼び、あるいは動物や自然の霊などを祖先(トーテム)と考え、崇め敬う考え方もある。つまり、祖先、ご先祖さまをある種の神のように考える信仰ということ——と考えて良いだろう。

人間が神になる場合、そこにはどんなことがあり得るのだろうか。単純に、神道のような「死んで奉られた人間は神になる」という信仰形態がある、というのは分かりやすい。ただ、普通に死ぬだけで人間は神になれるのだろうか。よほど偉業を残し、大きな名声を持つ人間だけが神になることを許されたり、あるいは「大きな恨みを残して死んだ人間だけが神として奉られる」というこれも日本的な手法を取り入れるのも良いだろう。

やはり日本の墓が「●●家の墓」などという形を取るように、人間個人では神になれるようなポテンシャルはないけれど、死んで祖先と合流することで「●●家の先祖」という集合体としての神になる、などというのも面白そうだ。

あるいは、もっとファンタジックに考えてみよう。神が実在する世界なら、「神の血を引いたものは神である」「神の血を引いていれば神になる資格がある」ということもあるだろう。これはギリシャ神話的な世界観だ。

神になる試練などが用意されているのかもしれない。塔を登って天界へたどり着くとか、人間には勝てないはずの魔王を倒すなど、だ。しかしそうなると「どうしてそんな試練があるのか」と考えたくなる。強すぎる力のあるものが地上にいると災厄を巻き起こすからだろうか。神の数が不足しているので、新しく優秀な神をスカウトする仕組みが必要なのだろうか。

そんな仕組みなどなくても、人間の中から神は出てきてしまうのかもしれない。そうであるなら、人間と神を分かつものはなんだろうか。ここから物語を作り出すことができそうだ。

第三章
さまざまな神話

この章では知名度の高い神話を中心に、そのあらましや重要キャラクター、特に知っておいてほしいエピソードを紹介する。参考にしてほしい。

⑬日本神話

八百万の神々の神話

日本には昔から「八百万の神」という言葉がある。どんなものにも神がいて人間を見守っているという自然観だ。いわゆるアニミズムの一種とされる。

太陽や大地、作物や身の回りの道具、山や川、家や井戸、果てはトイレにまで神がいると考え、敬意を表するのが日本人の感覚だ。古来よりこれほど多くの神々の存在を意識してきたため、日本人は仏教を始めとして外国から伝来してきたあらゆる宗教を受け入れ、共存させることができたという考え方もある。

そうした八百万の神々の存在を認め、敬意を表する考え方の背景にあるのが、本項で紹介する日本神話である。一般的には『古事記』や『日本書紀』にまとめられている日本の誕生と天皇家のルーツの物語のことを指すが、『風土記』などにはそれ以外の地方や民間の神話も一部残っている。

日本神話のあらまし

日本神話は混沌の闇の中から、神々の国である高天原に造化三神（アメノミナカヌシ、タカミムスビ、カミムスビ）が現れるところから始まる。その後、さらに二柱の神が現れ、それから神世七代と呼ばれる十二柱の神々が高天原に姿を現す。この神世七代の最後の二柱となったのがイザナギとイザナミの兄妹だ。

高天原の神々は二柱に天沼矛を与え、国を創り上げるように命じた。イザナギとイザナミは天浮橋の上から天沼矛を下ろし、原初の海をかき混ぜたという。そして矛の先端から落ちた海水が最初の島・オノゴロ島となったのだ。

イザナギとイザナミはその島に御柱と家を建て、夫婦となって国を生み出すことにした。そうして淡路島や四国、本州、九州など八つの島が生まれ、日本を形成する国土となったという。

日本神話のあり方とはじまり

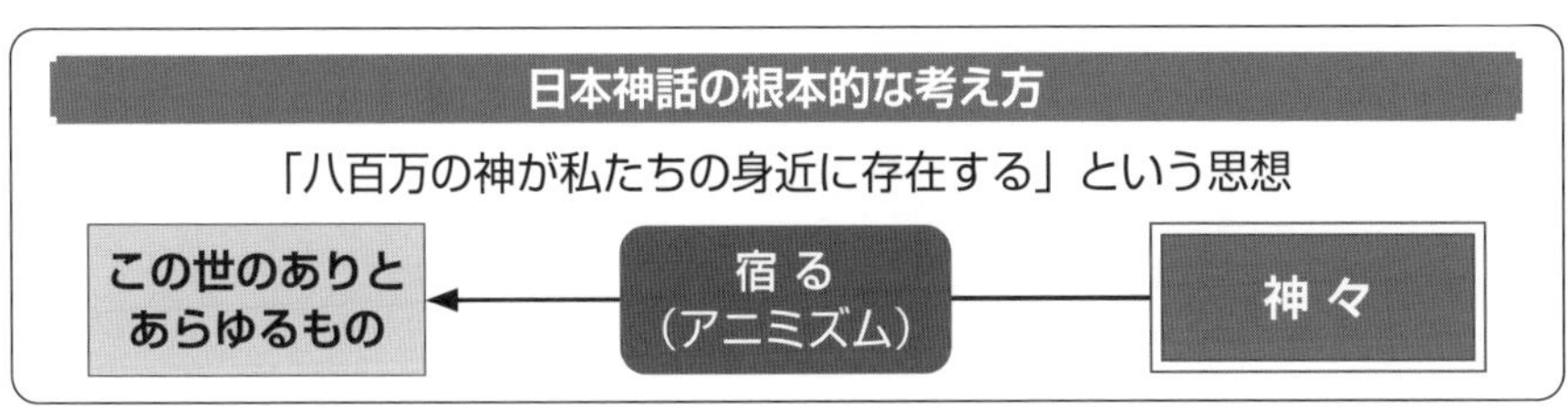

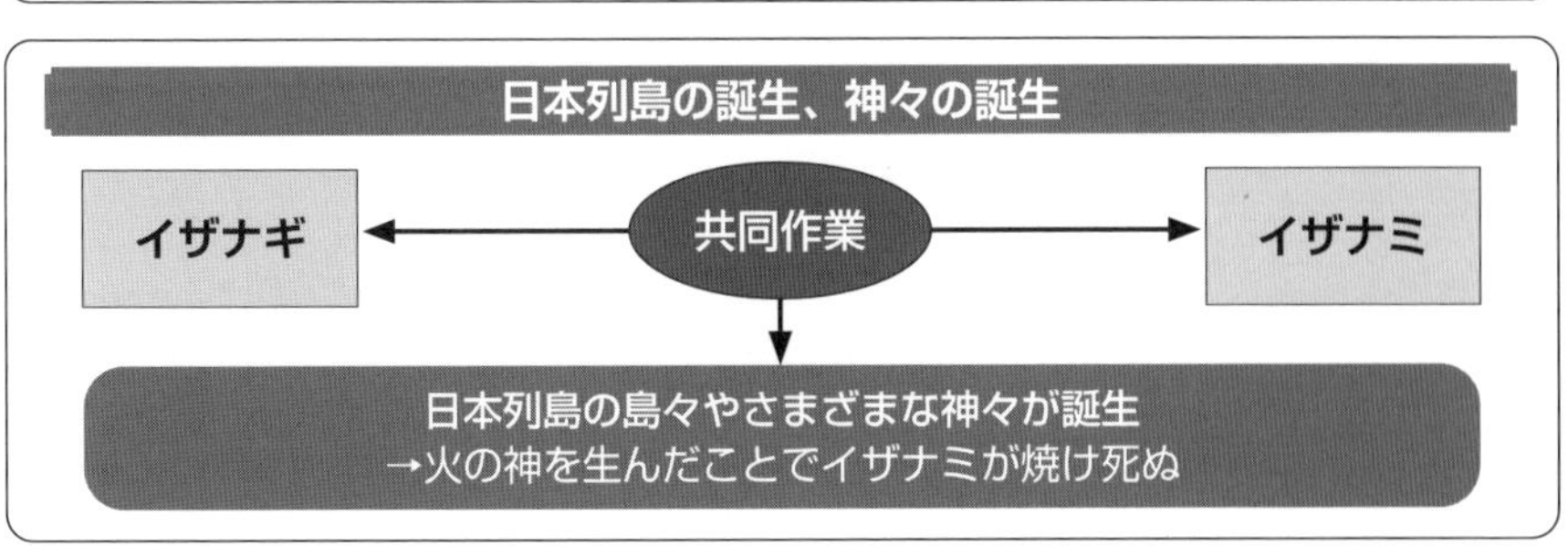

また、イザナギとイザナミは世界を形作るさまざまな神も生み出した。しかし、その中の一柱、火の神カグツチを生み出した際にイザナミは火傷を負って死んでしまう。イザナギは怒りの余り、カグツチを斬り殺した。悲しみの癒えないイザナギは死後の世界である黄泉の国（根の国とも）へ向かい、イザナミを連れ戻そうとする。この頃、黄泉の国には黄泉比良坂（よもつひらさか）という入り口があり、それを通じて現世と地続きだったのだ。しかし残念ながら彼女と決別してしまい、現世へ逃げ戻ることになる。

現世に戻ったイザナギは禊（みそぎ）を行い、身についた穢れ（けがれ）を払った。この時、イザナギの左目からアマテラス、右目からツクヨミ、鼻からスサノオという姉弟の神々が生まれたとされる。イザナギに命じられてアマテラスは高天原を、ツクヨミは夜の国を、スサノオは海をそれぞれ治めることとなった。

ところが、スサノオはイザナギの命に従わず、母であるイザナミに会いたいと言い出した。イザナギは怒り、スサノオを追放する。スサノオは黄泉の国へ向かおうとするが、その前にアマテラスにあいさつをしようと高天原を訪れた。しかし、高天原に迎えられたスサノオは乱暴狼藉を働き出す。当初は弟をかばったアマテラスだが、機織りの侍女がスサノオの乱暴がもとで死んでしまったことでついに激怒し、岩戸の中に隠れてしまう。太陽を失った世界は闇に閉ざされ、災いにまみれてしまった。いわゆる「天岩戸隠れ」だ。

神々の奮闘でアマテラスは出てきて世界は落ち着きを取り戻すが、事件の原因となったスサノオは財産を没収され、高天原から叩き出されてしまった。

行くあてをなくしたスサノオがたどり着いたのが出雲である。そこで彼は泣き暮らす老夫婦と一人の娘に出会った。夫婦には本来、八人の娘がいたのだが、ヤマタノオロチという八つの頭を持つ竜のような怪物によって一年に一人ずつ食われてしまった。残ったのはクシナダヒメという娘が一人だけで、その彼女もまもなく食われてしまうという。

話を聞いたスサノオはクシナダヒメとの結婚を条件にヤマタノオロチ退治を引き受ける。そして八つの甕を酒で満たし、それをヤマタノオロチに飲ませることにした。もくろみ通り、ヤマタノオロチは酒に酔って眠ってしまう。スサノオはヤマタノオロチの体をめった斬りにし、これを退治した。この時、ヤマタノオロチの尾の中から一振りの剣が見つかる。これは草薙剣と名づけられ、後に三種の神器の一つとして天皇家に受け継がれることとなった。

晴れてクシナダヒメを妻に迎えたスサノオは、かつての乱暴ぶりが嘘のようにおだやかで気品ある神となり、英雄として称えられた。夫婦の間には多くの子孫も生まれたという。その中に、次に日本神話の中心的な存在となるオオクニヌシがいた。

ある時、オオクニヌシは兄弟たちがヤガミヒメという女性に求婚しに行く道中の手伝いをさせられる。そこに皮をはがれた兎が現れ、傷の治し方を教えてほしいと言ってきた。兄弟たちは兎に嘘を教えて面白がったが、オオクニヌシはきちんとした治療法を教え、兎を助ける。すると兎は「ヤガミヒメはオオクニヌシと結婚する」と予言し、その通りにヤガミヒメは兄弟たちの求婚を断ってしまった。

怒った兄弟たちはオオクニヌシを罠にはめて殺してしまう。それも二度にわたってのことだった。オオク

新大陸の人々

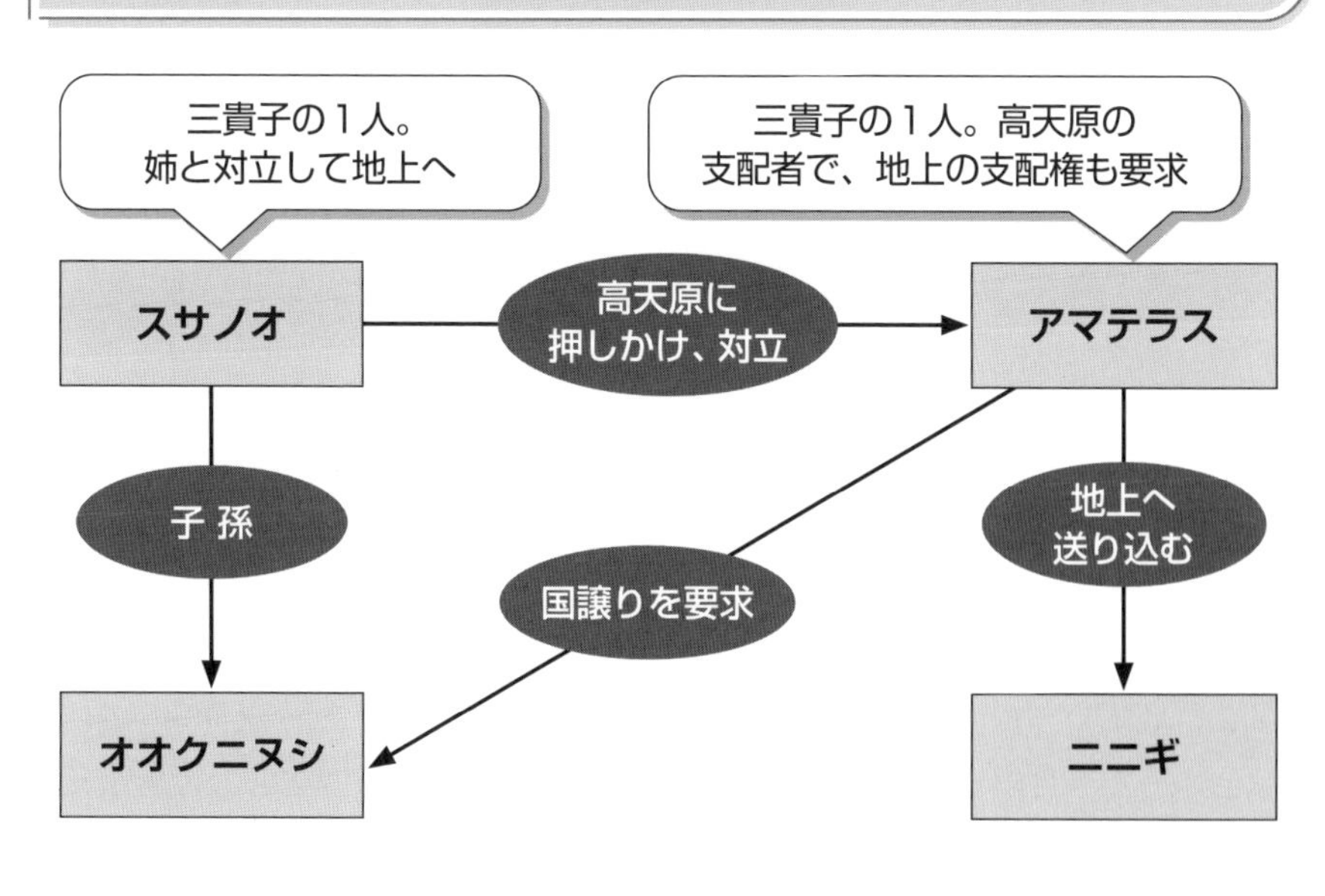

ニヌシはそのたびに母によって生き返らせられる。

兄弟のもとから逃げ出したオオクニヌシは、黄泉の国を訪れてスサノオに相談する。そこでオオクニヌシはスサノオの娘のスセリビメに出会い、恋に落ちた。しかし、スサノオはオオクニヌシを認めず、毒蛇に満たされた部屋に寝かせたり、火事の中にオオクニヌシを閉じ込めたりする。それでもオオクニヌシはスセリビメに助けられ、どうにかスサノオの手を逃れることに成功した。根負けしたスサノオはオオクニヌシとスセリビメの結婚を認め、さらに兄弟たちを追い払うための太刀と弓矢も授けたという。

オオクニヌシはそれらを使って兄弟たちを倒し、国づくりを進めていった。そうして世界（葦原中国とも呼ばれる）は豊かになっていく。すると、その様子を高天原で見ていたアマテラスが葦原中国を天の神々（天津神）に支配させようと考え始めた。ここから始まるのが「国譲り」の神話である。

葦原中国はオオクニヌシを始め、国津神によって支配されていた。アマテラスは国津神を説得しようと使者を派遣するが、彼らはオオクニヌシに従う道を選んでしまい、上手くいかない。そこでアマテラスは軍神として名高いタケミカヅチを遣わし、高天原の武力を見せつける。タケミカヅチは国津神を説得して天津神に従うことを承知させた。

　こうしてアマテラスの孫であるニニギノミコト（ニニギ）を中心とした神々が高天原から地上に降り立つこととなる。これが「天孫降臨」と呼ばれる出来事だ。この時一行には草薙剣、八咫鏡（やたのかがみ）、八坂瓊勾玉（やさかにのまがたま）という三種の神器も託され、子孫に受け継がれていくことになった。

　ニニギは国津神のサルタヒコに案内され、九州の高千穂（たかちほ）に降り立ったという。そこで山の神オオヤマツミの娘のコノハナサクヤヒメに求婚する。オオヤマツミは喜び、もう一人の娘のイワナガヒメも妻にしてほしいとニニギに申し出た。しかし、イワナガヒメの容貌が醜かったため、ニニギは美しいコノハナサクヤヒメだけを妻にしてしまう。このためニニギの子孫は岩のように永遠であることができず、花のようにはかない命を持つこととなってしまったという。

　ニニギとコノハナサクヤヒメとの間には海幸彦（うみさちひこ）と山幸彦（やまさちひこ）という二人の息子が生まれた。ある時、山幸彦は兄の海幸彦が愛用していた釣り針をなくしてしまう。海幸彦は怒り、山幸彦は釣り針を探して海を治めるワダツミの宮殿を訪れた。そこでワダツミに気に入られ、娘であるトヨタマヒメと結婚することになる。

　ワダツミに助けられ、山幸彦は鯛の喉に刺さっていた釣り針も見つける。ワダツミは兄のもとへ帰るという山幸彦に潮の満ち引きを操る玉を渡し、海幸彦が攻めてきたらこれを使うようにと言いつけた。やがて兄弟は争い始めるが、ワダツミの助言通りにした山幸彦が勝利し、海幸彦は山幸彦に仕えることとなる。

　その後、トヨタマヒメが子どもを産むのだが、山幸彦は「産屋を覗いてはいけない」というトヨタマヒメの言葉に従わず、大鰐になった彼女を見てしまう。トヨタマヒメは子どもを残して海に帰り、この時から陸と海の通り道はふさがれてしまったという。

　残された子どもは成長し、やがて次の世代の子を成す。それが初代天皇の神武天皇だとされている。こうして神々の系譜は天皇家へとつながり、三種の神器と共に今も受け継がれている……という。

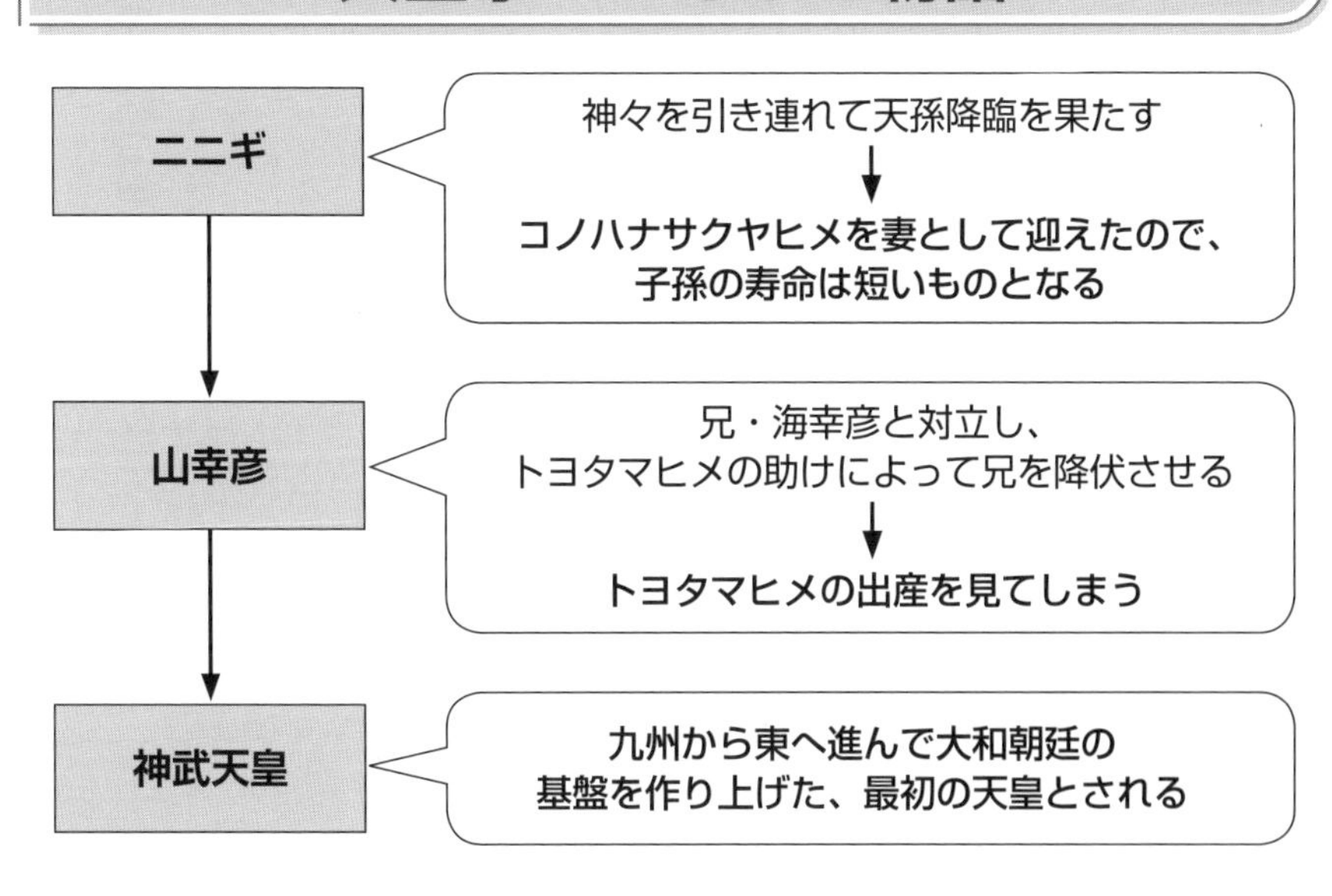

日本神話は当然ながら、和風の独特の世界観を持っている。例えば現代社会に日本神話の神々が転生したという設定をすると、そのキャラクターは他の神話の神々とは違う雰囲気をまとうだろう。アマテラスの化身とアポロンの化身は同じく太陽神の力を受け継ぐが、まったく異なるキャラクター性を見せるはずだ。

高いカリスマ性を見せつけるアマテラス、乱暴者から英雄に上り詰めたスサノオ、最強の軍神タケミカヅチ、舞の名手アメノウズメなど、神々のバリエーションも豊富だ。名もなき神々も数多くおり、高天原と葦原中国の国譲りに際する争いなどでは実際には本当にいろいろな神々が関わったはずだ。もちろん、架空の神を設定しても良い。八百万の神の中には、語られざる神がいたとしてもおかしくはないだろう。

また、三種の神器というアイテムも神秘性が高く、読者を引きつけやすい。これらが奪われたり、破壊されたり、現代社会で力を発揮したりと、多くの作品で活用されているのを目にしたことはあるのではないだろうか。主人公が持つ唯一無二の力の源とする、封印しておかなければならない危険な存在にする、敵役の力の源にするなど、使い方もいろいろと考えられる。

日本神話の重要キャラクター

◇アマテラス

日本神話の主神にして神々の国・高天原の支配者。「天照大神」と表記され、世界を照らす太陽と同等に考えられる神だ。創造神イザナギの娘であり、現在の天皇家の血筋はアマテラスにつながるとされている。

八百万の神々の頂点に立つアマテラスだが、二人の弟とはなかなか折り合いをつけられなかった。片方のツクヨミとは結婚の約束もしたものの、いさかいを生じたため、顔を見なくて済むように夜の国へと追い払ってしまう。ツクヨミの治める月が太陽と同じ昼間に姿を現さないのはこのためなのだそうだ。スサノオとの対立は既に紹介した通りである。

後にアマテラスはオオクニヌシが整えた葦原中国にニニギを遣わし、地上も天の神々が支配する形にしている。ここから天皇家につながる系譜が続いているとされる。神宮の最高峰である伊勢神宮にはアマテラスが祀られ、さまざまな祭祀が今日も受け継がれている。

◇イザナギ・イザナミ

日本神話における創造神。高天原に現れた神世七代の最後の二柱で、兄妹であり夫婦でもある神々だ。原初の海から日本の国土を生み出し、さらに世界の礎となる各種の神も生んだ。しかし、火の神カグツチの誕生で死んだイザナミは黄泉の国の醜い女神となり、二人は対立関係になる。

神話的事件によって生まれた生と死との対立や、住む場所が違ってしまった夫婦神・恋人神の物語というのは、いろいろなケースで使える構造ではないだろうか（後者の代表としては、年に一度、七夕にだけ会える織姫と彦星の物語が有名だろう）。

◇スサノオ

アマテラスの弟で嵐の神とされる荒々しい神。当初は父イザナギから海原を治めるよう言われたのだが、母イザナミに会いたいと言ってこれを拒み、イザナギによって追放されてしまう。

このように、高天原時代のスサノオは乱暴者、厄介者の典型である。ところが、流れ着いた出雲でヤマタノオロチを退治したことがきっかけで一転、英雄として称えられることとなった。スサノオ自身も考えを改めたようで、ヤマタノオロチの尾から見つかった草薙剣をアマテラスに献上し、アマテラスのほうが格上であると認めた部分も見て取れる。

年を経るにつれてキャラクター性が変化するのはしばしば見られるものだ。乱暴者が名君に、聡明な若者が頑固者になったりする。そこには神話的にどんな意味があるのだろうか。

◇オオクニヌシ

スサノオの子孫で、地上の国づくりを担った神。一度は兄弟たちに命をねらわれて逃げ出すが、後にスサノオの助力を得て兄弟たちを追い払い、地上を葦原中国として整えた。

その際、スクナヒコナという神と共に国中を旅して回ったとされている。このため、日本各地にオオクニヌシを祀る社や伝説が残されているようだ。オオクニヌシが整えた国は、やがてアマテラスの子孫のニニギに譲られることとなる。

日本神話のエピソード

◇イザナギの黄泉の国への旅

イザナギが、死んでしまった妻イザナミを連れ戻そうと黄泉の国を訪れるエピソードだ。

黄泉の国にやってきたイザナギはイザナミを見つける。だが、黄泉の国の食べ物を口にした彼女が現世に戻るには黄泉の国の神の許可が必要だった。イザナギに、神の許しを得るまで決して中を覗かないようにと言いつけ、イザナミは館の中に姿を消す。しかし、待ちきれなかったイザナギは館を覗いてしまう。そこには死臭やウジにまみれた醜いイザナミの姿があった。

驚いたイザナギはその場を逃げ出し、激怒したイザナミはその後を追う。イザナギは黄泉の国を飛び出すと黄泉比良坂を岩でふさいでしまった。イザナミは岩越しに「毎日千人を殺す」と叫び、イザナギは「それなら毎日千五百の産屋を建てる」と返した。これが夫婦の最後の会話となり、現世と黄泉の国とは永遠に隔絶してしまったという。

ギリシャ神話などにも同様の話があり、登場人物の名を取って「オルフェウス型の神話」と呼ばれることもある。苦労して目的を達する寸前まで行ったのに、小さな言いつけを守らなくて台無しにしてしまうというストーリーの典型例だ。

◇天岩戸隠れ

アマテラスがスサノオの乱暴に怒り、姿を隠した事件である。世界を照らす光が失われ、神々も大混乱に陥った。神々はどうにかアマテラスを外に出そうと知恵を絞り、宴会の音でアマテラスの気を引くことにした。特にアメノウズメの見事な舞はアマテラスの気を引いたと見られてアマテラスが外の様子をそっと伺った。そこで彼女の手をつかんで引いた（あるいは細く開いた岩を大きく開いた）のがアメノタヂカラオである。彼らの活躍でアマテラスは閉じこもっていた岩戸から外へ出てきて、世界は救われたのだ。

この天岩戸隠れは日食をモチーフにしているという説もある。太陽が突然消えれば大事件だ。そうした世界的なパニックを演出する際、天岩戸隠れは一つの例として活用できるのではないだろうか。

◇ヤマトタケル物語

ヤマトタケルノミコト（ヤマトタケル）は『古事記』『日本書紀』などに登場する英雄だ。前者では倭建命、後者では日本武尊と書かれる。二つの記録における彼の物語には少なからず違いがあるが、よく知られているのは『古事記』のほうだ。

彼はもともとオウスノミコトと呼ばれ、天皇の子であった。父の命を受けて九州の異民族熊襲（くまそ）の征伐に出て、女装してクマソタケル兄弟の宴席に侵入。彼らを殺した。ヤマトタケルの名は、この時にクマソタケルから贈られたものである。

その後も父に命じられ、ヤマトタケルはまず西方で、続いて東方で、天皇に従わない神や人の征伐に活躍する。特に相模国で罠にはめられ、草原で火に巻かれてしまった際、叔母から託された天叢雲剣（あめのむらくものつるぎ）で草を刈り、同じく託された袋に入っていた火打石で迎え火をすることで切り抜けた話が有名だ。天叢雲剣が草薙剣と呼ばれるようになったのはこれが理由である。

そんなヤマトタケルの命取りになったのは、東方での征伐を一段落させ、ミヤズヒメと結婚した後、神を

ヤマトタケルの活躍

ヤマトタケル	『**古事記**』『**日本書紀**』に登場する、日本神話の英雄 ↓ 有名なのは『**古事記**』収録のエピソード

粗暴な若者・ヤマトタケルが父から疎まれる
↓
追放同然に外敵討伐へ送り込まれるが活躍する
↓
天叢雲で草を斬って火計から逃れる活躍も
↓
最後は神の怒りを買って死ぬ

英雄に生まれてしまったがゆえの喜びと悲しみの物語

懲らしめてやろうと草薙剣を置いて伊吹山に登ったことだ。慢心の報いを受けたヤマトタケルは氷雨によって非常に弱ってしまい、それでも故郷を求めて西へ進むも力尽き、倒れる。その死後は白鳥に姿を変えて飛び去った、として彼の物語は終わる。

ヤマトタケルの物語は「大和朝廷がさまざまな勢力を倒して日本の支配者になった」ことを示すものと考えられる。これに先立って、初代の天皇とされる神武天皇が、天孫降臨でニニギが降り立った日向から大和へ進み、大和朝廷を打ち立てたとする「神武東征」伝説もあるように、国家にはこのような伝説がつきものである。

しかしヤマトタケル物語の面白さは討伐の武勇や知略だけではない。彼の父である天皇は粗暴なところがある（兄を懲らしめろと言われて殺してしまったことがある）ヤマトタケルを疎み、本人もどれだけ活躍しようと任務が途絶えないことから、父に愛されていないことを知り、大いに悩む。尋常でない力を持った英雄の活躍と悲しみ、両方が描かれているのだ。英雄譚を書く際に大いに役立つだろう。

⑭ギリシャ神話

オリュンポスを中心に紡がれる神話

神話といえばギリシャ神話――流石にこれは言いすぎだろうか。しかし、ゼウスやヘラクレスなど登場する神や人の名前には有名なものがずらりと並び、ペガサスやメデューサなどファンタジー作品へごく当たり前に登場するモンスターたちの出典でもある。知名度も群を抜いて高く、さまざまな作品のモチーフとして採用されてきた。

発祥は古代ギリシャだが、この地方がローマ帝国の支配下に入った際にローマ神話との融合を果たしたことから、高い知名度を得たということもあるようだ。

ギリシャ神話はとにかく話題が豊富である。個性豊かな神々はもちろんのこと、英雄や怪物、妖精、王、王妃、神秘的な動植物などが次々に登場し、物語を展開するのだ。内容も戦いであったり愛憎劇であったり、悲劇であったり笑い話であったりと多岐にわたる。星座の物語なども有名だろう。

具体的で分かりやすい話が多く、特に神々の人間臭さが注目される。そこには、例えば一神教の神が持つような人間との断絶、超越性はほとんど見られない。代わりに、ギリシャの神々は神や人を愛し、憎み、執着し、嫉妬に狂い、成功し、失敗する。神々の力は絶大で、時にほとんど意味もなく人間を不幸にするが、一方で人間の知恵にやり込められたりもする。このような神々が演じるドラマこそが、ギリシャ神話最大の魅力と言って良いのではないだろうか。

神話という名に反しない壮大さと共に、身近で親しみやすいイメージも併せ持つギリシャ神話。数多くの作品に取り入れられてきたのは伊達ではない。

ギリシャ神話のあらまし

世界が生まれる前、そこには原初の混沌カオスがいた。もしくはあった。カオスは神ともされるし、「巨

ギリシャ神話

知名度が高い！

古代ギリシャで誕生
↓
古代ローマ帝国が吸収し
広く知られることに

各種伝説や怪物、
星座がヨーロッパ文化に定着
↓
さまざまな物語のモチーフに

オリュンポスの神々

主神の代替わり
ウラノス→クロノス→ゼウス

ハデス、ポセイドン、アポロン、
アルテミスなど、個性豊かな神々たち

大な空隙」を意味する言葉ともされる。実際にどんな存在なのかは不確かなのだ。

やがてカオスから大地神ガイア、愛の神エロス、地底の牢獄タルタロス、冥界エレボス、夜の支配者ニュクスらが生まれる。彼らが独立した神々なのか、概念や場所を表す言葉なのかは定かではない。ただ、ガイアは神として確立していたようで、この後の世界創造に深く関わっていく。

死や眠り、夢、苦悩、争い、殺害などが生まれる中、ガイアは天空神ウラノスを生み出し、夫婦となった。二人の間には十二柱の神々が生まれ、ティタン神族となる。次いでガイアは一つ目の巨人キュクロプスと、五十の首と百の腕を持つヘカトンケイルをそれぞれ三つ子で生んだ。しかしウラノスは異形の彼らを嫌い、タルタロスに押し込めてしまう（ガイアの胎内に押し返したという説もある）。

我が子を苦しめられたガイアは激怒し、アダマスという特殊な金属でできた鎌を作ってティタン神族に差し出す。これでウラノスを倒せということだった。神々は尻込みするが、末子のクロノスがこれを承諾し、ウラノスの男根を切り取ってしまう。この時海に捨てられたウラノスの男根から泡が生じ、そこから愛と美の女神アフロディーテが生まれたとされている。

権威を失墜したウラノスは、最後にクロノスに「お前も自分と同じように我が子に追い落とされるだろう」と不吉な予言を残す。クロノスは姉のレアと夫婦になり、炉の女神ヘスティア、豊穣の女神デメテル、夫婦の神ヘラ、冥界の神ハデス、海神ポセイドンらをもうけた。しかしウラノスの予言を恐れたクロノスは生まれた子どもを次々に飲み込んでしまう。

たまりかねたレアはガイアに泣きついた。ガイアはレアをクレタ島に隠し、ゼウスを生ませた。一方のクロノスには産着に包んだ石を渡し、子どもだと偽る。クロノスは石を飲み込み、ゼウスは知恵の女神メティスのもとで育てられた。

成長したゼウスはガイアたちに助けられ、クロノスに薬を飲ませて兄姉たちを吐き出させる。兄弟は手を結び、クロノスを始めとするティタン神族に戦いを挑んだ。この戦いをティタノマキアという。

ゼウスはタルタロスからキュクロプスとヘカトンケイルを助け出し、力を借りた。彼らの協力もあってゼウスはティタノマキアに勝利し、クロノスともどもティタン神族を追放した。

ところが、ティタン神族を一掃したことで今度はガイアを敵に回してしまう。ガイアは巨人族ギガスや、自身とタルタロスとの間に生まれた怪物テュポンらを送り、ゼウスたちと戦わせた。これがギガントマキアと呼ばれる戦いだ。

ゼウスはこれにも勝利し、名実共に世界の支配者となる。天界の中心であるオリュンポス山にはゼウスの兄姉や近しい神々が集まり、世界を治めていくこととした。彼らがオリュンポス十二神である。ゼウスは天を、ポセイドンは海を、ハデスは冥界をそれぞれ治め、地上は三兄弟で分け合うことにしてようやく世界は安定したのである。

ちなみにゼウスもウラノスとガイアから予言をされている。ゼウスは知恵の女神メティスとの間に子どもをもうけるのだが、ウラノスとガイアはメティスがまず娘を生み、次に生まれる息子が神々と人間の王になると告げたのだ。

ゼウスは父クロノス同様、懐妊したメティスを飲み込んでしまう。ところが、その後に猛烈な頭痛に襲われた。そこで鍛冶の神ヘパイストスに額を割らせると、そこから戦神アテナが生まれたという。

ギリシャ神話はこの後、それぞれの神々の逸話や英雄神話などが乱立する形になっている。その中には人間の誕生の神話もあるのだが、これが定説と決まっているものはあまりないようだ。

その一つが「五時代説話」と呼ばれるものである。クロノスが支配者であった頃、神々は「黄金の種族」を生み出した。彼らは労働や苦悩、病苦などに見舞われることなく、完全な幸福の中で生き、眠るように死んだという。

続いてゼウスが支配者になると「銀の種族」が創られた。しかし、彼らは黄金の種族よりも劣っており、傲慢だったために神の怒りで地下に隠されてしまう。

次にトネリコの木から「青銅の種族」が生み出された。だが、彼らは銀の種族よりも傲慢で争いが絶えず、同士討ちによって全滅してしまったという。

さらにゼウスは「英雄の種族」を創る。半神とも呼ばれたこの種族は青銅の種族よりすぐれた存在だったが、テバイやトロイアをめぐる戦争の果てに滅んでしまった。

最後にゼウスが創り出したのが「鉄の種族」だ。彼らはもっとも不幸な時代に生まれたとされ、労役や多くの苦労にさいなまれることとなる。人心は荒廃し、世界も退廃の極みにあるとされるそうだ。これが現代人だとされている。

人間の誕生に関してはプロメテウスの存在も忘れてはならないだろう。ゼウスのもとから火を盗み出し、人間に与えたとされる神だ。また、供物の獣を神と人とで分け合う時、神をあざむいて骨を取らせ、人に肉を与えた逸話でも知られる。プロメテウスは人間に恩恵を与える神なのだ。そのぶん、プロメテウスへの神々の風当たりは強かった。ゼウスは彼を鎖につなぎ、鷲に肝臓をついばませる罰を与える。これは後に英雄ヘラクレスがプロメテウスを救い出すまで続けられた。

もう一つ、ゼウスがプロメテウスならびに人間に与えた罰がある。それが女性の創造だった。男性しかいなかった人間の中に女性を送り、災いをもたらそうとしたのだ。ゼウスに命じられた鍛冶の神ヘパイストスが生み出した最初の女性、それがパンドラである。パンドラはプロメテウスの弟エピメテウスの妻となり、災いの詰まった壺（後世には箱）を開けてしまう。「パンドラの箱」の物語だ。世界には災いがまかれ、希望だけが壺の中に残されたという。

なお、あまり知られていないことだが、ギリシャ神話にも洪水神話があるようだ。人間の傲慢さに腹を立てたゼウスは大洪水によって人間を滅ぼそうと考える。これを知ったプロメテウスは息子のデウカリオンに忠告し、彼は方舟を造って妻と共に乗り込む。その後、九日間に及ぶ大雨が降り、生き残った人間はこの二人だけだったという。デウカリオンと妻は神に感謝の祈りを捧げ、ゼウスは「人間を増やしてほしい」という二人の願いを聞き届けたそうだ。

この他にも戦神アテナの誕生と活躍を始め、ハデスのペルセポネ誘拐とデメテルの混乱、酒の神デュオニュソスの登場、ペルセウスのメドゥーサ退治、ヘラクレスの十二の難行、オイディプス王の逸話、トロイア戦争、英雄オデュッセウスの冒険など数々の物語がギリシャ神話を彩っている。

そのすべてはとても紹介しきれないが、ここでは一つ、トロイア戦争の物語を紹介したい。

始まりは三人の女神ヘラ、アテナ、アフロディーテがトロイアの王子パリスに「自分たちの誰がもっとも美しい女性か」を裁決するように求めたことだった。女神がそれぞれに買収条件を出したところ、パリスは世界一の美女ヘレネを提示したアフロディーテの申し出を受け入れた。しかし、ヘレネは既にギリシャの都市国家スパルタの王メネラオスの妻であったため、パリスは彼女をさらってトロイアへ逃げることになる。

こんな乱暴狼藉を放ってはおけぬと、ギリシャ連合軍がトロイアを攻めた。こうして始まったのがトロイア戦争である。トロイア側にはパリスの兄である勇将ヘクトールやアマゾンの女王、エチオピアの王などが味方し、ギリシャ側にはアキレウスやオデュッセウスなど、数々の勇士が参戦した。それどころか、トロイアにはアフロディーテとポセイドン、ギリシャにはアポロン、アテナ、ヘラと神々まで関わったので、戦いは非常に長引いた。その中でヘクトールを始め勇士た

トロイア戦争

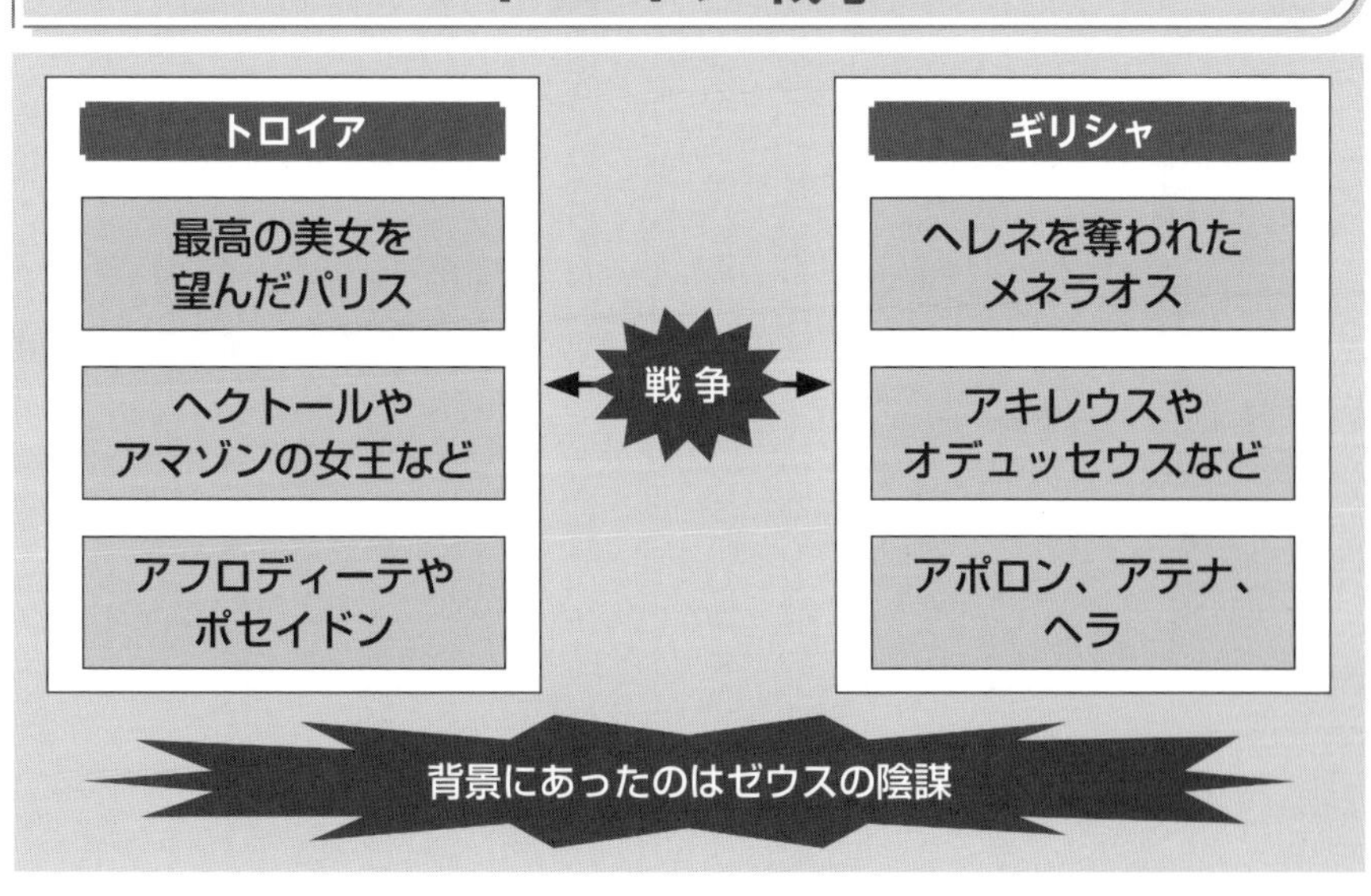

ち も命を落としていく。

決着をつけたのは神々に策を吹き込まれたオデュッセウスだった。彼は巨大な木馬を作ってトロイア側がそれを戦利品として持ち帰るように仕向けた。その中に潜んでいたギリシャ兵によってトロイアは落城したのであった。

かくして十年という長きにわたる戦争は終わり、そもそものきっかけだったヘレネはスパルタへ連れ帰られた。これは増えすぎた人間の数を減らさんとするゼウスの画策であったという……。

時代が下ると、ギリシャ神話はローマ神話との融合を果たした。ローマ神話では神々の呼び名が変わっている。ゼウスはユピテル、ポセイドンはネプチューン、ハデスはプルート、アテナはミネルヴァ、アフロディーテはヴィーナスなどだ。多くが太陽系の惑星の名前になっていることでも知られている。

ローマにも古来の神話があったようだが、今ではギリシャ神話からつながる神話体系が一般的なものとなっているとされる。

ギリシャ神話はとにかく登場するキャラクターが個

性豊かであることが特徴だ。神々でありながら、誰もが欠点や失敗を抱え、人間臭い姿を見せる。ゆえに作品のキャラクターのモチーフとしても使いやすい。アテナとヘラとアフロディーテがもっとも美しい女神の座をかけて争ったり、主神であるゼウスがヘラには頭が上がらなかったり、アポロンがヘルメスのひらめきに感心して無二の親友となったりと、それぞれの関係性も多岐にわたる。エピソードも英雄譚から悲喜劇、星座にまつわる伝説までさまざまだ。

　ギリシャ神話をそのまま現代に持ち込んでも面白い作品になる。逆に現代人や別の神話の神々などをギリシャ神話の中に飛び込ませてみるのも良いだろう。有名な神話であるぶん、読者が親しみやすいというのも利点だ。作品に取り入れつつ、自分なりのアレンジを加えることで切り口の違うギリシャ神話を見せられるとなお良いだろう。

ギリシャ神話の重要キャラクター

◇ゼウス

　オリュンポス山の玉座に座る最高神。全知全能とも称され、神々のリーダーにふさわしい威風堂々とした風格を備えて天界から世界を見守っている。

　一方で女神、人間を問わず多くの女性との間に子を成したことでも知られ、ギリシャ神話にはゼウスの血族がひんぱんに登場する。また、恐妻家のきらいがあるのか、正妻のヘラには頭が上がらない。嫉妬深い性格のヘラはゼウスの愛人や子どもたちにさまざまな困難を降りかけるが、ゼウスはそれを止められず、後から仲裁したり、こっそり子孫を助けたりすることが多いようだ。主神の威厳と妻に弱い夫の姿とを併せ持つ不思議な神でもある。

◇ポセイドン

　ゼウスの兄で海洋を治める神。三叉（さんさ）の鉾を持ち、水や嵐を意のままにする力を持つ。

　普段は海の恵みをもたらす神なのだが、気性が荒く、ひとたび怒り出すと嵐や竜巻、地震まで呼び起こすほどで人々に恐れられたそうだ。一時はヘラと協力してゼウスから主神の座を奪おうとしたこともあったという。

◇ハデス

ゼウス、ポセイドンと共に世界を分け合い、冥界を治めた神。厳正、公正な性格で生者と死者とをはっきり分け、悪魔や悪霊ものともせずに従えたという。妻ペルセポネを強引に冥界にさらったことでデメテルを混乱させ、地上を荒廃させてしまったことで有名。ただ、ゼウスらと違って女性に目移りせず、ペルセポネを深く愛していたそうだ。

◇アテナ

ギリシャ神話最強と称される戦神。ゼウスの額から生まれ、生涯の純潔を誓った気高い女神である。豊かな知恵と戦略を持つ彼女の加護を受ければ、必ず勝利が約束されたという。

アテナの武勇はギガントマキアの頃から知れ渡る。彼女はゼウスとヘラの息子である軍神アレスですら敵わない無敵の神で、ギリシャの守護神だった。このため、人々に厚く信仰されてギリシャ最大の都市の名前にもなっている。今も残るパルテノン神殿はアテナを奉って建てられたものだとされている。

◇アフロディーテ

オリュンポス十二神の一人で、神々の中でもっとも美しいといわれた愛と美の女神。クロノスが父ウラノスを追放した際に生まれており、ゼウスより一世代前の神でもある。愛欲を司り、鍛冶の神ヘパイストスを夫としながらあちこちで男性を虜にした。軍神アレスと浮気をし、ヘパイストスによって神々の前に引きずり出されたのは有名な話である。

◇ヘラクレス

ゼウスの血を引くゆえにヘラの嫉妬にさらされて波乱万丈の人生を送った。死後、ゼウスの計らいで天に昇った彼は神になり、ヘラとも和解する。

ギリシャ神話のエピソード

◇ゼウスの子孫

数多くの女性と関係を持ったゼウスは、それにまつわるエピソードも多く残している。知恵の女神メティスとの間に生まれたアテナの誕生にまつわる物語もその一つだ。太陽神アポロンと月と狩猟の女神アルテミスの双子を生んだレトという女性はゼウスの正妻ヘラに追い回され、ポセイドンらの協力を得てひどい苦労の末に出産を行った。そのためにアルテミスは男に頼らない生き方を選んだとまで言われている。

一方のゼウスはこれと決めた女性に近づくために手段を選ばなかった。スパルタの王妃レダには白鳥の姿で近づいて絶世の美女ヘレネをもうけている。彼女は後にトロイアの王子パリスに奪われ、トロイア戦争を引き起こすことになった。「娘の子に殺される」という予言を信じた父（アルゴスの王）によって塔に閉じ込められた王女ダナエには、雨となって降り注ぎ、ペルセウスを生ませている（後に、ペルセウスは本当に祖父を殺してしまう）。フェニキアの王女エウロペは牛の姿で誘惑し、クレタ島の始祖ミノスが生まれることとなった。いずれもギリシャ神話の重要人物だ。

おおぐま座とこぐま座の物語も有名だろう。ゼウスはアルテミスに仕える女性カリストを見初め、関係を持った。これを知ったアルテミスは激怒し、カリストを熊に変えてしまう。時が経ち、カリストの息子アルカスは狩人となって知らずにカリストを射ようとした。ゼウスは親子をあわれみ、アルカスも熊に変えて天の星座にしたという。

◇アルテミスの恋物語

月と狩猟の女神として知られるアルテミスは戦神アテナに憧れ、彼女と同じく生涯の純潔を誓ったとされている。それが高じてのアルテミスの男嫌いぶりはよく知られたところだ。

そんなアルテミスが一人だけ愛した男性がいた。ギリシャ一の弓の名手と称えられたオリオンである。二人は相思相愛の関係だったが、アルテミスの兄アポロンは処女神である妹の性質を思ってか、この話に反対し、オリオンを殺すことを考えた。

ある日、アポロンはアルテミスと海辺に出て、沖にある小さな岩のような影を指して言った。「お前の腕でもあれを射ることはできないだろう」。挑発されたアルテミスはむきになって弓を取り、見事に矢を影に命中させる。しかし、それは沖合いを歩いていたオリオンだったのだ。オリオンの死を嘆いたアルテミスは彼を天に上げ、星座にしたという。

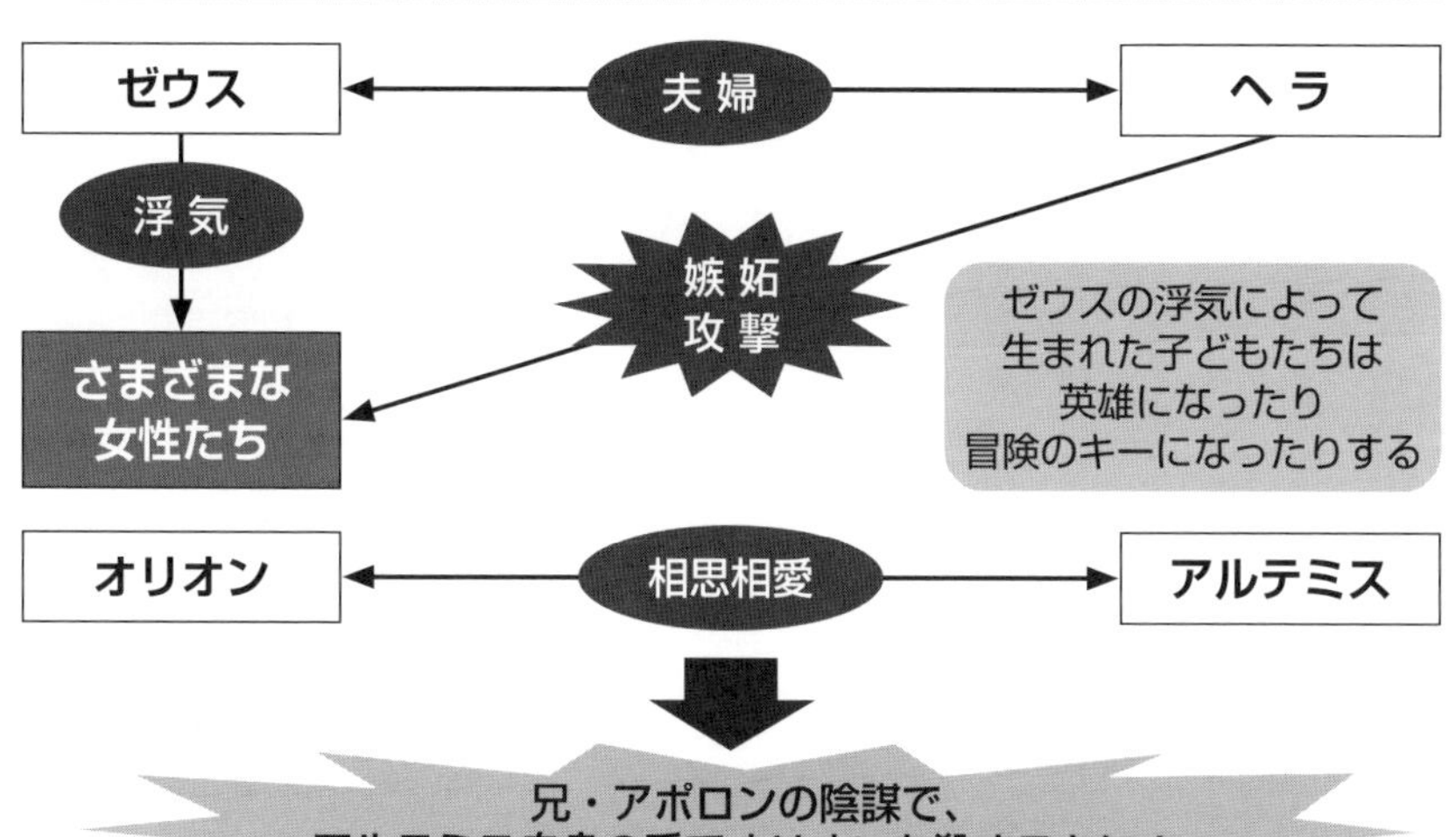

◇語源となった神話

ギリシャ神話には草花などの名前の語源になった神話もある。いくつか例を紹介しよう。

・ヒヤシンス

アポロンが愛した美少年ヒュアキントスの名前に由来する。ある時円盤投げに興じていたアポロンだったが、その円盤が誤ってヒュアキントスに命中し、彼は死んでしまう。

ヒュアキントスの遺体が埋められた場所には流れ落ちた血のような模様の花が咲き、それがヒヤシンスと名づけられたそうだ。

・パニック

牧神パンの名前に由来する。パンは角やひづめを持つ悪魔のような容姿で生まれ、母親に捨てられてニンフ（妖精）たちに育てられた。やがてニンフのシュリンクスに恋をして追い回すが、彼女はパンを拒み、水辺の葦に姿を変えてしまう。パンはその葦から笛を作り、シュリンクスと名づけた。

パンには人の心を乱す力があり、そちらがパニックの語源になっている。

⑮北欧神話

戦いに生き、戦いに散る神々の神話

北欧神話を伝えたのはドイツ人やオランダ人、イギリス人などの祖先であるゲルマン民族だとされている。彼らは非常に勇猛な性格で、戦いを特に神聖視していたそうだ。ゲルマン民族にとって最大の恥は病気や老衰で無様に死ぬことだったという。

逆に言えば、勇敢に戦った末に死ぬことは誇りですらあった。主神オーディンは戦場で倒れた戦士の魂を集め、死者の軍勢エインヘリヤルとして歓待している。オーディンに選ばれるのは名誉なことだ。すなわち、これは戦いで死ぬことを恐れないゲルマン民族の精神性を表現した話だと考えられるのである。

そんな彼らが信奉した神話だからか、北欧神話は戦いに重点を置いた物語が多いようだ。主神オーディンは天地創造の時から巨人ユミルを倒しているし、戦神トールはあちこちで宿敵の霜の巨人たちを打ち倒している。戦乙女ヴァルキリーや他の神々の戦いの記録もあり、強力な魔法の武具が多数登場するのも大きな魅力の一つだ。主神オーディンの槍グングニル、雷神トールの鎚ミョルニルなどがさまざまな小説やゲーム、アニメなどにその姿を見せる。

そして何より、北欧神話では「やがて来る」とされるクライマックスが重要だ。神々の黄昏と呼ばれる最終戦争ラグナロクである。神同士が正面からぶつかり合い、世界の滅亡へ向かう最大の戦いは北欧神話の代名詞とも言えるだろう。神々は滅んだという結末を迎えるのは、数ある神話の中でも結構珍しい。

血沸き肉踊る勇壮な物語には、戦いを描く際のヒントがいくつも隠されているはずである。

北欧神話のあらまし

北欧神話世界の中心には一本のトネリコの樹がある。この樹は宇宙を貫くほど巨大で、世界樹ユグドラシル

北欧神話の世界観

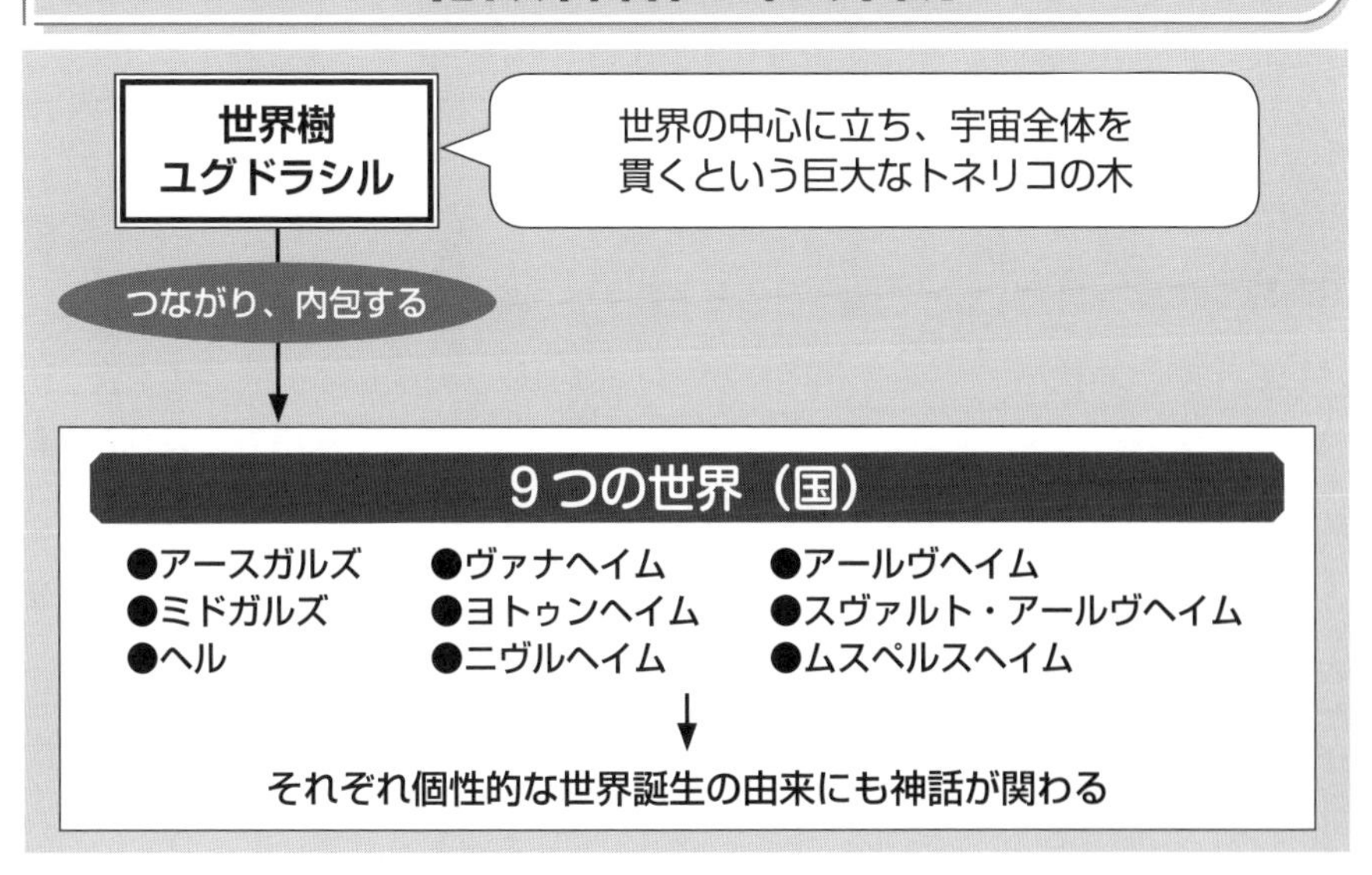

と呼ばれている。

北欧神話の世界はこのユグドラシルに寄り添うようにして、九つの国（地域）に分かれて存在している。オーディンらアース神族の国「アースガルズ」、フレイ、フレイヤらヴァン神族の国「ヴァナヘイム」、光の白妖精の国「アールヴヘイム」、人間の国「ミドガルズ」、巨人族の国「ヨトゥンヘイム」、邪悪な黒妖精の国「スヴァルト・アールヴヘイム」、冥界「ヘル」、霧の国「ニヴルヘイム」、炎の国「ムスペルスヘイム」がそれだ。

世界が創造される前、そこにはギンヌンガガプという巨大な深淵だけがぽっかりと口を空けていたという。その南北にムスペルスヘイムとニヴルヘイムが生まれ（最初からあったとする説もある）、熱と霜とがぶつかって雫が生じた。ここに最初の生命が宿り、巨人ユミルが生まれたとされている。続いて巨大な牝牛アウズフムラが生まれ、ユミルはアウズフムラの乳を飲んで育ったそうだ。

ユミルの汗からは彼の子孫が生まれた。これが霜の巨人族である。一方、アウズフムラのえさである氷の中からは神々の始祖ブーリが現れる。ブーリは息子のボルを生み、ボルは巨人族の娘との間に子をもうけた。こうして生まれたのがオーディンだ。彼らはアース神族と呼ばれた。

オーディンは霜の巨人たちを敵と定め、ユミルを殺してしまう。そしてその死体をギンヌンガガプに投げ込んだ。ユミルの体はあまりにも巨大で、流れ出た血はギンヌンガガプを満たしてしまう。これが海になった。この時霜の巨人たちは海に呑まれ、一組の夫婦を残して死に絶えてしまったという。洪水神話に通じる物語がここにもあったのかもしれない。

オーディンはさらにユミルの肉を大地に、骨を山に、歯と顎を岩に、髪を樹に、頭骨を天にして世界を創造した。上方にはムスペルスヘイムの火が撒かれ、星になったとも言われている。

人間は浜辺で見つかった二本の樹木から生まれたそうだ。さらにユミルのまつ毛で大地が仕切られ、その内側が人間の国ミドガルズになったという。

ある時、アース神族のもとにヴァン神族の使者グルヴェイグがやってくる。アース神族はグルヴェイグを拷問にかけて所持していた黄金を奪い取ろうとした。ここからアース神族とヴァン神族の間で世界最初の戦いが起こったという。両者は人質を交換することで和平を結び、戦いは終息した。フレイとフレイヤは、この時ヴァン神族から差し出された人質だったという説もあるそうだ。

この戦いでアースガルズを囲む木の柵が壊れてしまう。そこへ一人の巨人が現れ、柵を城壁に造り直すと申し出た。神々は巨人との間に期限や報酬を取り決めた契約を結ぶのだが、予想に反して、巨人は見事な城壁を築いてしまった。神々は契約を交わした悪神ロキを責め、ロキは巨人を罠にはめて殺してしまう。神々が契約を反故にした意味は大きく、これは後にラグナロクの引き金になったとも言われている。

その後、神々の物語が紡がれていくが、終末へのカウントダウンも始まった。それが光明神バルドルの死だ。オーディンと妻フリッグの間に生まれたバルドルは周囲から非常に愛されていた。しかし、ロキはそんなバルドルをねたむ。そして、遊びに乗じてバルドルの唯一の弱点であるヤドリギの枝を矢に変えて投げつ

北欧神話

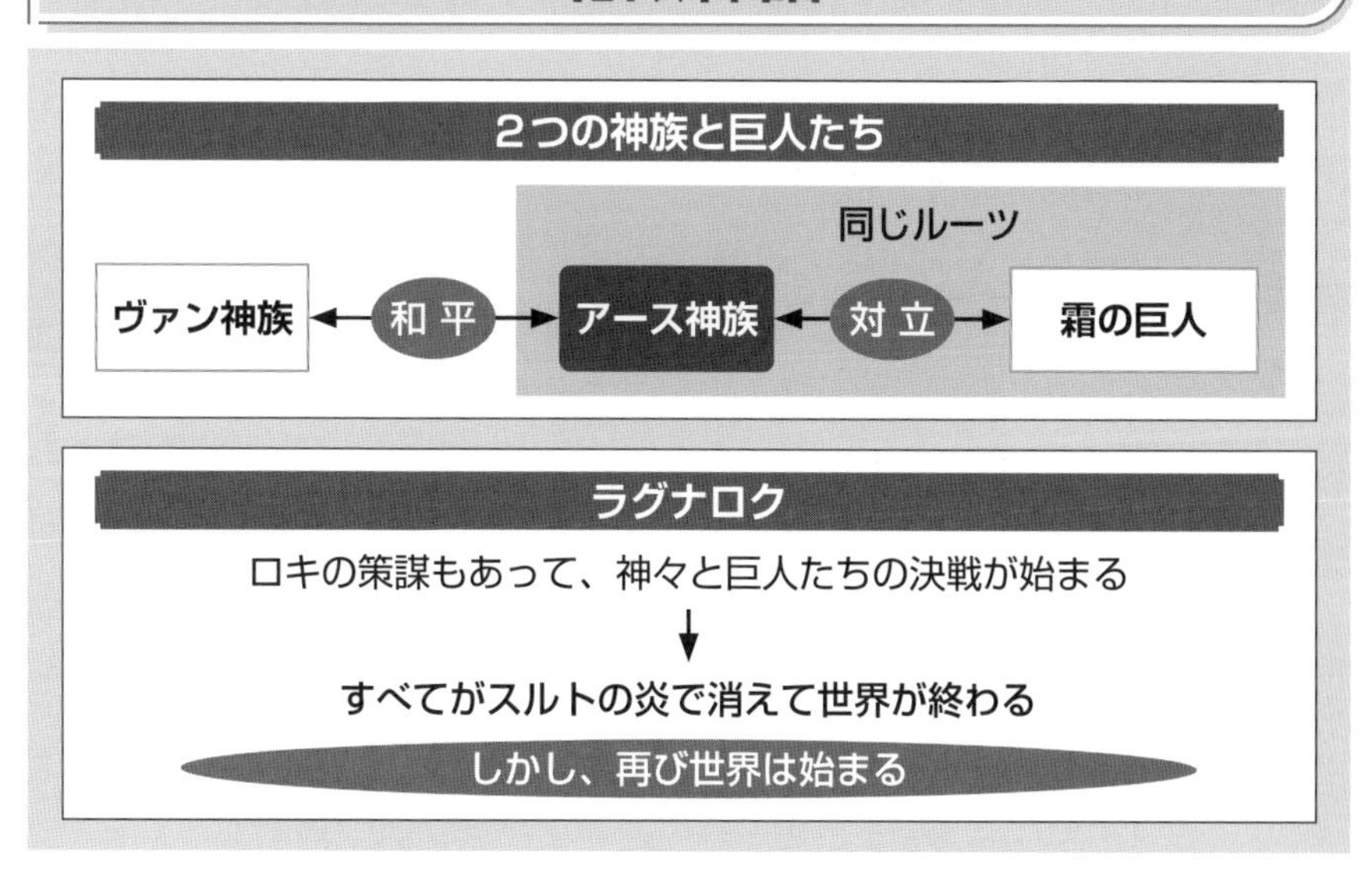

け、彼を殺してしまった。

さらにロキは、海の神エーギルが開いた宴の席でオーディンを始めとする神々を侮辱するという暴挙に出た。そしてフリッグが「バルドルがいればお前を許さない」と言うと、「そのバルドルを殺したのは自分だ」と言い返したのである。

これには神々の我慢も限界を迎えた。ロキは鮭に姿を変えて逃げようとするが、神々の網にからめ取られ、洞窟の奥に連れて行かれる。そこで自分の息子の腸で縛りつけられた上、頭上に毒蛇を置かれて絶えず毒が顔に落ちるようにされた。ロキが苦痛に身をよじるたび、地上は地震に襲われたという。

やがて、世界は不穏な空気に包まれる。夏がなくなり、厳しい冬が三度訪れて人心がひどく荒廃したのだ。これは神々が巨人との契約を破ったためだとも言われる。グルヴェイグを拷問にかけ、巨人との約束を反故にした報いだという説があるのだ。

終末の時が訪れ、すべての戒めが解かれた。冥界の番犬ガルム、魔狼フェンリル、大蛇ヨルムンガンド、そしてロキもだ。ロキはまず霜の巨人族を味方につけ、続いて炎の国ムスペルスヘイムへ向かう。そこで炎の民の長スルトを説得し、彼らも神々との戦いに加わらせる。こうしてラグナロクが始まるのだ。

世界が崩壊していく中、オーディンはフェンリルに飲み込まれる。トールはヨルムンガンドと相討ちに倒れ、ロキとヘイムダルも相討ちになる。エインヘリヤルやヴァルキリーたちも霜の巨人や炎の民との戦いに散っていき、最後にはフレイとスルトだけが残された。しかし、フレイはスルトに敗れ、スルトの剣の炎はユグドラシルに燃え移る。その火を消す者は誰もおらず、すべてが消え、大地が海に沈んで世界は終わる。

しかし、これで北欧神話の物語は終わらない。大地は再び蘇り、そこにリーヴとリーフズラシルという一対の男女が現れる。死んでいた神バルドルとヘズも冥界から帰ってくる。そうして新たな時代が始まる……。

北欧神話の核となるのは、やはり神々同士の壮大な戦いのシーンだろう。グングニルやレーヴァテインなど、魔法の武具も数多く登場する。世界の命運をかけた戦いというのは強いエンターテインメント性を誇り、読者を夢中にさせる要素の一つだ。

敵対する二勢力が真正面からぶつかるのも良いが、第三勢力を加えたり、戦いの理由を付加したりすることもできる。例えばラグナロクに人間の軍勢が参戦したらどうだろう。彼らは神々につくのか、ロキについて神々を滅ぼすのか、はたまた独立を目指して戦うのか。オーディンが倒されたのも、実は人間とフェンリルが手を結んだ結果なのかもしれない。

ロキの行動動機も神々への復讐とみられるところが多いが、実は黒幕がいたとしても面白い。神々の排除が目的だったのか、それともユグドラシルが焼失したのは黒幕にも予想外の結末だったのか。それらの遺恨が現代社会に受け継がれていたら……。想像は尽きないところだ。

北欧神話の重要キャラクター

◇オーディン

北欧神話の主神。豊かなひげをたくわえた隻眼の老人で、武勇と英知を兼ね備えた神とされる。

オーディンはいろいろな魔法の道具を持っていることで知られる。武器は神の槍と称されるグングニル、愛馬は八本足で地上、海上、虚空を疾走するスレイプニルだ。そしてドラウプニルという黄金の指輪も所持しており、ここからは九夜ごとに見事な指輪が転がり出てくるとされている。

また、肩にはフギンとムニンという二羽のワタリガラスがとまっており、世界中で起こっていることを見聞きしてはオーディンに伝えたという。こうしてあらゆる出来事を見通していたのだそうだ。

オーディンは勇敢な者を好んだ。戦場で散った戦士の魂を自分の館ヴァルハラに招き、ヴァルキリーに世話をさせて歓待したという。彼らは死者の軍団エインヘリヤルとしてラグナロクに備えたとされる。また、オーディンは気に入った戦士がいると戦場で命を落とすように仕向けたともされている。もっとも、人々にとってそれはオーディンに選ばれたという名誉の証だったそうだ。

オーディンは運命の三姉妹ノルンの予言からラグナロクの訪れを知っていたという。そのため、自身も周囲も強くあろうとひたすらに鍛錬を積んだようだ。しかし、その甲斐もむなしく、ラグナロクでは先陣を切ったところ、魔狼フェンリルに飲み込まれて真っ先に散る結果となってしまう。

◇トール

北欧神話を代表する戦神。オーディンの子で、父に勝るとも劣らない武勇を誇るとされる。

トールが所持するのは稲妻をかたどったという大槌ミョルニルだ。トールの代名詞とも言うべき武器で、トールの活躍は常にミョルニルに支えられていた。ミョルニルは一撃必殺の威力を誇り、投げつけてもひとりでにトールの手に戻ってきたという。

肉弾戦では負け知らずのトールだが、頭脳戦はやや苦手としていた。霜の巨人の王であるウトガルズのロキ（悪神ロキとは別人）と競った際、トールは魔法で五感を狂わされてしまう。このため酒の飲み比べでは自分の杯が海につながっており、力比べでは勝ち目のない「老い」の化身と戦わされ、猫を持ち上げたつもりが世界を取り巻く大蛇を引っ張り上げていたことにいずれも気がつかなかった。しかし、ウトガルズのロキは海の水を飲み干し、「老い」を力でねじ伏せ、世界を取り巻く大きさの大蛇を持ち上げたトールの底知れなさに身震いしたという。

無類の強さを誇ったトールだが、ラグナロクでは大蛇ヨルムンガンドと相討ちに倒れる。ミョルニルでヨルムンガンドを打ち倒したものの猛毒を受け、衰弱して倒れてしまったのだ。

◇ロキ

北欧神話最大の悪役。世界中の神話を見渡しても有数のトリックスターである。彼はアース神族の一員だが、霜の巨人の血統も継いでおり、神々に対してあまり良い感情を抱いていなかったようだ。

とはいえ、ロキは神々に敵対していたばかりではない。持ち前の知恵（悪知恵とも言われる）を駆使して神々を助けたこともあったようだ。北欧神話の至宝として名高いグングニル、ミョルニル、ドラウプニルなどの宝はロキが小人のドヴェルグたちと渡り合ったことで神々の手に届いたのである。もっとも、その裏でトールの妻シヴの美しい髪を刈ったり、ドヴェルグとの賭けに負けて殺されそうになったりして迷惑をかけてもいるのだが。

いずれにせよ、騒動を起こすものの、ロキは神々の一柱として受け入れられていた。しかし、バルドルを殺してしまったことで引っ込みがつかなくなったのか、その後のロキは完全に神々の敵対者となってしまう。ラグナロクを引き起こし、最後には宿敵とされるヘイムダルと相討ちになって果てた。

◇フレイ

ヴァン神族を代表する豊穣の神。北欧神話ではオーディン、トールに次ぐ第三位の神とされ、バルドルを除けばもっとも完全な神と称されたという。

フレイもまた、多くの魔法の道具を所持していた。帆船スキーズブラズニルはどこでも追い風を受けて進み、多くの荷物を載せられるにもかかわらず折りたたんで運ぶことができたという。また、彼が愛騎とする牝猪は全身から光を放ち、どんな場所であろうとあらゆる馬より速く走ったそうだ。中でもフレイの持つ魔剣は、ひとりでに巨人を倒す力を宿しており、フレイの強さの理由でもあった。

ある時、フレイは巨人族の娘ゲルズに心を奪われる。そこで部下のスキールニルを遣わせ、ゲルズに求婚した。スキールニルはその際、フレイの魔剣を褒美に求める。これが悲劇を招いた。

ラグナロクにおいて、フレイは炎の民の長スルトと戦うことになる。しかし、フレイの手に愛剣はなかった。しかたなく鹿の角を手にスルトに挑むフレイだったが、敵うはずもなく、スルトの剣によって斬り殺されてしまうのである。

◇フレイヤ

フレイの双子の妹。北欧神話ではもっとも美しい女神とされ、恋多き神でもある。本来ならオーディンの妻フリッグに次ぐ地位なのだが、知名度や人気ではフリッグを大きくしのいでいる女神だ。

フレイヤは卓越した魔術の使い手でもある。特に巫術セイズの技に優れており、オーディンがその力を求めて弟子入りしたほどだ。見返りとしてフレイヤはオーディンを愛人にしたとも、死者の軍団エインヘリヤルの半分を譲り受けたとも言われている。美の女神、豊穣の女神の他、フレイヤには戦いの女神という側面もあったようだ。

◇ヘイムダル

知恵と勇敢さを兼ね備え、悪神ロキの宿敵とされる神。また、ラグナロクの始まりを告げることでも知られている。ヘイムダルはギャラルホルンという角笛を所有しており、ラグナロクが始まる際にそれを吹き鳴らすというのだ。

ヘイムダルはロキがフレイヤの首飾りを盗もうとした際、それを妨げている。ロキの不審な行動を見たヘイムダルは彼を監視し、首飾りを盗んだところを追いかけた。二柱はさまざまな姿に変身しながら争い合い、最終的にヘイムダルが首飾りを取り戻す。しかし因縁は持ち越され、ラグナロクで対峙した二柱はお互いの頭を貫き合って相討ちになったという。

◇シグルズ

北欧神話に登場する英雄。魔剣グラムを有し、竜ファーブニルを殺したことで知られる。その際に呪われた黄金を手にしてしまい、死の運命に取り憑かれた。後にヴァルキリーのブリュンヒルデとの間で悲恋をくり広げ、命を落とす姿が描かれる。

北欧神話のエピソード

◇オーディンの旅

オーディンは来たるべきラグナロクに備えて、さまざまな知識や魔術を探求したという。フレイヤから学んだ巫術セイズもその一つだ。他にもオーディンは世界各地をめぐって力を手に入れている。

一つは文字自体が魔法を宿すとされるルーン文字だ。冥界の文字とも言われ、オーディンはこれを習得するためにユグドラシルで首を吊った上、体を槍で貫いて九日間も過ごしたという。そうして冥界に意識を移し、ルーン文字を学んだのだ。また、彼が隻眼なのはアース神族の知恵者ミーミルが守る知恵の泉の水を飲むために、代償として差し出したからだとされている。

アース神族はヘーニルという神とミーミルを人質に差し出し、ヘーニルが重要人物だと伝えた。しかし、実際にはヘーニルは無能で、賢いミーミルが参謀としてついていっただけだったのだ。ヴァン神族はこれを知るとミーミルの首を落とし、アース神族に送り返した。それをオーディンが魔術で蘇らせ、知恵の泉を守護するようにしたのだという。

◇ミョルニルの奪還

トールの最強の武器ミョルニルは、一度盗まれたことがある。

犯人は巨人族の王スリュムだった。ロキがこれをいち早く見抜き、交渉人となる。スリュムはミョルニルと引き換えにフレイヤを自分の妻とすることを要求したが、フレイヤが承知するはずもない。困ったトールは神々に知恵を貸してくれるよう頼んだ。するとヘイムダルがとんでもない案を出す。それはトールが女装してフレイヤに成りすますというものだった。

仰天したトールだが、ミョルニルを取り返さなければアースガルズが危ないと説得され、しぶしぶ承諾する。不安がるトールに、ロキがついていって助けることになった。

スリュムはフレイヤが来たものだと喜び、婚礼の宴

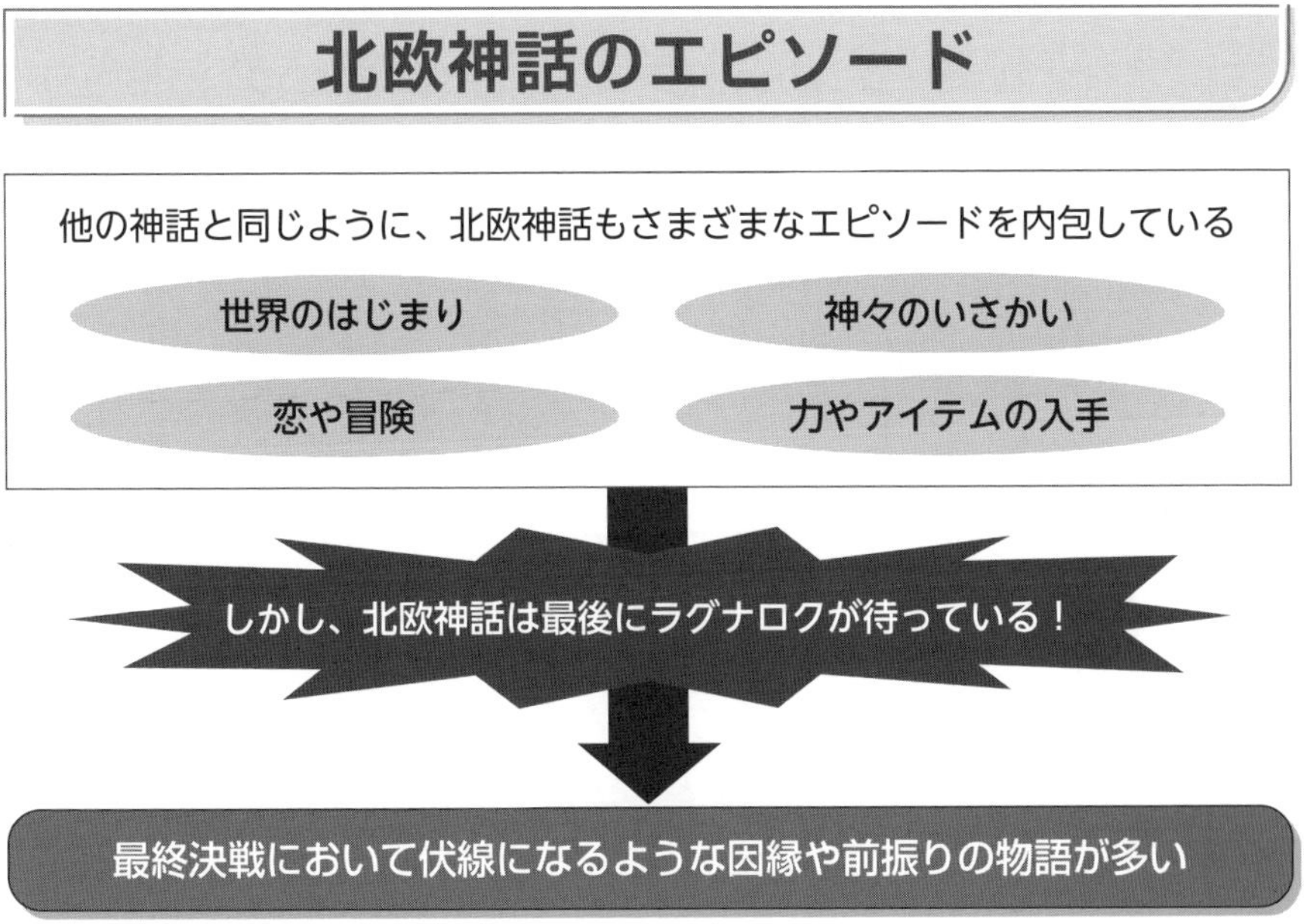

北欧神話のエピソード

を開く。そこでトールはいつもの大食ぶりを発揮し、牡牛を一頭、鮭を八尾、蜂蜜酒を三樽、ぺろりと平らげてしまった。唖然とするスリュムを、ロキは「花嫁はこの日を楽しみに一週間（八日とも）、飲まず食わずだった」と言いくるめる。

さらにスリュムがヴェールを覗くと、トールの火の出るようなまなざしと目が合った。スリュムは仰天するが、ロキが「花嫁はこの日を楽しみに一週間（八日とも）、一睡もしていない」と再び言いくるめてしまう。

そうして贈り物が運ばれてくる時間になり、ミョルニルが持ち込まれた。スリュムがこれを花嫁の膝に載せようとした瞬間、トールは花嫁衣装をはぎ取って正体を現す。そしてミョルニルを手にすると、スリュムや家来たちを問答無用で打ち倒したのだった。

神々の意外な一面と、ロキの機転とが垣間見えるユーモラスなエピソードの一つだ。激しい戦いの多い北欧神話においては珍しいテイストで進む物語であり、作品に取り入れてキャラクターの意外性を見せるために活用するのも良いだろう。

⑯ 中国神話

多くの民族に語り継がれる神話

中国は漢民族を中心にした多民族国家である。大陸各地のさまざまな民族が集まって一つの国家を形成したため、神話にも多くのパターンが見られるようだ。

中国神話には神々と共に仙人も多く登場している。俗世を離れ、山奥でひたすら修行を積んだとされる彼らはしばしば神秘的・超常的な能力の持ち主として神話を彩る。神でもなく、人でもなく、天使ともまた違う独特の存在として活躍する人々だ。神話だけでなく、各種の伝説や民話にも登場する。日本でも作品のモチーフになっていてなじみが深いだろう。

仙人に欠かせない要素の一つが不老不死だ。彼らは一様に何百年、何千年もの修行を耐えており、その力を手に入れたという。不老不死への憧れはどの地域の人々にもあるものだろうが、中国では特に強く求められたきらいがある。歴代の皇帝が不老不死を求めたり、そのための儀式の一環として巨大な墳墓を築いたりした話は有名だろう。

仙人は他の神話には登場しない、中国神話（文化）の特有の存在だ。こういう存在があると神話そのものに独自性が現れて印象に残りやすい。西洋の神話と同じような物語でありながら、独特の雰囲気を醸し出す中国神話の存在感は作品づくりの参考になるだろう。

中国神話のあらまし（漢民族）

中国神話における創世神話は民族ごとにそれぞれだ。その中でも中心的な物語として知れ渡っているのは、漢民族が伝える原初の巨人・盤古（ばんこ）による世界創造だろう。

はるか昔、宇宙は巨大な卵であり、盤古はその中で眠っていた。ある時盤古は目覚め、自分を包む暗闇を振り払うようにして両腕を振るった。こうして卵は割れ、混沌と暗黒が動き出したという。

中国神話

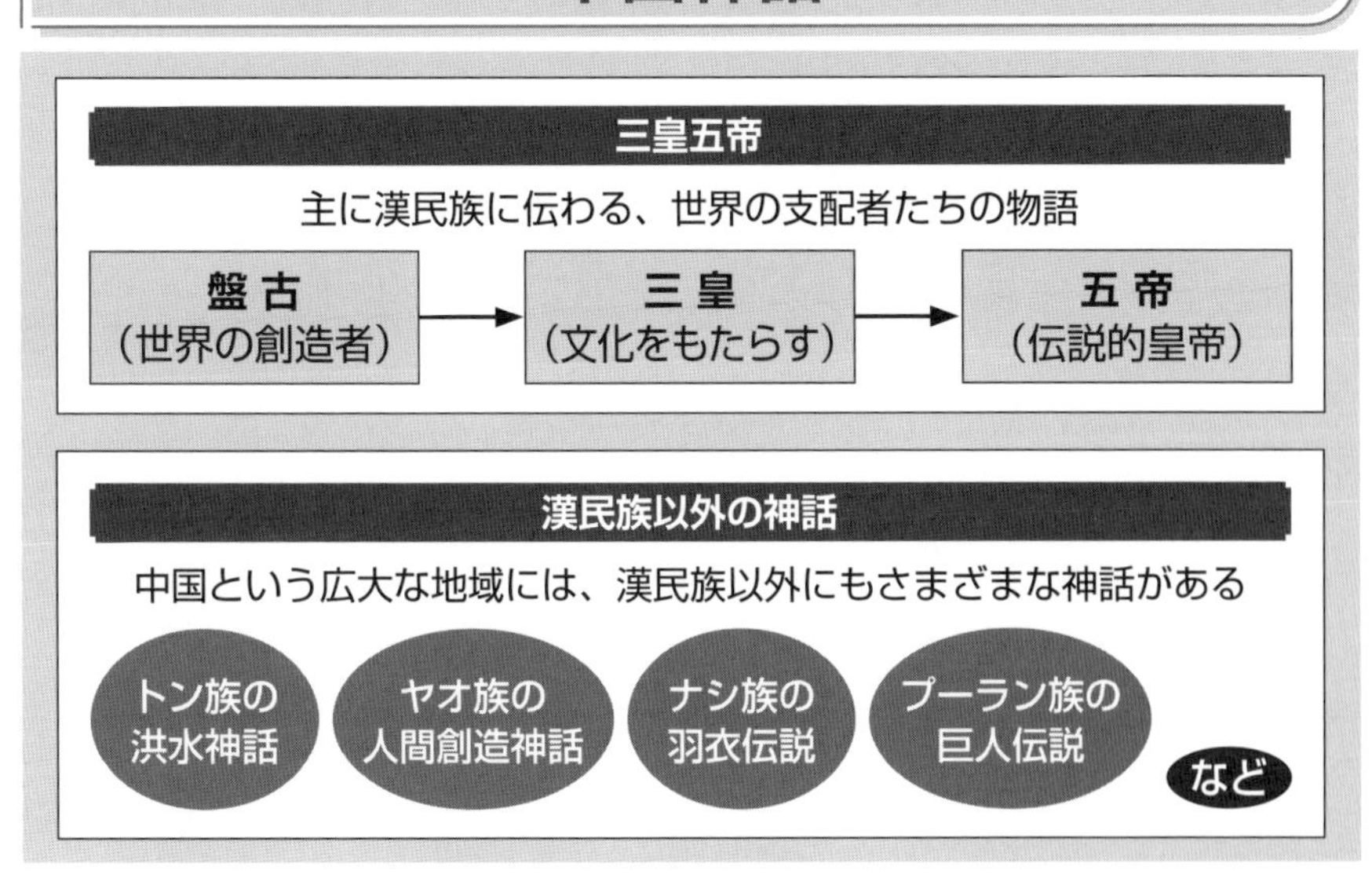

軽く澄んだものは上へ昇り、天となった。重く濁ったものは下へ沈み、地となった。盤古は両手を掲げて天を支え、地を踏みしめて天地が再びくっついてしまわないようにする。その間、盤古の背が伸びるだけ天は高くなり、盤古が重くなるだけ地は踏み固められて世界は固まっていった。

やがて盤古は成長しきり、天地も充分に定まって二度と一つになることはなくなる。盤古は役目を終え、倒れて死んでしまった。その直前、彼が吐き出した息は春風と雲と霧に、声は雷鳴となったという。

さらに盤古の両目は太陽と月に、髪とひげは星に、体と手足は山々に、血は川に、肉は田畑に、筋肉は道になって世界に広がった。骨と歯は宝石、金属、鉱物となって地に埋まり、うぶ毛は植物となり、汗は雨や露となって世界は創造されたのだそうだ。

その後、女媧（じょか）という女神が現れる。彼女は人間と同じ姿とも、人間の顔に蛇の体を持つとも言われる存在だ。荒涼とした世界を嘆いた彼女はそこに人間を創り出そうと考えた。

女媧は黄土と水を混ぜて形を作り、最初の人間を生み出した。その出来に満足した彼女は、大地を人間で埋め尽くそうとする。しかし、大地はあまりにも広く、一人一人を手で作っていてはとても間に合いそうにない。そこで女媧は縄を泥の中に垂らし、それを振り回して散った泥を人間にすることとした。後世、豊かに富める者は女媧が手ずから生み出した人間の子孫で、貧しく卑しい者は縄から飛んだ泥で生み出された人間の子孫だと考えられたそうだ。

　また、女媧は人間に男女の性を与え、子孫を生む力を持たせた。このため、彼女は子宝を授ける神としても祀られているという。

　そんなある時、天を支える四本の柱が崩れ、天に大穴が空くという事件が起こる。大地は裂け、森は燃え、洪水に襲われて生き物はすべて絶滅の危機に瀕した。

　女媧は五色の石を溶かして天の穴を補修し、大亀の足を柱の代わりにして天を支えた。災害に乗じて暴れ回る黒龍を倒し、川辺の葦を焼いた灰で洪水をせき止めて世界を救ったという。この時四季が生まれ、順に世界に訪れるようにもなったそうだ。

　ちなみに中国は東側に海があるため、河は基本的に東へと流れていく。これは女媧が天地を修復した際、完全に元に戻すことができなくて大地が東を下に傾いているからだという。同様に天も西を下に傾いているため、太陽は西へ降りていくのだそうだ。

　女媧が作った世界を治めたのが伏羲であり、（神話的な意味での）最初の皇帝とされる。彼は社会に秩序を与え、生きていくための産業や文化を教えた。

　同じく人々を教え導いた神として、神農（炎帝）の名前も挙がる。彼もまた農業、商業、そして多くの医術や薬の知識を教えたという。神農はいろいろな薬を自分の体で試したとされるが、これは人間だった時の彼が薬を試すべく毒を飲み、その献身に心を打たれた神々が神農を神にした……というエピソードから来ているのだろう。

　ここまでの女媧、伏羲、神農をひとまとめにして「三皇」と呼ぶ（別の神が入ることもある）。これに続くのが「五帝」で、伝説的な帝王たちの名前が並ぶ。

　神農の時代の終わり頃、蚩尤という戦の神が反乱を起こした。これを討伐し、帝王となったのが黄帝である。古代中国の歴史家・司馬遷が『史記』の中で「古代中国王朝の夏・殷・周の三王朝の祖が黄帝だ」と記したように、中国史の始まりは黄帝だとする考え方は今なお残っているという。

　以後の四人については、黄帝の孫で神々に命じて天と地を分かれさせて現在の形にさせた顓頊、その子の嚳、さらに子の堯と継承していくが、最後の舜だけは事情が違う。自分の息子たちに中国を治める力がないと考えた堯が探し出した一人の農夫、それが舜だったのである。舜は堯の期待に応えて中国をよく治め、最後の五帝に数えられた（三皇と同じように誰を五帝とするかは諸説ある）。

　これらの神話を、漢民族の土着の信仰や習慣から生まれた道教が取り込んだ。

　中国の宗教事情は複雑だ。インドからやって来た仏教。孔子を祖とする儒教（あくまで思想哲学であるとするなら「儒学」）。そして道教の三つが混ざり合ってできた。釈迦や仏陀のような仏教の仏たちさえも、道教の仙人たちと一緒くたに聖堂へ迎えられ、民間での信仰対象になったのである。

　道教の神々集団がどのような構成をしていたかも諸説ある。当初、最上位の神は古代の偉大な思想家である老子を神格化した太上老君であるとされたが、やがて天地のありとあらゆる物を生み出した創造主・元始天尊が登場した。これにさらに取って代わったのが玉皇上帝（玉皇大帝）である。

　玉皇上帝は天の世界の皇帝だ。彼の下には膨大な規模の官僚機構があり、そこに所属する役人（神々）が自然を管理し、また人々の生活を助けていた。そのためには地上の様子を知らなければならないから、家庭のかまどにも神が宿っていて、家族を守る一方で、観察し、何かあれば報告するようになっていた、とさえ考えられていたのである。古代より優れた官僚制度を整備していた中国ならではの構造といえる。

　また、身近な神という点では土地神も見逃せない。中国では村々ごとに土地神（都市なら城隍神）がおり、人々を厄災から守っていると信じられた。それだけでなく、人が死ぬとあの世へ行く前にまず土地神を祀る廟へ行くとも信じられていたので、葬儀の場にもなったのである。皆さんが中華ファンタジー的世界を描くのであれば、土地神や城隍神とその廟は欠かさず描写したい。あなたの世界では土地神はどのような存在で、天界の官僚機構とはどんな関係になっているのだろうか？

さまざまな民族の神話

他民族の創世神話も紹介しよう。

トン族の神話には洪水神話の形が見て取れる。あるところに手長、足長、早耳、千里眼の四兄弟がいた。彼らは病気の母のため、雷公という神の肝を求める。雷公は天の王の命令で穀物を粗末にする者を罰するため、兄弟はわざと穀物を無駄にして雷公をおびき寄せ、鉄のかまどに閉じ込めた。

そこへ姜良と姜妹という兄妹が通りかかる。二人に水をもらった雷公は、お返しにひょうたんの種を与えた。そして雷公が水を口に含んで吐き出すとかまどは吹き飛び、雷公は天に戻ることができた。

天の王は四兄弟を罰するため、雷公に水を与える。すべての水を撒くと人間が滅んでしまうため、半分だけ撒くようにと言われた雷公だが、腹いせのためかすべての水を撒いてしまう。地上は大洪水に見舞われ、すべてが流されてしまった。

この時姜良と姜妹は雷公にもらったひょうたんを植え、その実の中に隠れて難を逃れた。天の王は水びたしの地上を乾かすために十二の太陽を並べる。しかし、あまりの暑さに耐えかねた兄妹は弓矢で十の太陽を射ち落とした。残った一つはそのまま太陽となり、その陰に隠れた小さな一つは月になったという。

ヤオ族には異なる人間の誕生の神話が伝わっている。高辛王の時代、王宮には賢く忠義者の犬がいた。ある時番王が侵攻してきたため、高辛王は番王を倒す勇者を募り、褒美として王女を与えることも約束した。

これを犬が引き受け、番王の王宮に乗り込む。そして隙をついて番王の首を食いちぎり、高辛王のもとへ戻ったという。

高辛王は喜んだが、いざとなると娘を犬の嫁にすることに抵抗を感じた。長女と次女も同様だったが、三女は「王が約束を破ってはならない」と言って犬に嫁ぐ。犬は昼の間、凛々しい若者に変身することができたので三女は幸せだった。

高辛王はこれを聞き、犬を後継者にしようとする。

犬は喜び、三女に自分をせいろで七日七晩蒸してくれるよう頼んだ。そうすれば全身の毛が抜け落ち、完全な人間になれるからだ。

三女は承諾したが、六日が経って急に不安になる。犬が死んでしまっているのではないかと心配し、せいろを開けてしまった。その結果、犬は人間になれたものの、頭と脇と脛に毛が残ってしまったという。

ナシ族には日本の「天女の羽衣伝説」に似た神話がある。天地創造の頃、人間は声と気から生じた白露から生まれた。そこから数えて九代目のツォゼルウの時代に大洪水が起こり、神の教えで革袋の中に逃げた彼を残して人々は全滅してしまった。

そんなツォゼルウのもとへネズミがやってきて「水浴びに来る天女の片方の翼を切り取れば夫婦になれる」と教えてくれる。ツォゼルウは言われた通りに天女のところへ行くが、美しさに目がくらんで別の天女の翼を切ってしまった。

しかし、二人の間には猪や熊、蛙、蛇などしか生まれない。落ち込むツォゼルウが再びネズミを訪ねると、ネズミは「次に天女が来た時に自分が翼をかみ切るので彼女を助けるように」と告げる。ツォゼルウは言われた通りに天女を助け、彼女の婿となるために天に連れて行かれて天女の父親と出会う。

父親は結婚に反対し、ツォゼルウに多種多様な難題を突きつける。しかし、ツォゼルウは天女の助けを借りてこれを乗り越え、ついに父親に結婚を認めさせた。地上に戻ったツォゼルウと天女は子孫を生み、再び人間が世界にあふれたという。

プーラン族には少し変わった巨人神話が伝わっている。巨人グミヤーは何もない世界の天地を分け、万物を創造しようと材料を探した。そしてサイに似た巨大な獣を捕まえる。獣の皮は天に、目は星に、肉は地に、骨は石に、血は水に、毛は植物に、骨の髄は動物に、そして脳は人間になったという。

この頃、天にも地にも支えがなく不安定だった。グミヤーは獣の足を天を支える柱にし、大亀を捕まえて地面の下に置いた。

世界は安定したが、太陽と月はそれに嫉妬した。九つの太陽と十の月から燃える光が投げつけられ、世界は干上がってしまう。グミヤーは激怒し、太陽と月を次々に射落とした。この時矢がすぐ近くをかすめたため、青ざめた月は冷たくなったのだそうだ。

太陽と月は岩屋の中に隠れてしまい、世界は暗闇に包まれる。これはこれで困るため、グミヤーは太陽と月を呼び戻した。しかし、怯える太陽と月は「グミヤーに射殺されるよりは飢えて死んだほうが良い」と出てこない。そこで一羽の鶏が「自分が呼ぶ時は安全だから」と説得し、太陽と月を連れ出した。この時から鶏は夜明けを告げ、太陽を呼ぶ役割を担うようになったのである。

中国神話は壮大な物語が多く、神々も大自然の神秘をそのまま神格化したような巨大かつ強大な存在が多くいるようだ。人間からはだいぶ距離がある、侵しがたい存在ととらえられている節がある。ある意味では、非常に神らしいとも言えるだろう。物語の中でどうにも逆らいようのない、絶対的な神や悪魔などを設定する時のモチーフにはぴったりだ。

ただその一方で、神々や仙人が非常にコミカルな、人間臭い存在として描かれるケースも中国神話には見られる。その最たるものが、玉皇上帝の支配下にある巨大官僚機構としての天界であろう。

彼らは地上の帝国を模した構造を持っている。では、実際に動かす天界の役人たちはどうなのだろうか？人間らしくない完璧な運営ぶりを見せるよりも、人間臭い様子であったほうが「っぽい」と感じるのではないか。例えば仕事にしくじったり、怠惰でサボってしまったり、仕事をやってもらうために賄賂が必要だったり、失敗を他人のせいにしてごまかしたり、といった具合だ。

あるいは役人なら代替わりをしてもおかしくない。天界の高官たちや、惑星や星などを司る神々の代替わり、というのも面白そうだ。立場の割にまだ幼くて未熟な彼らのせいで事件が起きたり、ふさわしい実力を得ようと奮闘する物語というのはどうだろう。

また、中国神話では龍や鳳凰、麒麟(きりん)、天女といった架空の存在も忘れてはならない。西洋のモンスターとは違い、彼らはそれこそ神々のような力と存在感を持っている。龍の血を引く主人公、というだけで神秘的なキャラクター性が感じられるのではないだろうか。鳳凰の力を借りたり、麒麟や天女を捕まえに行ったり

中国神話のポイント

主に創世神話になどに登場する、
人間離れした価値観や能力を持つ神々

雄大な中国の自然を反映している？

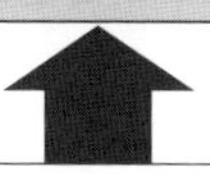

相反する要素だが、どちらも中国神話

道教の神々が巨大な官僚機構として描かれるなど、
非常に人間臭い感情や背景を持つ神々

↓

現実の社会のあり方を反映している？

するのも物語の目的になるはずだ。桃源郷など、独特の意味合いや響きを持つ言葉も多い。作品の壮大さを見せる演出として、こういった単語を用いるのも効果的だろう。

中国神話の重要キャラクター

◇女媧

人間の創造主とされる女神。美貌と英知の持ち主で世界を治める存在だったともされている。泥から人間を創り出し、それを世界中に広めた。また、天が崩れた際の大災害から世界を守った守護神でもある。

◇伏羲

女媧、神農と共に太古の三皇の一柱とされる神。雷公（雷神とされる）が治める川が氾濫をくり返していた頃、華胥（かしょ）という娘が周りの制止を聞かずに雷公のもとを訪ね、川を鎮めてくれるように頼んだ。雷公は華胥の勇気と美しさに感嘆し、彼女を妻にする。こうして生まれたのが伏羲だった、という。一説には女媧と伏羲は兄妹だともされている。

伏義は宇宙の秩序を管理し、世界を構成する八卦（天、地、水、火、山、雷、風、乾）をまとめたという。これは中国のさまざまな思想の原点となり、占いなどにも活用されている。

◇玉皇上帝

天の宮殿に住む支配者。

元は人間で、偉大な王であった。母が身ごもる時に老子が子を連れてくる夢を見た、という話もある。やがて王の座から退いた彼は祈りの中で日々を暮らし、人生を終えてからは玉皇上帝になった。絵に描いたような「完璧な支配者」。それが玉皇上帝なのである。

◇西王母

聖地・崑崙山に住み、すべての女仙の頂点に立つとされる存在。玉皇上帝の妻とされる。

崑崙山は世界の西にあり、不老不死の者たちが住むという。西王母はその支配者で、伝説の八仙に不老不死の術を授けたそうだ。

また、一説には虎の牙や豹の尾を持つ人面の怪物とも言われる。彼女だけでなく、中国神話の神々には人間と獣が混ざったような姿のものが多い。女媧と伏義は蛇になった下半身を絡ませあった絵が有名だし、伏義には「四つの顔で四方を見守っている」伝説もある。神農の頭は牛あるいは龍であったともいう。

◇関帝（関聖帝君）

『三国志』の英雄、関羽がその活躍及び人気から神とみなされるようになったもの。最初は武神として、やがて財や福を司る神として信仰を集めた。彼を祀る関帝廟は日本の横浜などを始め世界各地で見ることができる。台湾の一部では玉皇上帝に代わって最高神に据える動きもあるというから、凄まじい人気だ。

中国神話のエピソード

◇八仙と不老不死

道教では仙人を崇敬し、不老不死を求める考え方がある。中国神話にはさまざまな仙人が登場するが、その中でも伝説的な仙人たち――呂洞賓、李鉄拐、漢鍾離、張果老、藍采和、曹国舅、韓湘子、何仙姑――を

中国神話と仙人たち

中国の神話・民話・伝説にはさまざまな仙人が登場する

↓

不老不死を求める人々が憧れる存在

中でもよく知られているのが……

八仙

●呂洞賓　●李鉄拐　●漢鍾離　●張果老
●藍采和　●曹国舅　●韓湘子　●何仙姑

↓

素性はさまざまで、歴史上の人物が「あの人は仙人になったのだ」と伝説になった者もいればまったくの架空人物もいる

八仙と呼ぶ（諸説あり）。

彼らのような強大な力を持つ仙人は特に神仙と呼ばれ、蓬莱山など特別な島に暮らしていた。そこには神秘の木が生い茂り、その実を食べた者は不老不死になったという。ただし、こうした神仙の島は異様な高さを誇り、常人にはたどり着くことも難しい上、風に乗ってふわふわと漂っていたとされている。八仙は山の中の洞窟にそれぞれ居をかまえていた。

八仙にまつわる物語は多種多様だ。実在の人物もいるし、架空の人間もいるし、時代の中で変遷したものもいる。不老不死に至った事情もさまざまだ。西王母に会うため、弟子に体を預けた者もいる。彼は七日経っても戻らなければ体を焼くよう言いつけていたが、弟子は身内の不幸に遭ってその場を離れなければいけなくなり、師の体を焼いてしまった。帰ってきた仙人は仕方なく他人の体に入ったという。

また別の仙人は火を吐く龍に出会い、天空に身を隠すことのできる魔法の剣を授かった。やがて錬金術と霊薬を作る手法を学び、神仙になった……と伝えられている。

⑰インド神話

主軸となる複数の神と それを取り巻く壮大な神話

インド神話の最大の特徴は、主神に相当する神が複数いることだろう。ブラフマー、ヴィシュヌ、シヴァの三柱だ。

世界はブラフマーが創造し、ヴィシュヌがそれを維持し、シヴァが破壊することで再生をくり返すという。三人の神々による役割分担がなされているわけだが、最高神は一応ブラフマーと考えるのが一般的な説のようだ。ただ、ブラフマーより先にヴィシュヌが存在していたり、シヴァの前にブラフマーとヴィシュヌが頭を垂れたりといった話もあり、正式な力関係ははっきりしていないようである。

さらに、インド神話の中では雷神インドラや原初の神プラジャーパティ、天地の支配者ヴァルナ、契約の神ミトラなども主神級の存在として信奉されていたことがある。このように重要な神々が複数登場する神話は珍しいだろう。背景にはインドの人々が外部から伝わってきた神話を否定せず、ありのまま受け入れてしまったことがあると考えられている。

インドでは古くからバラモン教が広まっていたが、後にヒンドゥー教が主流となった。日本でも同じようなことが起こり、神道も仏教もキリスト教もその他の宗教も共存しているので、なんとなく感覚はつかめるのではないだろうか。そうした流れの中で主神が次々に入れ替わり、どの神も人々の信仰を得たようだ。

外の神話を受け入れたということは、それだけ物語が無尽蔵に増えたということでもある。インドの誇る二大叙事詩『ラーマーヤナ』と『マハーバーラタ』はけた外れの分量でも有名だ。『ラーマーヤナ』は七巻、二万四千詩節。これだけでギリシャの大作叙事詩『イリアス』と『オデュッセイア』を合わせた二倍近くになるのだが、『マハーバーラタ』はさらに上を行き、十八巻、十万詩節の世界最古にして最長の物語である。

インド神話の三すくみ

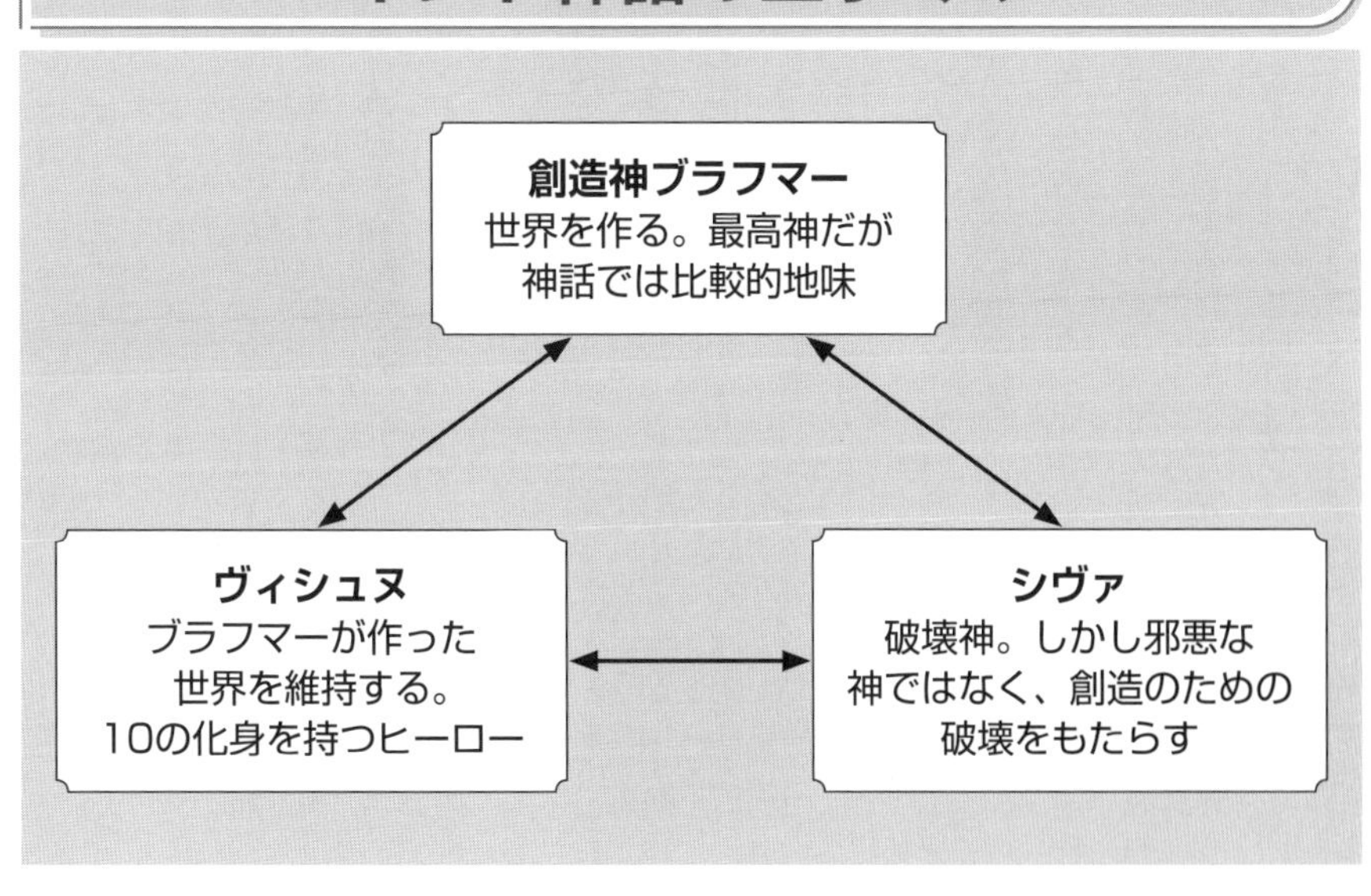

内容もそうだが、これだけのインパクトがあると書物の存在そのものを作品のモチーフにもできるだろう。世界最長の叙事詩に残された神話。そんな副題だけでも期待が高まる気がしてこないだろうか。

インド神話のあらまし

前述のようにインド神話には創造神に相当する神が複数いる。ゆえに創造神話も複数ある。そのどれもがインド神話では否定されないものだ。

中には巨人神話もあるようだ。原初の巨人プルシャは体の四分の三が天空、四分の一が生き物だったとされる。ここから世界が生まれ、口はバラモン僧、両腕は貴族、両腿は職人、目は太陽になったという。名目的に巨人と表現されるプルシャだが、彼は何も考えず、望まず、動かず、感じない存在らしい。世界そのものと同一視されていたようだ。

原初の神プラジャーパティには次のような創造神話がある。彼は造物主とも呼ばれ、三十三柱の神々を集結して生まれた存在だった。世界の始まりには水しかなく、そこに生じた熱から卵が生まれ、プラジャーパティはその中から姿を現したという。

プラジャーパティは一年をかけて大地と大気と天空を生み出す。そして五つの音から五つの季節を創った。しかし生き物を放った後、彼は衰弱して体中の関節が外れてしまう。これが時の区切りとなり、昼夜や季節の始まりが生まれたそうだ。

プラジャーパティは我が子として火神アグニ、風神ヴァーユ、太陽神アーディティヤ、月神チャンドラ、暁の女神ウシャスらも生んでいる。その後、千の目と千の足を持ち、激する神と言われたルドラが生まれた。粗暴で破壊をまき散らすルドラは恐怖の対象であり、破壊神シヴァのモデルになったとも言われている。

ヒンドゥー教の時代になるとブラフマーによる創世神話が紡がれるようになった。その一方で、ヴィシュヌによる創造神話も生まれる。

ある時、ヒラニヤークシャというアスラ（インド神話では悪神の一族）によって大地は水の底に沈められてしまう。これをヴィシュヌが猪の化身ヴァラーハとなって持ち上げた。この話はヴィシュヌによる世界創造の神話であると同時に、洪水神話から世界が再生した様子を示す物語とも言われている。

やがてルドラから派生したシヴァも登場し、ブラフマー、ヴィシュヌ、シヴァの三神による関係が成立した。インドラやプラジャーパティも信奉されたが、神話の主役の座は三神に譲ったようである。

ヴィシュヌは十の化身に転じ、世界を救い続けるヒーローとなる。魚の化身マツヤは人間の始祖マヌに大洪水を予言し、人間を滅亡から救った。獅子人の化身ナラシンハは悪魔ヒラニヤカシプを倒し、小人の化身ヴァアーマナは暴君バリを追放する。一説にはブッダもヴィシュヌの化身であるとされている。王子ラーマとなり、シータをめぐってくり広げる冒険は『ラーマーヤナ』にまとめられるほどの人気を誇った。

インド神話における人間の誕生はヤマという人物から始まる。最初の人間ヤマは妹のヤミーと夫婦になり、子孫を増やしていった。

その後、ヤマは死者の国の王となった。と言うのも、ある時ヤマは旅に出かけ、長い長い道のりを歩いて死者の国にたどり着いたからだ。すなわち、ヤマは最初に死を知った人間なのである。ヤマは人が死ぬ際に迎

さまざまな力ある神々

インド神話ではブラフマー、ヴィシュヌ、シヴァの三すくみを重視

実は、時代によっては他の神が重視される

- 雷神インドラ
- 原初の神プラジャーパティ
- 天地の支配者ヴァルナ
- 契約の神ミトラ

など

背景にはバラモン教からヒンドゥー教への移行や、
他の神話からの影響を幅広く受けたことがある

えに現れ、自分のたどった道を通って死者の国へと連れて行く。この神話が後に閻魔大王のモデルになったとされている。

ヤマのこの仕事は誰であろうと邪魔をしてはいけなかった。ところがある時、ヤマは祭祀に没頭して死者を迎えることを忘れてしまう。このため、一時的に人間が際限なく増えてしまった時があるそうだ。

インドは仏教の発祥の地であり、インド神話は仏教神話にも影響を与えている。ヤマと閻魔大王などはその一例だろう。雷神インドラが仏法の守護者である帝釈天になったとされる話も有名だ。また、『ラーマーヤナ』に登場する猿神ハヌマーンは中国の伝説で孫悟空のモデルになったとも言われている。

これらは古来よりインド神話が作品のモチーフになり得たという証だ。膨大な数の物語の中には、まだまだ参考になるものが多く眠っているだろう。

簡単なところでは三柱の創造神の関係性が使える。ブラフマー、ヴィシュヌ、シヴァの三神は結局のところ、誰が一番強いのか。作品世界にそれぞれ王として転生した彼らが優劣を決するために戦えば、壮大な戦

記物語の幕開けだ。インドラやアグニなど強大な戦神、パールヴァティーなどの美しい女神、ガネーシャのようなマスコットなど、周りを固めるキャラクターにも事欠かない。

それぞれの神の性質もとらえ方によって変わる。破壊神と恐れられるシヴァだが、旧支配体制を壊す革命家とも考えられるだろう。ヴィシュヌは平和を守るのではなく、変化を嫌うことなかれ主義者になるかもしれない。そこから彼らの関係性、対立軸なども変化してくるはずだ。

三柱の創造神かつ最高神という独特の世界観は、これをモチーフとした作品にもオリジナリティを与えてくれる。三勢力、ならびに彼らに匹敵するさらなる新興勢力を設定してみるのも良いだろう。

インド神話の重要キャラクター

◇ヴィシュヌ

インド神話の最高神の一柱。世界を守り、維持する役目を持つとされる。十の化身に転じ、そのたびに世界や人々を救ってきたことで、稀代のヒーローとして絶大な人気を誇る神だ。二大叙事詩『マハーバーラタ』『ラーマーヤナ』には共にヴィシュヌの化身が登場し、活躍している。

◇シヴァ

インド神話の最高神にして破壊神。四本の腕に武器を持ち、額の第三の目は見るものすべてを灼き尽くすと言われる。

恐るべき力を持つ神だが、ただ破壊をまき散らすだけの存在ではない。彼が世界を破壊するのは新たな誕生を迎えるためで、どちらかと言えば恵みをもたらす神として奉じられている。その力で悪霊を退治することもあり、ヴィシュヌに劣らない英雄的な人気も誇っている。

◇ブラフマー

インド神話における創造神。世界を創り出す役目を担い、それにふさわしい力を持つが、ヴィシュヌやシヴァの華々しさに押されてやや地味な印象になってしまっている。

◇インドラ

バラモン教の時代に信奉されていた雷神。ブラフマーたちが登場するまではインド神話の最高神とされていたという。筋骨たくましく、勇気と知恵を持った至高の戦士で、手にしたヴァジュラ（金剛杵）という武器は彼の象徴だった。

インドラが登場した頃、世界は魔神ヴリトラによって危機に瀕していた。命あるもの、動くものすべてに逆らったとされるヴリトラによって急流や大河、天界の水ですら止まってしまったのだ。

インドラはヴリトラを殺すために生まれたとも言われている。しかし、ヴリトラは仙人の骨でできた武器でしか倒せない。インドラが事情を話すと、仙人は自ら命を絶ち、インドラの武器となった。それを用いてインドラはヴリトラを打ち倒し、水を解放したと言われている。

また、インドラは悪魔ナムチとも死闘を演じている。ナムチは昼であれ夜であれ、乾いたものや濡れたもので殺されることはないと約束されていた。インドラは黄昏どきをねらい、乾いても濡れてもいない水泡を武器にしてナムチを討ったという。

数々の武勲を残したインドラは仏法の守護神・帝釈天として仏教神話に取り入れられた。

◇ガンガー

インドを代表する大河、ガンジス川の化身たる川の女神。ガンジス川の源流がヒマラヤにあることから、ガンガーもまたヒマラヤの化身たる神ヒマヴァットの娘とされた。

ヒンドゥー教において、ガンジス川にはあらゆる罪を清め、流す力があると信じられている。その背景として語られるのは、例えばこんなエピソードである。

始まりは、ある王が自らの偉大さを示すため、馬を生贄にする儀式を始めたことだ。彼の馬を止めることが王の権威への挑戦を意味するのだが、誰も挑まない。そこでインドラは賢者の住処に馬を隠した。この馬を探すことになったのは王の息子たちだ。その数六万人というのがいかにも神話的だが、ともかく彼らは賢者を見つけ、馬泥棒と罵った。怒った賢者は彼らを灰にしてしまった。

王は賢者に息子たちの救済を願ったが、答えは「ガンジスが彼らの灰の上を流れない限り、魂が解き放たれることはない」との言葉だった。しかしこれは無理な話である。なぜなら、この頃のガンジスは天を流れる川であったからだ。

　それから長い時が経ったあと、王の子孫がブラフマーとシヴァに祖先の魂を救ってくれるように祈った。神々はこれを良しとしたがそのまま川を地上に流しては大災害になるので、シヴァはわざわざ己の髪を伝わせる形をとってやった。以後、ガンジス川は地上を流れるようになり、王の息子たちの魂も川が灰の上を通ったので解放された。このような由来を持つがゆえに、ガンジスは罪を注ぐ川なのである……というわけだ。

　別の物語もある。今度はガンガー本人の物語だ。

　ある王がガンガーに求婚し、彼女は「私が何をしても質問してはならない」という条件でこれに応じた。やがて七人の子が生まれると、ガンガーは何を思ったか唐突に己の子どもたちをガンジス川、つまり己自身である川に放り込んでしまった。

約束はしていたが、これは黙っていられない。どうしてそのようなことをしたのかと王が問うと、ガンガーが答えて曰く、あの子どもたちはヴァスという神々なのだという。この神々は呪いを受け、必ず人間として生まれることになっていた。しかし、ガンジス川に流されたのであれば、罪と同じように呪いもまた洗い流される——だからガンガーは自らが人との間にヴァスを生むことで、彼らを解き放ったのだ。この時質問したせいでガンガーは王のもとから去ってしまった。

インド神話のエピソード

◇『マハーバーラタ』

　クル族の国バラタの王位をめぐる争いを記した世界最古にして最長の叙事詩。非常に登場人数が多い壮大なスケールの物語なので、かいつまんで紹介する。

　バラタ王パーンドゥには五人の王子がいた。パーンドゥは呪いによって死に、その兄のドリタラーシュトラが王位につく。王子たちはドリタラーシュトラに引き取られ、カウラヴァの百人兄弟と共に育てられた。

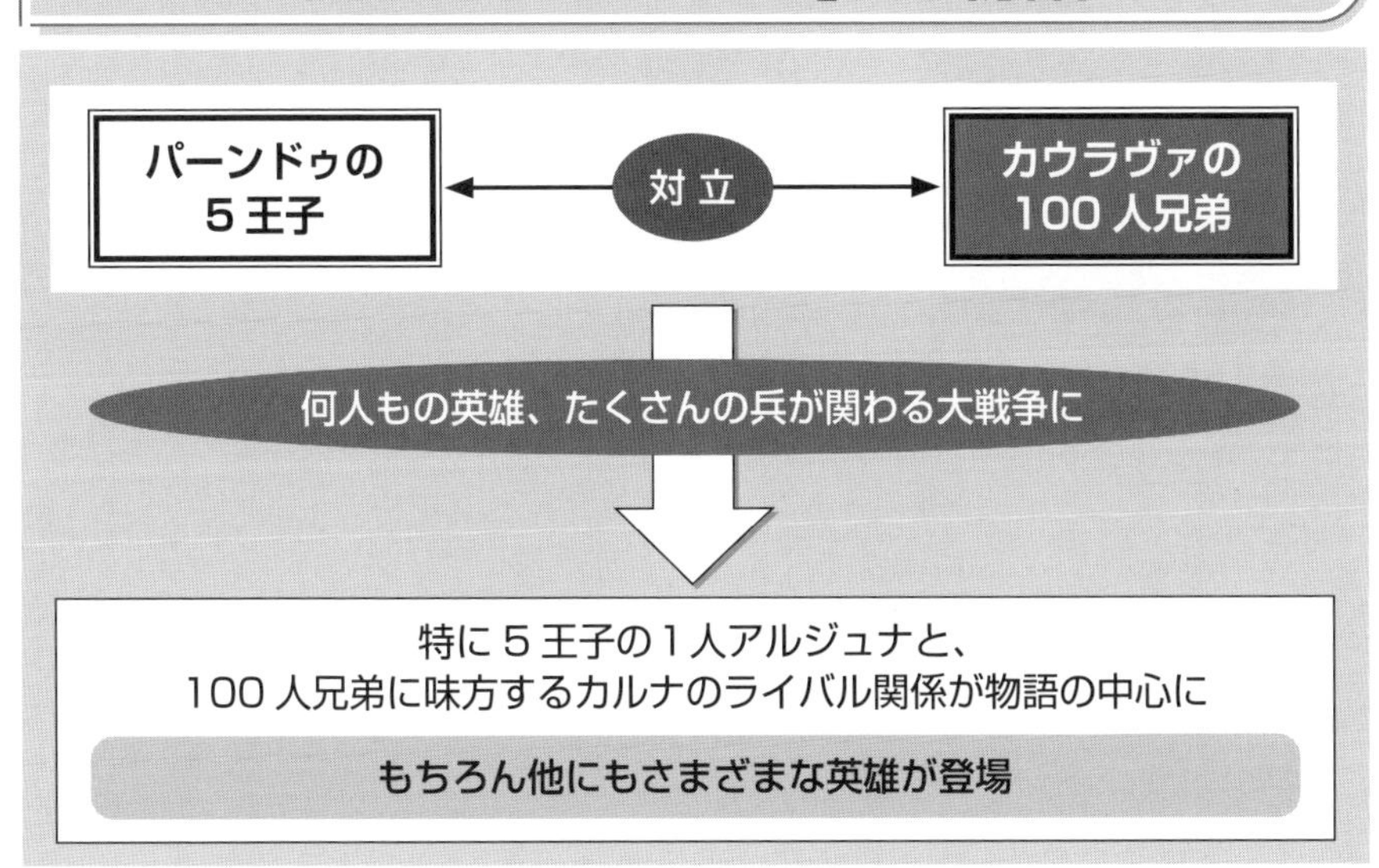

しかし、百人兄弟は優秀な五王子をねたみ、両者の中は次第に険悪になっていく。

ドリタラーシュトラは五王子の長男ユディシティラを後継者に指名するが、ドゥルヨーダナを始めとする百人兄弟はこれを不服とした。結果、五王子は身を隠すことになる。その後、一度は両者で国を分け合うことになったのだが、ドゥルヨーダナは納得しない。そこで一計をめぐらせ、ユディシティラをサイコロ賭博に誘い出す。そして大勝ちして彼から国も、家族も、何もかも奪ってしまったのである。結果、五王子は十三年もの間さすらうこととなった。

その後、五王子は復権を求めるが、百人兄弟はこれを拒み、戦いが起こる。

戦いにおいて五王子のライバルとなったのがドゥルヨーダナの盟友カルナだ。彼は偉大な勇者であり、それだけでなく五王子のうち三人と母を同じくしていた。彼らの母と太陽神の間に生まれた息子、それがカルナであったのだ。

一方、五王子にはヴィシュヌの化身クリシュナが味方した（実はドゥルヨーダナもクリシュナを味方にしようとしていて、クリシュナの軍はドゥルヨーダナに、クリシュナ本人は五王子の味方をすることになった)。五王子の三男で弓の名手であるアルジュナは同族同士での殺し合いをためらうが、クリシュナは正義のためだと彼を説き伏せた。この時のアルジュナとクリシュナの対話はヒンドゥー教の最高の聖典として今に伝えられている。

結局、クリシュナの助けもあってアルジュナたちはカルナを打ち倒し、ドゥルヨーダナらも撃破した。五王子がバラタを取り戻し、平和が訪れたのである。だが、仕方のないこととはいえ、多くの犠牲を出したことは五王子たちの心を傷つけた。後に王位はアルジュナの子に譲られ、五王子はヒマラヤに登って神々の世界を目指した。そうして彼らの魂は天に昇ったという。

ちなみに、『マハーバーラタ』のちょっと変わったキャラクターとしては、ドラウパディーという娘が登場する。彼女はドルパダという王の娘で、五王子が一度姿を隠している頃に参加した弓の競技会の時に出会うことになる。アルジュナは「回る車に吊るされた魚を、水に写った影だけを見て射る」という試練に見事打ち勝ち、彼女を手に入れた……のだが、なぜかドラウパディーを自分一人の妻にはせず、五人全員の妻にしてしまった。となると当然、ドゥルヨーダナとの賭けに負けた時、彼女もまたドゥルヨーダナのものになってしまう。彼女はそのことにも激怒したが、ドゥルヨーダナがわざわざ人の前で彼女の服を脱がせたことはさらなる屈辱として受け取った、という。

こうしてみるとドゥルヨーダナはいかにも絵に描いたような下衆の悪党であるが、一方でカルナほどの勇者が親友と認める男であり、優れた剛力の持ち主でもあった。彼のような悪党を描いてみるのも面白そうだ。

◇ブラフマーとサラスヴァティー

文字と芸術の神サラスヴァティーはブラフマーの娘として生まれた。しかし、あまりの美しさにブラフマーは彼女を妻にしようと考える。サラスヴァティーはこれを拒んで逃げ出すが、ブラフマーは常に彼女を見つめようと左右と背後、さらに上方を見るために頭上にまで新しい顔を創り出した。根負けしたサラスヴァティーはブラフマーの妻になることを承諾したという。多芸多才なサラスヴァティーはサンスクリット語の文字も生み出したとされているそうだ。また、仏教神話では弁財天のモデルになっている。

◇ヴィシュヌとラクシュミー

ヴィシュヌの妻ラクシュミーは貞淑で献身的な妻の模範ともされる。彼女はヴィシュヌが眠っている間に活動し、人々に恵みをもたらすそうだ。また、二人は非常に仲睦まじい夫婦で、ヴィシュヌが化身となって世界に現れるたびに、その恋人としてラクシュミーの化身も登場している。ラクシュミーは仏教神話において吉祥天のモデルとされているようだ。

◇シヴァとパールヴァティー

シヴァはある時、サティーという娘と恋に落ち、深く愛し合った。

しかしサティーの父ダクシャは荒々しいシヴァの性格を好んでおらず、二人の仲に反対する。そしてシヴァを大切な儀式の席に招かず、侮辱してしまった。これを知ったサティーは聖火に身を投げて死んでしまう。シヴァは怒り狂い、ダクシャの屋敷をめちゃくちゃに破壊した。そして山中にこもり、瞑想にふける。

同じ頃、世界は悪魔ターラカに脅かされていた。不死身の体を持つターラカはシヴァの息子にしか倒せない。愛の神カーマはブラフマーに命じられてシヴァのもとへ向かい、六千万年の間、好機をうかがってシヴァに愛の矢を放った。

瞑想の邪魔をされたシヴァは額の第三の目の光でカーマを吹き飛ばしてしまう。しかし、そこでふと気づく。サティーが転生し、シヴァのすぐそばで同じく苦行に耐えていたことに。こうして再会した二人は晴れて夫婦となり、生まれた息子クマーラがターラカを打ち倒したという。カーマは命を懸けてシヴァにサティーへの愛を取り戻させたのだ。このサティーこそ、パールヴァティーのことである。

なお、シヴァの第三の目はパールヴァティーのいたずらによって開眼したとされている。シヴァの瞑想中、パールヴァティーはふと彼の両目をふさいでみた。その瞬間、宇宙のすべてが活動を停止してしまったのだが、第三の目が開いて世界は滅亡を免れたのだそうだ。

⑱聖書神話

唯一神をめぐる代表的な神話

一般に聖書というと、新約聖書を思い浮かべる人も多いだろう。だが、新約聖書以外にも聖書はある。特に旧約聖書はドラマチックな神話を現代に伝えている。

中近東地域で興ったユダヤ教の神話が旧約聖書の物語だ。後、これを一つの背景にキリスト教やイスラム教も生まれてくることになる。前述の通り、新約聖書はキリスト教の聖典だ。このため他の宗教の信徒からは聖書としては認められていない。彼らにとっての聖書はあくまで旧約聖書であったり、コーランであったりするわけだ。

聖書神話は一神教を代表する神話体系である。唯一にして絶対の善である神を中心に、世界や人々がどのように生まれ、どのように現在の歴史に至ったかを語っている。世界的に知られた神話には多神教のものが多いのだが、それに肩を並べる聖書神話は両者の違いを見比べる意味でも貴重な存在だろう。

聖書神話には人間のキャラクターが多く登場するという特徴もある。人間の歴史が物語の中で占めるウェイトが非常に大きいからだ。

とはいえ、神と人間だけではどうにも世界観に広がりがなさすぎる。そこを補完するのが天使や悪魔といった存在だ。多神教では多彩な神々が登場し、魔法や超常的な力も次々に飛び出してくる。聖書神話ではそこまで激しい戦いはあまり多くないようだが、天使と悪魔の激突という形で同じようなスペクタクルを演出しているのだ。

現代もなお数多くの人が信じている宗教に深く根ざす神話を作品のモチーフに使う際には慎重さも求められる。だが、聖書神話は特定の宗教にこだわるものではなく、中近東地域で古くから語られてきた一つの物語だ。最低限の配慮は必要だが、あまり神経質にならずに物語を楽しみ、その上で参考にすると良いだろう。

聖書神話

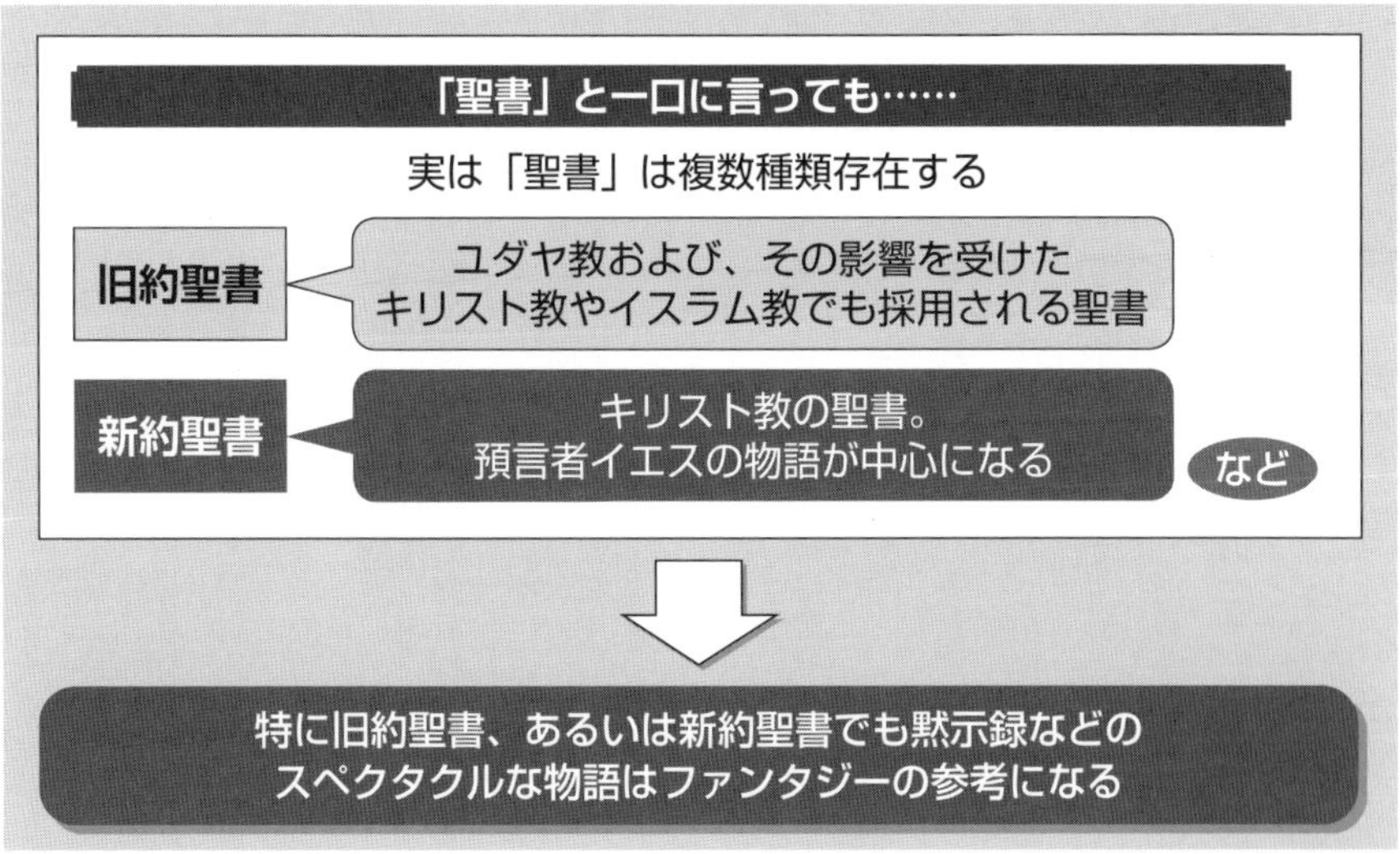

「聖書」と一口に言っても……

実は「聖書」は複数種類存在する

旧約聖書	ユダヤ教および、その影響を受けたキリスト教やイスラム教でも採用される聖書
新約聖書	キリスト教の聖書。預言者イエスの物語が中心になる

など

↓

特に旧約聖書、あるいは新約聖書でも黙示録などのスペクタクルな物語はファンタジーの参考になる

聖書神話のあらまし

聖書神話の冒頭は非常に有名な七日間で始まる。神による天地創造だ。「光あれ」という神の最初の言葉はあまりにも有名である。

神は一日目に光を（それに伴って闇と昼と夜を）、二日目に空と水を、三日目に大地と海と植物を創る。四日目には太陽と月と星を創り、太陽に昼を、月に夜を治めさせた。そして五日目には海と空の生き物を、六日目には地上の生き物を創り、七日目は安息日として休息を取ったという。これが一週間の起源とされる。ちなみに聖書神話の安息日は土曜日で、日曜日を安息日にしているのは新約聖書の教えだそうだ。

六日目に神は人間を生み出した。人間は神自身をかたどっており、すべての生き物を支配するよう言われている。こうして最初の人間アダムはエデンの園という楽園に置かれ、後に彼の肋骨から最初の女性イヴも創られた。

エデンの園で自由に暮らしていた二人だが、ある時蛇にそそのかされ、禁じられた善悪の知識の木の実を口にしてしまう（りんごとするのが一般的だが実際は杏とも）。神は蛇を罰し、地を這って塵を食べる生き物にしたという。そしてアダムとイヴにも罰が下され、男は食べ物を得るために働く苦しみを、女は出産と男に支配される苦しみを受けることとなった。さらに二人はエデンの園から追放されてしまう。

この時、エデンの園には永遠の命を得られる木の実もあった。しかし、アダムたちはこれを口にすることなく追放されたため、人間は永遠の命を手に入れる機会を失ったとも言われている。

アダムとイヴの間にはカインとアベルが生まれた。二人は神に捧げ物をするが、ここで神はアベルの捧げ物だけを受け取る。カインは怒りの余り、アベルを殺してしまった。これが人類初の殺人とされている。

その後、人間は地上に増えていくが、同時に悪もはびこるようになっていった。神は人間の堕落を嘆き、世界を創り直すことを決める。ただ、そんな中で神への敬虔さを失わなかったノアという男とその家族だけは生き残らせることにした。これがノアの大洪水の逸話だ。神のお告げを聞き、方舟を創ったノアは難を逃れ、新たな世界で人間の祖となった。

さらに時代が下り、イスラエルの父祖と呼ばれるアブラハムが登場する。彼は神から「約束の地」へ向かうよう言われ、旅立った。神が言ったのはカナン（パレスチナの古名）の地で、ここをイスラエル人に与えると神は約束したという。

カナンの地でアブラハムは何度となく神と言葉を交わした。子孫も繁栄していく。アブラハムの孫に当たるヤコブは一時期カナンを離れるが、帰る途中で天使と格闘し、勝利したという。この時から彼はイスラエル（神と戦い勝つ）と乗るようになった。

イスラエルは子のヨセフを溺愛する。しかし、これが兄弟の対立を呼び、ヨセフはエジプトに追放されてしまった。そこでヨセフは持ち前の知恵を発揮し、ファラオ（エジプトの王）の側近となって立場を確立する。ところが、ヨセフの功績を知らない新しいファラオの時代になると、イスラエルの人々は厳しい差別にさらされるようになってしまった。

イスラエル人の増加を恐れたファラオは「生まれた男子をナイルに投げ込め」と命令する。後の預言者モーセもこの命令で殺されかけた。しかし、母親たちの機転によって命を救われ、成人して神の声を聴く。

神はモーセに、イスラエルの人々をカナンへ連れて行くように言う。不安がるモーセに対し、神は杖を蛇にしたり、モーセの肌を白く染めたり、それらを元に戻したりといった奇跡を見せた。そして、同じ力をモーセにも与えたという。

モーセは六十万人とも言われるイスラエルの人々と大量の家畜、荷物を連れてエジプトを脱出した。しかし、エジプト軍に追われて追いつかれそうになる。その時モーセが神の指示に従って手をかざすと海が割れ、道ができたという。イスラエル人は海を渡り、エジプト軍は元に戻った海の中に飲み込まれてしまったそうだ。

こうしてシナイ山にたどり着いたモーセは神と契約を交わし、十戒を授かる。戒めが刻まれた二枚の石板は契約の箱に収められ、イスラエルの宝となった。

こうしてモーセたちはカナンに近づくが、人々はカナンが城壁で囲まれていることを知り、エジプトに戻ろうと言い出してしまう。神は自分の言葉を聞かない人々に罰を下し、さらに四十年間、荒野をさまよわせることになった。モーセは結局カナンに入れないまま没し、ヨシュアが後継者となった。

ヨシュアは神の助けを借り、カナンを征服する。人々はようやくカナンに戻り、イスラエルの十二の部族で土地を分け合った。イスラエルの人々は放浪を終え、平穏な暮らしを手に入れたのである。

周辺の民族や国家との戦いを乗り越えたイスラエル人は、サウルという初めての王を迎える。二代目の王ダビデは全イスラエルを統一してイスラエル王国を興した。王国は三代目の王ソロモンの代に空前の繁栄を迎える。このイスラエル王国の王都がエルサレムだ。

しかしソロモンの死後、イスラエル王国は南北に分裂した上、どちらも滅亡してしまう。イスラエルの人々は新バビロニア王国によってバビロンに連れて行かれた。これがバビロン捕囚である。

新バビロニア王国がペルシャによって滅ぼされると、神はペルシャ王に働きかけて人々をエルサレムに帰した。しかし、イスラエルの人々による国家の再建は現在もなされていない。預言者たちはいつか救世主（メシア）が現れ、人々を導くと語っている。

　旧約聖書の神話はここまでだ。この救世主がイエスであるとして始まるのが新約聖書である（ユダヤ教は、救世主はまだ現れていないとしている）。

　イエスが誕生した時、カナンはローマ帝国の支配下にあった。イエスはそこで神の教えを広め、十二使徒を集めたり、奇跡を起こしたりしたという。ある時友人のラザロの危急を聞き、イエスは彼を訪ねた。既にラザロは葬られていたのだが、イエスが彼を呼ぶとラザロが生き返って姿を現したそうだ。

　やがてイエスは弟子のユダの裏切りに遭い、捕えられて処刑される。しかし、イエスはそこから復活し、弟子たちとの時間を過ごした後、昇天したという。

　新約聖書に収録されているエピソードの中でもう一つ知名度が高く、よくモチーフになるのが『ヨハネの黙示録』だ。ここには世界の終末が語られている。

　天の巻物の七つの封印が解かれる時、世界を災いが覆い尽くす。天使と悪魔の戦いが起こり、地上の国は滅びる。その後、千年王国が成立して一時の平和が訪れるが、悪魔たちが地上に戻り、最終戦争が始まるのだそうだ。

　その後、神が天の玉座に姿を現して最後の審判が下される。正しい者だけが残り、そうでない者は火の池に投げ込まれて世界は再生するとされている。

　聖書神話で作品のモチーフにしやすいのは天使と悪魔だろう。完全なる善である神は一人しかいないため、多様なキャラクターにするのは難しい（神が複数人に分かれて存在し、全員集合して完全な神になるという設定はありだ）。

　これに対し、天使はそれぞれ特徴を持っており、キャラクターとして使いやすい。リーダーシップのある者、戦いを得意とする者、癒やしの力を持つ者、たぐいまれな知恵を持つ者などさまざまだ。悪魔も同様で、火を操る者、女性の者、空に棲む者、人の心を惑わせる者などバリエーションに富んでいる。純粋な悪役として、主人公に倒される存在としてもイメージしやすい。

　聖書神話では神や天使が神聖、悪魔が邪悪な存在としてくっきり色分けされている。分かりやすさにつながるし、逆転させてギャップを演出させることもできる便利な構図だ。両者の間で揺れ動く人間もドラマの主役になる。

欲望に負けてしまう人、やむにやまれぬ事情から悪魔に加担してしまう人、天使につきながら、周囲が悪魔についたために孤立してしまう人。いくらでもパターンは考えられるだろう。そこに神や天使、悪魔がどのように関わっていくかも見どころになる。

聖書神話の重要キャラクター

◇アブラハム

イスラエル人の父祖とされる人物。神を厚く信仰し、その信仰心を示すために息子を手にかけるよう言われた時にはそれを実行しようとしたほど。人々を約束の地カナンに連れて行き、イスラエル人の歴史が始まるきっかけを作った。

◇モーセ

イスラエル人をエジプトからカナンへと導いた預言者。神との契約や十戒、海を割る奇跡などで知られる。旧約聖書の神話の中ではもっともよく名前を知られた一人だろう。

◇ノア

ノアの大洪水で知られる義人。神のお告げを聞いて方舟を造り、家族とすべての動物をひとつがいずつ乗せて滅亡を免れた。洪水神話のもっとも代表的な例に挙げられる。

◇ミカエル

神に仕える天使たちの長。公正で力強く、あらゆる苦難から人々を救うと言われている。天使の軍団を率いる軍団長でもあり、世界の終末には魔王サタンと正面から激突してこれを打ち倒すという。

◇サタン（ルシファー）

悪魔の王にして絶対の悪とされる存在。もとは神にもっとも近いと言われた大天使だったが、邪な考えを抱いたことで地獄に落とされ、堕天使となる。人間を堕落させる邪悪の権化で、エデンの園でイヴをたぶらかした蛇もサタンの化身とされることもある。

聖書神話のエピソード

◇バベルの塔

聖書神話で人間が築いたとされる天国へ至る塔をめぐる物語。

ノアの大洪水の後、彼の子孫の一部はバビロニアの地に住みついた。人々はそこで天まで届く巨大な塔を築き始める。これがバベルの塔だ。

神はこれを人間の傲慢ととらえた。人間が神の座に至るために塔を築いたと伝えられるのもこのためだろう。この頃、人々はまだ共通の言語を使っていたとされる。神はこれを乱し、人々が意思疎通をできないようにした。結果、塔の工事は続けられなくなり、人々は各地に散っていったという。

……ここで紹介した物語に違和感を持つ人は少なくないだろう。一般的には、神の怒りにふれたバベルの塔は神の手によって直接破壊されたと伝えられることが多い。しかし、旧約聖書にそうした記述はなく、後世に伝わるうちに話が変化したのではないかと考えられるようだ。

◇エジプトの災い

モーセがエジプトから脱出しようとした時、ファラオは労働力がなくなることからこれを拒んだ。そこで神はエジプトに九つの災いをもたらしたという。

ナイルの水が血に変わる「血の災い」、水辺から蛙があふれ出す「蛙の災い」、ぶよが大発生する「ぶよの災い」、あぶが大発生する「あぶの災い」、疫病が流行する「疫病の災い」、エジプト人と家畜に腫れ物が生じる「腫れ物の災い」、激しい雹が降る「雹の災い」、イナゴが大発生する「イナゴの災い」、三日間エジプトを闇が包む「暗闇の災い」がそれだ。それでもファラオは人々を解放しなかったが、エジプトのすべての初子が死ぬという「最後の災い」が起こり、ついに折れたとされている。この時イスラエルの人々は羊の血を家の入口に塗ることで災いを逃れたのだそうだ。

このエピソードは人同士の対立に神が関わった構図になっている。片方が神の助けを受け、もう片方の支配から逃れたのだ。もし神の加護を奪い合う展開になっていたら結末も変わってくるだろう。そういった方向に話を転がしてみるのも面白いかもしれない。

聖書神話の物語

旧約聖書の物語

唯一の神による天地創造と、最初の男女の楽園からの追放
↓
地上にはびこった人間たちの堕落と、大洪水
↓
イスラエルでの繁栄やさまざまな苦難
↓
いつか救世主が現れるであろう……

⬇

新約聖書の物語

神の子たる預言者イエスが正しい教えを広め、弟子を集める
↓
磔になって殺されたイエスが復活し、特別な存在だと示す

◇ダビデとゴリアテ

小さいものが大きい相手を翻弄する様は見る人の胸をワクワクさせる定番の展開である。日本なら牛若丸（源義経）が橋で弁慶と対決したエピソード、そして聖書神話であればダビデとゴリアテだ。

初代イスラエル王サウルは預言者サムエルによって見出された優れた人物であったが、やがて年老いてサムエルと神から見捨てられてしまう。そこでサムエルが見出したのが若き羊飼いで竪琴が上手かった少年ダビデだった。

ダビデはサウルに仕えるようになり、大いに重用された。そのきっかけになったのがペリシテ人との戦争だ。この時、敵方には身長三メートル弱という巨人ゴリアテがいて、一騎打ちを挑んできた。ほとんどのイスラエル人たちが怯える中、ダビデはこれに果敢に応えて前に出た。この時に彼が携えていたのは剣ではなく石の入った袋と、石を投げるための道具（紐に石を挟み込み、遠心力で飛ばす武器）だった。ダビデが飛ばした石は過たずゴリアテの額をとらえ、巨人を打ち倒したのである。

これらの活躍によってダビデの名声は高まり、王女と結婚することにまでなったが、サウルの嫉妬を受けてイスラエルにいられなくなった。そこでしばらくその地を離れたが、サウルの死をきっかけにしてイスラエルに戻って王となった。エルサレムを奪い取り、これを都にしたのは彼の代のことである。

◇ソロモンの知恵

ダビデの子で王位を継いだソロモンは知恵者としてその名が残っている。ゆえに優れた知恵を指して「ソロモンの知恵」と言うし、聖書にもシバという国の女王が訪ねてきてソロモンの知恵とイスラエルの繁栄に驚き、膨大な贈り物をしたというエピソードが記されている。

中でもさまざまな物語でピックアップされるのが、魔術に関係する側面だ。ソロモンはありとあらゆる知識を授けてくれる指輪を持ち、その力でジン（精霊）を封じ込めることができたという。そして何よりも、ソロモンは偉大な魔術師として、魔術書の執筆者として名が知られている。

『レメゲトン』あるいは『ソロモンの小鍵』と呼ばれる魔術書がある。ソロモンが書いたとされる（実際には近世にいろいろな悪魔や魔術の研究の成果をもとに書かれたと考えられている）この書は、召喚魔術専門の書だ。四大元素の精霊を呼ぶ法、天使を呼ぶ法、そして生前のソロモンと契約していたとされる七十二柱の魔神（悪魔）を呼ぶ方法が記されている。

この書にはそれぞれの悪魔の召喚や使役のために必要な方法や魔法陣、印章などはもちろんのこと、魔界における位階や能力、身体的特徴まで事細かに記されている。悪魔や魔神のサンプルにするだけでなく、各種ネーミングの素材にする用法でもしばしば使われるので、名前を調べてみると聞いたことのあるものも多いのではないだろうか。

◇イエスの誕生

特別なキャラクターはしばしば特別な誕生をするものだ。これを「異常出生譚」という。

この点でいうと、新約聖書でも指折りに特別な存在であるイエスの出生はなかなかのものだ。何しろ、彼

聖書神話の中に見出せる物語パターン

聖書神話は西洋社会でもっともポピュラーな物語と言える
↓
自然とエンタメ物語パターンの原型が見出せる

神による干渉
良き人には助け、悪しき人には破壊や呪いがもたらされる

弱きものこそ勝つ
体は小さいが賢く素早いダビデが巨人ゴリアテに勝つ！

知恵者ソロモン
ソロモンは知恵者だが、彼の死後王国は崩壊した

特別な生まれ
イエスは救世主にふさわしく、処女懐胎でこの世に誕生

は処女であった母マリアから生まれたのだから。いわゆる「処女懐胎」である。科学的にはありえない出生ではあるが、神話的にはこれが真実だ。

マリアは聖霊の力によって子をなす前、大天使ガブリエルの来訪を受け、自分が神の子を妊娠したことを知らされた。また、聖書の別の項目によると、この頃まだ婚約状態だった夫のヨセフは婚約破棄も考えたらしい。しかし、彼のもとにもガブリエルが来たので、その言葉を信じたという。

不思議な出来事はまだまだ起きる。イエスが誕生すると羊飼いたちの前に天使が現れて救世主の誕生を宣言したので、彼らはヨセフとマリアのところへ出かけてそのことを確認した。あるいは、東方から博士たちがやってきてユダヤの王の誕生を祝い、黄金、乳香、没薬を捧げた（それぞれ王権と神性と受難の死を示すという説に従うなら、これらの贈り物はイエスの生涯を暗示していたことになる）。聖書には彼らのことは詳しく書いていないのだが、やがて三人の博士ガスパール、バルタザール、メルキオールという設定を与えられるに至った。

⑲メソポタミア神話

神と人とを近い距離に置いた世界観の神話

メソポタミア神話はチグリス・ユーフラテス川のほとりに興ったメソポタミア文明において伝えられたとされる神話だ。これらを作り出したのはシュメール人と呼ばれる人々で、楔形文字を用いて粘土板に物語を残したとされている。

メソポタミア神話の神々は非常に人間的な存在だと言われている。彼らは肉体を持ち、不死ではないのだ。人間と同じように日々の糧を得なければならず、事故や戦いで死んでしまうこともあったという。一説には寿命まであったそうだ。

古代メソポタミアの人々はすぐれた建築技術を持ち、ジッグラトと呼ばれる巨大建築をいくつも残した。バビロンの空中庭園は有名な史跡だ。聖書伝説で語られるバベルの塔もこの地域にあった巨大建造物をモデルにしたと言われている。

こうした技術は神々を奉る神殿の建築で磨かれたとする説がある。神殿は神々の家であり、人々はそこに奉られた神像を神と同一視して献身的に世話をしたそうだ。当然、神殿が立派であるほど神々の権威は増しただろう。

メソポタミア神話において人間は神を助け、その手伝いをするために創られたとされている。神と人との距離感は他の神話よりずっと近い。神々の壮大な活躍の陰で、彼らの世話をしていた人々には何があったのか。神話では語られない部分に想像の手を伸ばしてみるのも良いのではないだろうか。

メソポタミア神話のあらまし

メソポタミア神話で最初に存在していたのは真水の神アプスーと海水の神ティアマトだ。二人がお互いの水を混ぜるとラフムとラハムが生まれた。この二人は巨大で奇怪な蛇だったともされている。

メソポタミア神話

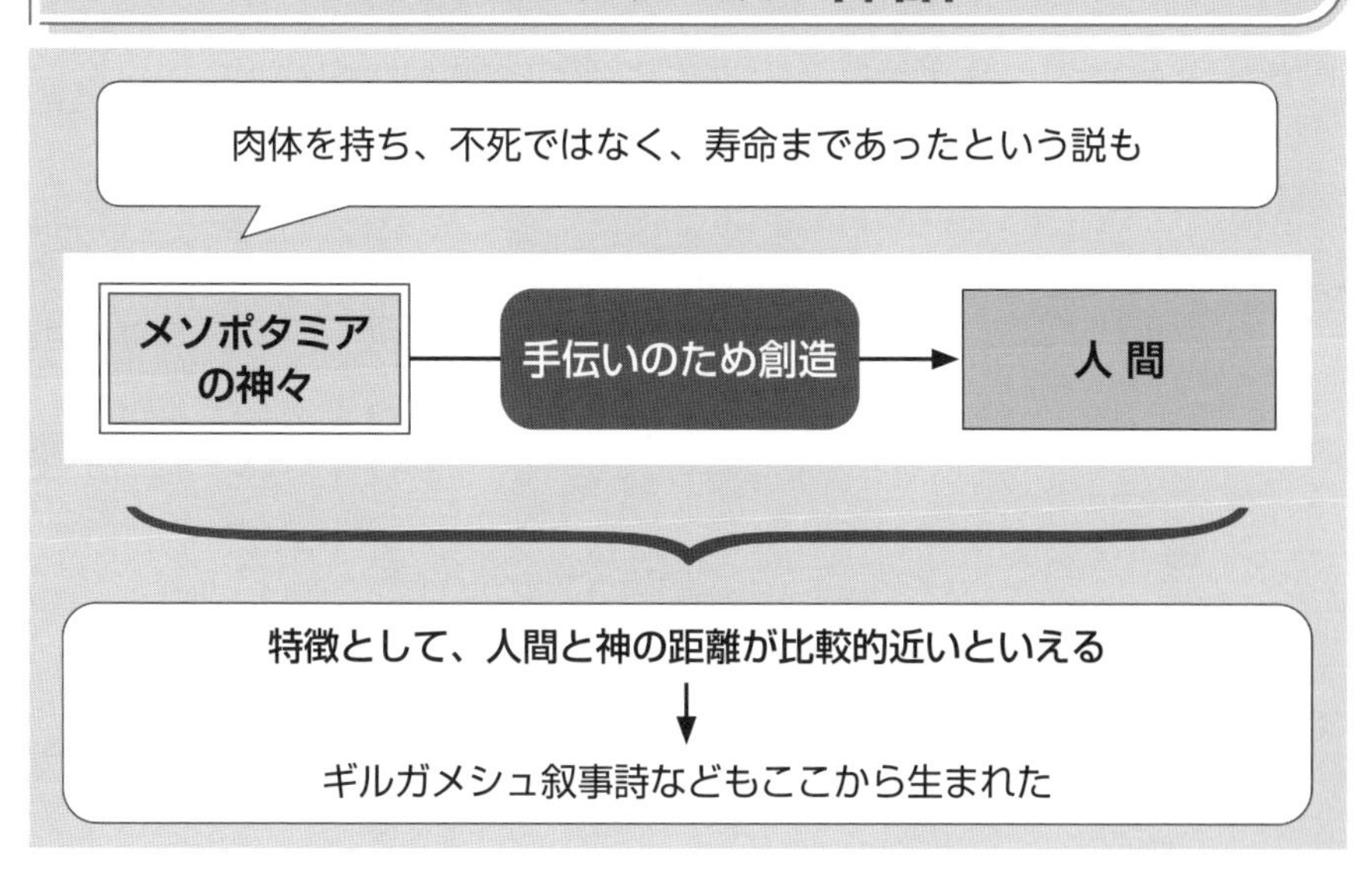

さらにラフムとラハムの間にはアンシャルとキシャルが生まれる。アンシャルは男性原理、天空世界などを象徴し、キシャルは女性原理、地上世界を象徴する対極的な存在だったそうだ。その二人は天の神アヌを生み出している。さらにアヌの子として知恵と水の神エア（エンキとも）、風の神エンリルが生まれた。アヌ、エア、エンリルはメソポタミア神話の三大創造神としても知られている。

やがて若い神々が多くなっていくのだが、その騒々しさにアプスーは眠りを妨げられ、激怒して若い世代を滅ぼすと言い出した。ティアマトはなんとか夫をいさめようとするが、アプスーは聞く耳を持たない（一説にはアヌがこの計画を考え、ティアマトが止めたものの アプスーとその従者ムンムが賛同したともされている）。

そんな中、エアはアプスーの企みに気づき、先手を打ってアプスーを眠らせて殺してしまう。エアはこの時、アプスーの輝き（権威）をはぎ取ったともいう。従者ムンムもエアに倒された。

エアは妻ダムキナとの間にマルドゥークを生む。彼は神々の中でも抜きん出た存在で、四つの目と四つの耳を持ち、唇を動かすと炎が噴き出ると言われた。

ところが、これが逆に神々に混乱をもたらす。今度はマルドゥークに支配されるのではないかと疑心暗鬼にかられたのだ。

彼らはティアマトに泣きついた。ティアマトは母神でもあり、慈悲深い神だったとされる。そのため、子孫である神々の訴えを聞かないわけにはいかなかった。夫が殺されたことを悔やんでいたところでもあり、ティアマトは若い神々を滅ぼそうと決意する。

エアを始めとした若い神々は驚き、なんとか戦いを回避しようとする。しかし、ティアマトはどんな脅しにも説得にも応じようとしなかった。神々は相談の上、最強の存在であるマルドゥークに頼むしかないと意見を一致させる。

マルドゥークは見返りに、自分を最高神とすることを要求した。エアたちはこれを承諾し、マルドゥークはティアマトとの戦いに臨む。マルドゥークはティアマトの口に嵐を叩き込み、その心臓を矢で撃ち抜いて倒した。

さらにマルドゥークはティアマトの死体を半分に裂き、片方を天に、片方を大地にする。ティアマトの目からは川が流れ、胸は山となった。マルドゥークは天に星座を置き、その運行を定めて暦も創った。雲、風、雨などもこの時に創られたという。そしてティアマトに仕えていた戦士キングーの血からは人間が生み出された。

マルドゥークは人々に自分を奉る都市を築くよう命じ、そこは古代メソポタミアを代表する大都市となった。これがバビロンである。

こうして人間は生まれ、発展していくのだが、メソポタミア神話にも一度世界が滅びる洪水神話が残されている。発端となったのは風の神エンリルだった。

人間がまだいない頃、神々にはさまざまな労役が課されていた。エンリルはこの助けとするため人間を創り出す。

ところが、あまりにも人間が増えてしまったためエンリルはいら立ってきた。そこで疫病をはやらせたり干ばつや飢饉を起こしたりする。これに対しエアは目上のエンリルに真っ向から反対はしなかったものの、

世界の誕生とマルドゥークのティアマト退治

①神々の誕生

最初に真水の神アプスーと塩水の神ティアマトが誕生
→さまざまな神の誕生へつながっていく

②アプスーの失墜

アプスー、新しい神々の一掃を画策する
→知恵の神エアがアプスーを失墜させ、エアの子マルドゥークが台頭

③マルドゥークのティアマト退治

マルドゥークの台頭から、ティアマトが仇討ちを決意
→マルドゥークはティアマトを殺し、世界を創り上げる

医術を教えたり、薬や水、食料を送ったりして人間を助けた。

エンリルはとうとう大洪水を起こし、人間を全滅させようと考える。そして神々にこのことについて不満を言わないよう誓わせた。エアもそれに従う。ただ、エアはウトナピシュティムに予言を与え、方舟を造ってこの難を逃れるように導いた。

ウトナピシュティムはエアの言葉に従い、大洪水を生き延びる。そしてきちんと神々に感謝の儀式を捧げた。これを知ったエンリルは怒るが、エアに暴挙をたしなめられ、さすがに落ち着きを取り戻す。そしてウトナピシュティムは妻と共に永遠の命を与えられた。後に英雄ギルガメシュが彼を訪ね、不死の秘密を問うことになる。

もう一つ、メソポタミア神話で知られているのが女神イシュタルの冥界訪問だ。他の神話では大切な人を取り戻すために行われる冥界下りだが、イシュタルの場合はそれとは違う。何しろこのイシュタル、奔放な女性を絵に描いたような（よく言えば女性の生命力を象徴するような、悪く言えばわがままな性悪女）キャ

ラクターであるから、そんな愁傷な物語にはならない。どちらかと言うとイシュタルの性格を紹介するためのエピソード、と考えたほうがよさそうだ。

愛と豊穣の女神イシュタルはイナンナの別名でも知られ、メソポタミア神話を代表する女神である。彼女は地上に実りをもたらす存在で、人々からも強く信奉されていた。

イシュタルは農耕の神エンキムドゥに想いを寄せていた。しかし、そこに牧羊の神ドゥムジが割って入る。ドゥムジはエンキムドゥが小麦を贈れば羊を、酒を贈れば乳を、パンを贈ればチーズをイシュタルに贈り、猛然とアプローチをした。これに心を動かされたイシュタルはドゥムジの妻になる。

そんなある時、神々はイシュタルの姉エレシュキガルが治める冥界が暗黒に包まれ、荒れ果てていることを知る。冥界の住人は食べ物や着る物にも困る有り様だった。

イシュタルは冥界に向かう。冥界の七つの門をくぐるたび、彼女は衣服をはぎ取られて力を失った。エレシュキガルの前に出た時、裸のイシュタルには何の力も残っていなかったという。姉妹の折り合いはもともと悪く、エレシュキガルはイシュタルを殺してしまう。

イシュタルを失ったことで今度は地上が恵みを失い、荒廃する。エアはあわてて部下に命の草と命の水を持たせ、冥界に行かせた。彼らはエレシュキガルを言いくるめ、イシュタルの遺体を渡してもらって彼女を蘇らせる。ただ、イシュタルが地上に戻るには誰かを身代わりに冥界に送らなければならなかった。

イシュタルが自分の治めるウルクの街に戻ると、その玉座には夫のドゥムジが座っていた。ドゥムジはイシュタルの身に起きたことを案じる様子もなく、激怒したイシュタルは自分の身代わりとして夫を冥界に叩き込んでしまった。

ところが、イシュタル一人では夫婦の営みができず、地上に充分な恵みをもたらすことができない。悩んだ末、イシュタルはドゥムジが一年の半分の間だけ冥界で過ごすという形で話を収めたという。一説にはドゥムジの妹（姉とも）のゲスティナンナが兄を気遣い、半年間は自分が身代わりになることでドゥムジを地上に戻してほしいと頼み込んだとも言われている。

イシュタルの冥界行

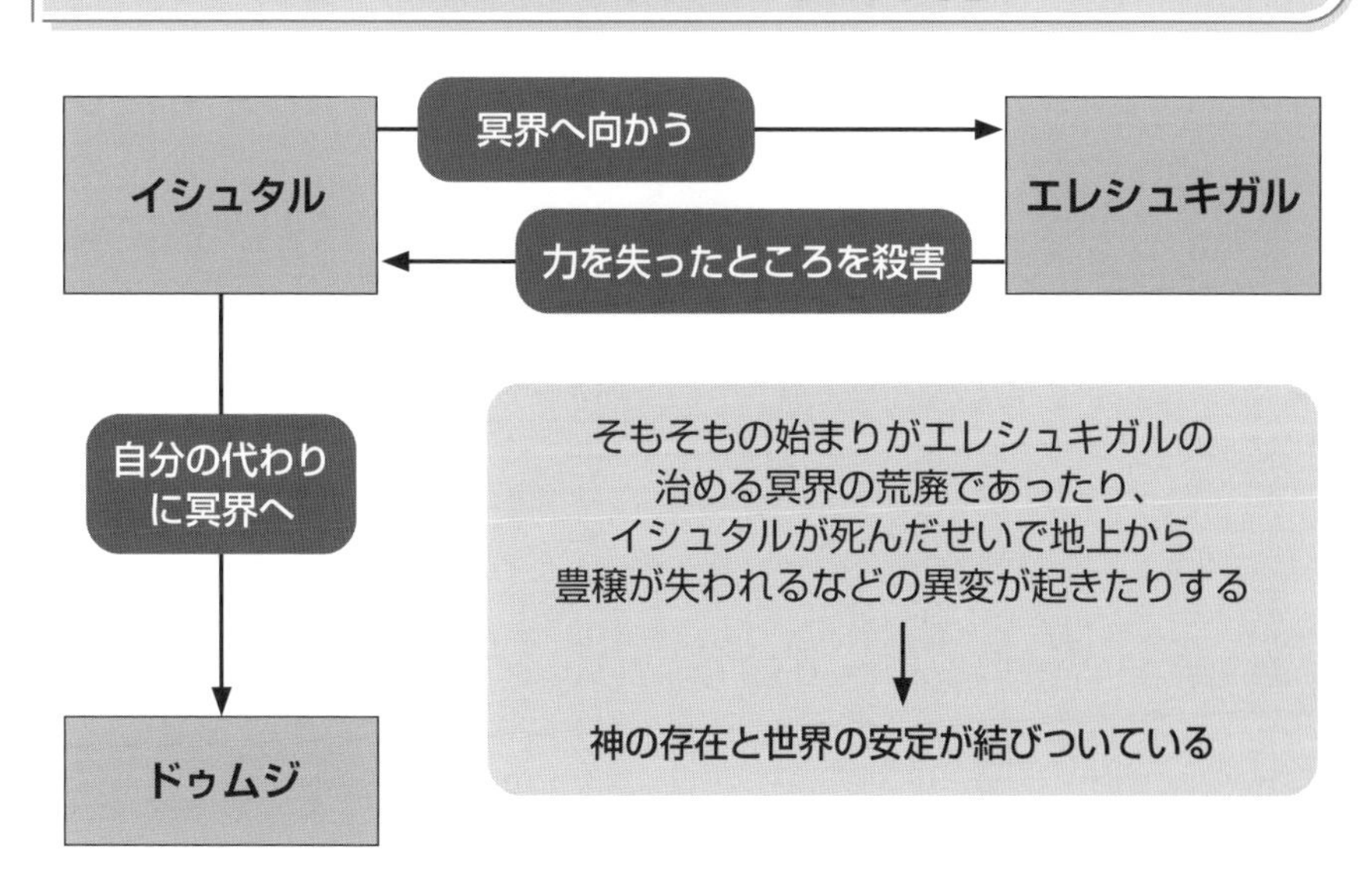

神々が人間と同じように死ぬ運命にあるのはメソポタミア神話の最大の特徴だ。パンを確保する手間を省くために人間を生み出したという展開は興味深い。これは人間と機械の関係にも通じるだろう。

そういう意味ではＳＦ的な世界観にもメソポタミア神話のテイストを取り入れることもできるかもしれない。より高度なロボットを作り、彼らが社会に進出した結果、それを作り出した研究者たちが神として崇められるような世界を設定したらどうなるだろう。強力な兵器を開発できる研究チームはマルドゥークのように、ロボットを滅ぼそうとする旧勢力との戦いに巻き込まれるのだろうか。人間たちのリーダーがティアマトのように研究者たちを倒そうとするのだろうか。

メソポタミア神話ではマルドゥークが勝利し、人間の時代が訪れている。だが、この結果も必ずしも踏襲する必要はない。ティアマトが勝ち、旧世代の手に世界が戻っても良いだろう。あるいは、既に戻った後で再び抵抗勢力が生まれたという展開も考えられる。神話をモチーフにした近未来世界の物語というのも新鮮味があって良いのではないだろうか。

メソポタミア神話の重要キャラクター

◇マルドゥーク

　メソポタミア神話の主神。神々の中でもとりわけ強大な力を持ち、若い神々が古い神々に滅ぼされそうになった際、主神の座と引き換えに危機を救った。その際撃退したティアマトの体から世界を、キングーの血から人間を生み出している。マルドゥークを奉るバビロンはこの地を代表する大都市となり、後のバビロニアの首都として繁栄する。

◇イシュタル

　メソポタミア神話でもっとも名を知られた愛と豊穣の女神。強大な女神であるとともに情熱的な女性としての一面も覗かせる。また、金星の神、戦いの加護を与える女神でもあり、逆らう者すべてを滅ぼすとも言われている。

　古代の巨大都市バビロンには彼女の名を冠した「イシュタル門」があり、それは美しい装飾が施された彩釉煉瓦で作られていたという。さらに彼女の呼び名の一つ、アシュトレト＝アスタロトは占いの道具であるタロットの語源になったという説もある。

　また、彼女は『ギルガメシュ叙事詩』でも大きな役割を果たす。ギルガメシュに求愛し、これを断られるや次々と嫌がらせをしてくるのだ（神々の差金であったともされる）。この彼女の振る舞いがギルガメシュの親友・エンキドゥの死やギルガメシュの不死探索へつながっていくことになる。

◇エア

　メソポタミア神話における知恵の神。マルドゥークの父であり、博識で思慮深い神とされる。人間に医術を始めとした技術を伝え、労働に従事できるよう教育した神でもあった。神々の相談役を務めたり、人間を災厄から守ったりと、神話の端々でその存在感を見せつけている。

◇ティアマト

　メソポタミア神話の中で原初の神とされる一柱。夫アプスーと共に神々の子孫を生み出した。慈悲深く、子どもたちを大切にしていたが、古い神々と若い神々との対立の中でマルドゥークと戦い、敗れてしまう。その体は世界創造の礎となった。

◇ギルガメシュ

メソポタミア神話最大の英雄。親友のエンキドゥと冒険をくり広げるが、エンキドゥの死によって死への恐怖にかられ、不死を求める旅に出る。しかし、その願いは叶わず、命のはかなさを知って旅を終えた。

メソポタミア神話のエピソード

◇アンズー神話

神々と世界のすべての定めが書かれた初版を天命のタブレットという。これを手にした者には世界を統率する権威が与えられ、当初はティアマトから息子のキングーに託された。この天命のタブレットと怪鳥アンズーをめぐる物語が「アンズー神話」である。

ティアマトの死後、天命のタブレットはめぐりめぐって嵐の神エンリルの手に渡った。アンズーはエンリルが水浴びをしている隙に天命のタブレットを盗み出す。神々はアンズーの討伐を試みるが、天命のタブレットには敵対する者を粘土に変えてしまう力が備わっていたため、皆尻込みしてしまう。

そんな中、エアは戦いの神ニヌルタを説得し、アンズー討伐に向かわせる。しかし、アンズーは天命のタブレットによって飛んでくる矢をはね返すことができた。ニヌルタはたまらず、神々に指示を仰ぐ。

エアはアンズーに七つの悪風をぶつけ、言葉を封じる作戦を授けた。その隙に翼を斬り落とし、矢を放てと。ニヌルタは言われた通りに戦い、アンズーを打ち倒したという。

ちなみにエアの言った七つの悪風とは悪風、つむじ風、暴風、四倍強い風、七倍強い風、突風、比類なき風の七つで、マルドゥークがティアマトの口に叩き込んだ嵐と同じものだとされている。

◇命のパンと命の水

エアはある時、アダパという賢者を生み出した。アダパは食料の調達や祭儀の確立などで豊かな知恵を発揮し、人々を助けた。しかし、アダパが漁に出た時南風が吹いて舟を沈めてしまった。アダパは南風の翼を折り、その地には南風が吹かなくなってしまう。

天空神アヌはこれを聞き、アダパを呼びつける。話を聞いたエアはアダパに、アヌの宮殿で「死のパン」と「死の水」が出されるが、決して口にしてはならないと告げた。

アヌのもとに赴いたアダパはエアに言われた通り、出されたパンと水を断る。ところが、それは「命のパン」と「命の水」で、口にした者に永遠の命を与えるものだった。こうして人間は永遠の命を得る機会を逸してしまったとされている。

◇エレシュキガルとネルガル

神々が宴を開いた時、冥界の女王エレシュキガルにも話が届いた。しかし、エレシュキガルは冥界を離れるわけにはいかない。このため、彼女は神々のもとへ使者を遣わし、自分の分のごちそうを持ってこさせることにした。

神々はエレシュキガルの使者を丁重に迎えるが、その中でネルガルだけが敬意を表さなかった。エレシュキガルは謝罪を要求し、神々は彼女の怒りを恐れてネルガルを冥界に送る。するとネルガルは打って変わって礼儀正しくエレシュキガルに接し、彼女を魅了してしまう。そうしておきながら無断で冥界から帰っていった。

もてあそばれたと感じたエレシュキガルはさらに怒り、ネルガルを引き渡さなければ神々に災いをもたらすと脅す。こうしてネルガルは再び冥界に向かうのだが、今度は帰る見込みがなかった。そこでネルガルはエレシュキガルの髪をつかんで玉座から引きずり下ろし、本性をあらわにする。エレシュキガルは命乞いし、彼の妻となって冥界のすべてを譲り渡すと約束した。こうしてネルガルは冥界の王となり、その野心を満たしたという。

◇アダド、バアル、ベルゼブブ……

『ギルガメシュ叙事詩』の洪水の場面にはアダドという神が登場する。これは雨や嵐などを司る神であった。

このアダドとしばしば同一視されるのが、メソポタミア近隣のシリア・パレスチナで崇拝されていた豊穣の神、また雨や雷の神バアルである。

バアルの活躍は特に都市国家ウガリットの神話に見ることができる。この神話の最高神はエルという名であるが、あまり活躍しない。代わって主人公的立場に立つのがエルの子であるバアルだ。成長につれて天の世界で中心的な存在になっていく彼に対して、弟のヤム（海神とも、混沌の神とも）が反旗を翻した。バアルは捕らえられ、奴隷に落とされてしまう。しかし職人によって助けられた彼は二本の棍棒を作ってもらい、弟に戦いを挑む。バアルの一撃目は防がれたが、二撃目がヤムを打ち倒したのだった。

その後、バアルは死の神モトに挑戦している。これもやはりバアルの兄弟であった。ヤムには勝ったバアルだが死の力は凄まじく、宣戦布告した直後にあっさり冥界に連れ去られてしまう。バアルは空、特に雨を象徴する神のため、彼が地上からいなくなれば雨が降らなくなる。これでバアルの危機を知り動いたのが妹のアナトだ。彼女は戦争、豊穣、そして性行為を司る神である（メソポタミアのイシュタルと同一視される）。兄を追って冥界に赴くや、モトを殺し、その死体をわざわざ臼で粉々にしてそこらに撒くという残酷な行為までした。ともあれ、アナトの活躍でバアルは救い出され、地上に雨が戻ってきたのである。

こうして人々に崇拝されたバアルであるが、ある宗教で愛された神が別の宗教では邪悪な、排除すべき対象として見られるのはままあることだ。イスラエルのユダヤ人にもバアル信仰やその習慣が入ってきて、宗教者たちにはかなり問題視されたようである。彼らはバアルを「ハエの神」を意味する「バアル・ゼブル」と呼んだ。生贄にたかるハエの神なのだ、と。

当然、この考え方はキリスト教にも受け継がれた。新約聖書において、神に逆らい人を堕落させる悪魔はさまざまな名で呼ばれるのだが、その一つが「ベルゼブブ」。明らかにバアルに由来する名前だ。ここからやがて、「ハエを象徴として持ち、かつては偉大な天使でありながらルシファーと共に神に反逆して悪魔に堕とされたベルゼブブ」という設定が生まれたとされている。神であった過去を持つ悪魔や魔物のモデルケースとして大いに参考になるだろう。

⑳ケルト神話

とある島に流れ着くさまざまな種族の神話

ケルト神話はアイルランドとブリテン島（イギリス）を中心に伝えられる、非常に神秘性の高い神話だ。元来、ケルト文化は北ヨーロッパに広まっていたとされている。しかし、ローマ帝国の進出によって追いやられ、アイルランド島を中心に限られた地域で伝えられるだけとなってしまった。

ヨーロッパで伝えられたケルト文化は「大陸のケルト」とも呼ばれる。アイルランド島のそれは「島のケルト」だ。大陸のケルトに関しては大部分が失われ、詳しくは分からないという。ローマ帝国の影響もあったが、ケルトの人々が文字を使うことを好まず、口伝による伝承にこだわったことも一因のようだ。結果としてケルト神話はまとまりのない散発的な神話群になってしまったことも否めないだろう。現在、ケルト神話という言葉で表されるのはほとんどの場合が島のケルトの物語であるようだ。

ケルト神話には創造神話がない。物語の舞台であるエリン（アイルランド）は最初から存在しており、そこに訪れる多種多様な種族と、彼らによる主権争いから神話は始まっている。一説には神々の国も存在しないようで、すべてはエリンの中で起こる出来事とされているそうだ。

ケルト神話の魅力の一つはその神秘性である。前述の通り、ケルト神話には多種多様な種族が登場し、それぞれに特殊な力を持っていたり、特異な姿をしていたりする。彼らによる戦いもくり広げられ、英雄や魔王、神々、神の力を秘めた武具などが活躍する。独自の固有名詞は強い存在感を示し、現代の作品にも取り入れられていることが多い。神話の中にはどこかで聞いたような言葉が散見されるだろう。

また、イングランドの伝説的な英雄アーサー王をめぐる物語もケルト神話に近しいものとして語られるこ

ケルト神話

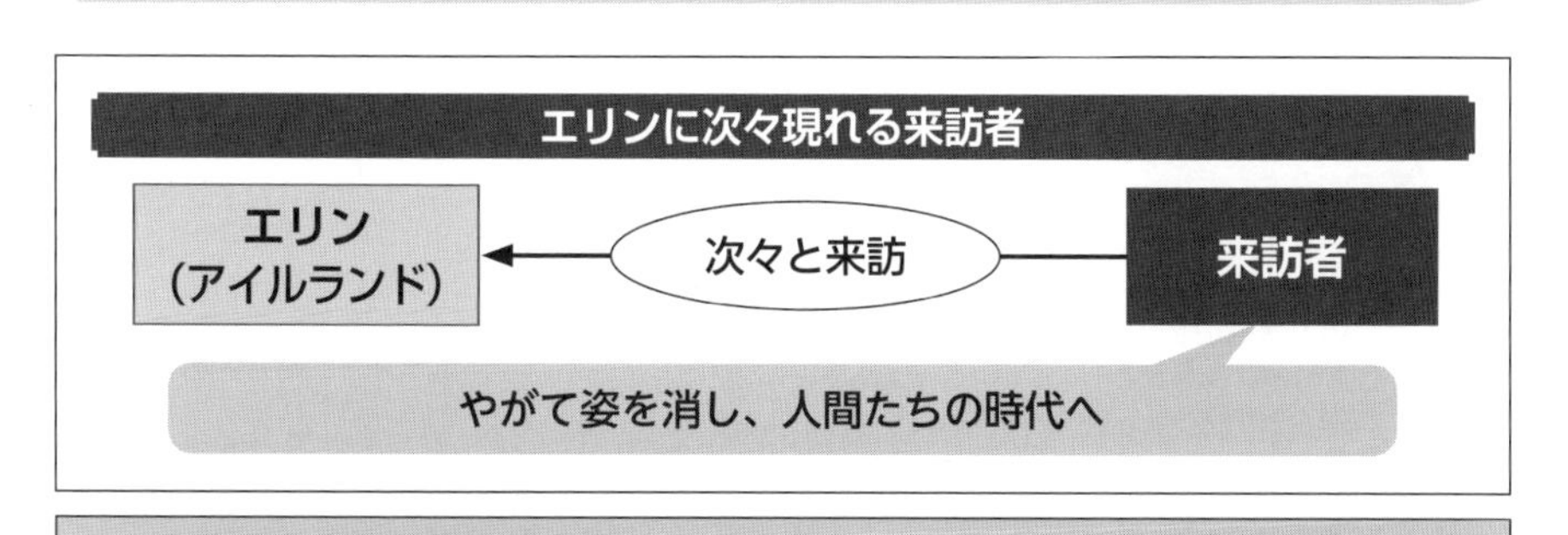

とがある。アーサー王自身は紀元後の人物とされ、厳密には神話ではないのだが、聖剣エクスカリバーや聖杯探索、魔導師マーリンと魔女モリガン、円卓の騎士などさまざまな要素が絡み合い、キャラクター同士の裏切りやラブロマンスがくり広げられる魅力あふれる物語として親しまれ、これまでも多くの作品のモチーフとして活用されている。

ケルト神話の雰囲気を感じさせる物語として、こちらも押さえておきたいところだ。

ケルト神話のあらまし

エリンに最初に現れたのはヴァン族だ。彼らは三人の戦士と五十人の女性とされる。世界中を襲った大災害（大洪水とされる）から逃れるため、西の果ての島エリンに渡ってきたのだそうだ。

しかし四十日後、エリンも洪水に襲われてヴァン族は流されて全滅してしまう。そんな中、フィンタンという男性だけが転生した。彼はこの後、五千年にわたって転生をくり返してエリンの歴史を語り継ぐ存在となる。

次にエリンにやってきたのはパーホロン族だ。二十四人ずつの男女として上陸した彼らはエリンの土地を耕し、繁栄していった。酒や法律、各種の制度などを創り上げたのは彼らだとされる。

そのパーホロン族を、北から入植したフォーモール族が襲撃した。フォーモール族は怪物のような姿をした侵略者で、この時は脚無しキッホルという人物が一本腕、一本足の異形の兵士を率いて襲来したとされている。パーホロン族は彼らを撃退し、北に追い返したのだが、その翌日に疫病の大流行が起こって全滅してしまった。

続いて、たった九人でエリンにやってきたネメズ族が現れる。勇敢な戦士だった彼らはフォーモール族と戦いながら勢力を拡大し、八千人を超えるまで発展する。ところが、そこで再び疫病が発生し、ネメズ族は大打撃を受けた上、フォーモール族の支配下に降る結果となってしまった。重税を課せられたネメズ族はやがて反乱を起こし、フォーモール族の王コナンを倒す。だが、もう一人の王モルクに反撃され、からくも生き残った三十人はエリンを脱出したという。

続いてフィル・ボルグがやってくる。彼らはフォーモール族と姻戚関係を結び、その襲撃を避けたそうだ。フィル・ボルグによってエリンはアルスター、コナハト、レンスター、マンスター、ミーズの五国に分かたれ、共存することになった。

その次に現れたのが女神ダヌの血族と言われるトゥアハ・デ・ダナンだ。彼らはエリンで唯一の神々の種族だったとされている。卓越した魔法の力を持ち、ケルト神話の中心的な存在になる種族だった。

フィル・ボルグはトゥアハ・デ・ダナンを侵略者とみなし、両者はモイ・トゥラという平原で激突する。「モイ・トゥラ第一の戦い」だ。フィル・ボルグの王エオヒドは戦死し、戦いはトゥアハ・デ・ダナンの勝利に終わるが、彼らも王ヌァザが負傷してしまう。

ヌァザは王の座を追われ、ブレスが新しい王となる。しかしブレスはフォーモール族との混血で、フォーモール族におもねる暴君となった。トゥアハ・デ・ダナンはフォーモール族からの重税に苦しめられる。そこで詩人の神コリブレはブレスをおとしめる歌を歌い、人々に決起を促した。こうしてブレスも退位すること

移り変わる時代

アイルランド（エリン）に現れたさまざまな種族

①**ヴァン族**：洪水を逃れてやって来るも……
↓
②**パーホロン族**：大地を耕し、繁栄する
↓
③**フォーモール族**：怪物の一族。他の種族と争う
↓
④**ネメズ族**：フォーモールと戦うも、最後には脱出
↓
⑤**フィル・ボルグ**：フォーモールと共存する
↓
⑥**トゥアハ・デ・ダナン**：神々の種族で、激しく戦う
↓
⑦**ミレシア族**：後の人間の祖になる

になり、彼はフォーモール族を頼る。

フォーモール族の王は見るものすべてをなぎ払う邪眼の持ち主バロールだった。バロールの軍勢の前にトゥアハ・デ・ダナンは苦戦する。そこに現れたのが光明神ルーグだった。

ルーグは万能の神でもあった。傷が癒えた王ヌァザとルーグに率いられ、トゥアハ・デ・ダナンはフォーモール族との決戦に臨む。ルーグは狙った的を外さない魔槍ブリューナクを投げつけ、邪眼ごとバロールの頭を貫いた。戦いの女神モリガンの祝福もあり、トゥアハ・デ・ダナンはフォーモール族を駆逐する。これが「モイ・トゥラ第二の戦い」だ。こうしてトゥアハ・デ・ダナンはエリンの統治者としての地位を確立した。

しかし、トゥアハ・デ・ダナンにも最後の時が訪れる。最後にエリンにやってきたのは冥界の神ビレの子孫とされるミレシア族だった。彼らの前にトゥアハ・デ・ダナンは敗れ、永遠の若さの国ティル・ナ・ノーグへ落ち延びることとなった。トゥアハ・デ・ダナンの体は徐々に小さくなり、やがて妖精のようになって

消えてしまったという。このミレシア族が現代人の祖先とされているようだ。

　この後、エリンにはアルスターの英雄クー・フーリンや最強フィアナ騎士団の団長フィン・マックール、伝説の王アーサーなどが登場する。その一方で王女エーダインとミディールの恋物語や美女ディアドラの悲劇など、幻想的な物語も紡がれていった。なお、クー・フーリンとフィアナ騎士団の物語は本書の「英雄神話」の項で扱っているが、アーサー王伝説については割愛した。たしかにケルト神話の影響を強く受けてはいるものの、キリスト教的な要素も強いからだ。詳しくは本書の姉妹編である『物語づくりのための黄金パターン　世界観設定編③中世ヨーロッパのポイント24』を参照いただきたい。

　エリンという限られた地域でありながら、さまざまなキャラクターやエピソードによって広がりを見せる物語はケルト神話の真骨頂であり、作品を作る上で大いに参考になることだろう。正確な記録が失われ、過程や結末が曖昧になっている話もある。逆に言えば、それだけ想像の余地があるということだ。

　ケルト神話では順にエリンを訪れた各種族だが、もし一堂に会したらどうなるだろうか。現代社会やファンタジー世界でそんな争いが展開されても良い。ルーグの魔槍ブリューナクとアーサー王の聖剣エクスカリバーの直接対決が起こるのも面白そうだ。妖精や魔女、幻獣といった神秘の存在もケルト神話にはたびたび登場する。ファンタジー作品によく用いられるモチーフだが、現代ものやSF的な世界観に持ち込んでも魅力を放つだろう。古式ゆかしきケルトの魔法と近代兵器のぶつかり合いは見ごたえのある戦いになりそうだ。

　ケルト神話の幻想的な雰囲気は唯一無二のものだ。上手く取り入れて、作品に彩りを添えられるようにしていきたい。

ケルト神話の重要キャラクター

◇ルーグ

モイ・トゥラ第二の戦いの最大の英雄にしてトゥアハ・デ・ダナンの最高神、光明神、太陽神ともされる神。フォーモール族の魔王バロールを倒し、トゥアハ・デ・ダナンをエリンの支配者に押し上げた。実はルーグはバロールの孫で、バロールは孫に殺されるという予言を受けていたという。このためルーグの母エスリンは幽閉されていたのだが、彼女はトゥアハ・デ・ダナンの治癒神キアンとの間にルーグを生み、海神マナナン・マク・リールにひそかに託した。こうしてルーグは成長し、バロールを討つ機会をうかがっていたとされる。

◇**ダグダ**

トゥアハ・デ・ダナンの父神。豊穣の神としても知られる。ダグダは大釜と二頭の豚を所持していた。大釜は無限の食料を生み出し、豚は一頭を焼いている間にもう一頭が育ってなくなることがなかったという。また、生と死を司る神でもあり、手にした棍棒は一振りで九人を殺し、逆に振ると同じ人数を蘇らせたそうだ。

モイ・トゥラ第二の戦いの直前、ダグダはルーグからフォーモール族の足止めを頼まれ、敵陣を訪ねた。フォーモール族は策略をめぐらせ、五十人分もの料理をダグダに差し出す。そして完食しなければ殺すと脅しつけた。

ところがダグダは眉一つ動かさず、料理をぺろりと平らげてしまった。そうして悠々と陣営に戻るばかりか、途中でフォーモール族の女性を誘惑し、トゥアハ・デ・ダナンへの助力を約束させてしまったという。

◇**バロール**

フォーモール族の魔王。見るものすべてをなぎ払う邪眼を持ち、そのまぶたは部下が四人がかりでないと持ち上げられないほど重かったという。強大な王としてトゥアハ・デ・ダナンを苦しめたが、孫のルーグに敗れて殺される。

◇**ブリジッド**

ダグダの娘で豊穣を司る春の女神。ケルト神話に根ざす信仰の中で絶大な人気を誇り、火や光の女神、妊婦の守護女神、春の訪れを告げる女神などさまざまな形で慕われている。

トゥアハ・デ・ダナンの暴君ブレスの妻であり、ブレスは彼女を手に入れたことで王としての権威を確立したとも言われている。

◇アリアンロッド

運命を司り、時の車輪を回すとされる女神。この車輪は戦死者を月に運び、その輝きから生まれる虹で地上の暴力を払うという。

アリアンロッドはマースという王に仕えることになっていた。ところがマースの用意した魔法の杖をまたいだ時、突然子どもを生んでしまう。アリアンロッドはこれを恥じ、マースのもとを去った。

その子スェウに対し、アリアンロッドは武器を持ってはならない、妻をめとってはならないなど、各種の試練を課す。しかしスェウはそれを乗り越えて成長し、やがてマースの後継者となったという。

ケルト神話のエピソード

◇エーダインの求婚

トゥアハ・デ・ダナンの王ミディールはある時、養子のオイングスの館で負傷してしまう。オイングスから償いをすると言われたミディールは、エリンでもっとも美しいとされたエーダインを妻にしたいと答えた。しかし、ミディールの妻ファムナハはこれに怒り、エーダインを蝶に変えてしまった。それでもエーダインはミディールのそばを離れないため、ファムナハは今度は風を起こしてエーダインを吹き飛ばしてしまう。エーダインはオイングスのもとに運ばれた。

オイングスとエーダインは愛し合う。だが、これを聞いたファムナハは再び風でエーダインをどこかに飛ばしてしまった。オイングスは激怒し、ファムナハの首を斬る。しかし、エーダインはどこにも見つからなかった。彼女はアルスターの戦士エーダルの妻に飲み込まれ、その娘として転生したのだ。

やがてエオヒドという王がエーダインを妻にする。そこにミディールが訪ねてきた。ミディールはエオヒドとチェスをして勝ち、エーダインをもらうと告げる。そして厳重な警備をかいくぐり、エーダインと二人で白鳥になって飛び去った。

実はエーダインが転生した時、物語の中では千年が経過している。ミディールは千年もの間エーダインを探し続け、彼女と結ばれたのだ。

◇ディアドラの悲劇

アルスターの王コンホヴァルはディアドラという美女が生まれ、アルスターが悪い運命に襲われると予言される。人々からディアドラを殺すように声が上がったが、コンホヴァルは自分がディアドラを引き取り、誰の目にもふれさせずに育てることにした。

成長したディアドラはある時、乳母に「烏のような髪、血のような頬、雪のような体」を持つ男性に会いたいと言う。乳母がノイシウという青年がそうだと答えると、ディアドラは城を抜け出して彼に会いに行った。ディアドラはコンホヴァルに嫁がされる運命を受け入れられず、ノイシウに自分を連れて行ってほしいと頼む。最初はためらうノイシウだったが、兄弟たちと相談してディアドラの願いを叶えることにした。

ディアドラたちはアルバ（スコットランド）のピクト王のもとに逃げる。ノイシウは優秀な戦士で、ピクト王に厚遇された。しかし、コンホヴァルはこの話を聞きつけてピクトに猛攻をしかける。ピクト王もディアドラを召し上げようとしたため、ノイシウたちは荒野に砦を築いて自活するようになった。

アルスターでは彼らへの同情論が湧き起こり、帰還を認めるべきだという意見が大勢を占める。コンホヴァルもこれを受け入れ、ノイシウたちはアルスターに戻ることができた。

しかし、これはコンホヴァルの罠だった。ノイシウは護衛と引き離されたところを襲われ、コンホヴァルの部下エオガンによって殺されてしまう。ディアドラは捕えられ、そのままコンホヴァルの妻にされた。

それから一年の間、ディアドラは一度も笑うことがなく、食事も睡眠もおろそかにし、ひざに埋めた顔を上げようともしなかった。いつしか彼女は「悲しみのディアドラ」と呼ばれるようになる。

ある時、コンホヴァルはディアドラにもっとも憎い者は誰かと尋ねた。ディアドラがコンホヴァルとエオガンの名前を挙げると、コンホヴァルはディアドラにエオガンの妻となるよう命じる。

翌日、ディアドラはコンホヴァルとエオガンに挟まれて馬車に乗った。そして前方に大きな岩が見えてくると、馬車から身を躍らせて岩に頭を打ちつけ、死んでしまった。

その後、ディアドラとノイシウの埋葬された場所からはイチイの木が生え、互いの枝を絡ませ合った。この枝はしっかりと結びついて、どうやっても引き離せなくなったという。

◇ケルト神話の異界

ケルト神話を特徴付ける要素の一つとして、「異界」の物語が非常に多いことが挙げられるようだ。人跡未踏の地がもはや宇宙か深海にしかないような現代と違い、昔はありとあらゆるところに人がたどり着けない場所や住めない場所があった。

特に本書で扱っているケルト神話（島のケルト）はエリンという島にまつわる物語だ。島に住む人々の隣には、常に海がある。それは異界への入口であり、また異界そのものでもあった。彼らが異界を物語の舞台にするのは当然のことだったのだろう。実際、同じ島国である日本の神話や伝説にも、さまざまな異界が登場するのである。

ヨーロッパでこのような特徴を持つのはケルトだけ、とする説もある。それは彼らが東からやってきて大西洋にたどり着いた人々だからだ。だから彼らは西の海に異界を見る、という。

ここからは具体的な異界の物語を紹介する。

船で父の仇討ちに出たメルドゥーンという若者は、さまざまな島をめぐった。その一つが女人国だ。メルドゥーンはこの国の女王を、仲間たちはその娘たちを、それぞれ妻に迎えて楽しく暮らしたが、三カ月も経つと帰りたくなった。そこで出航するのだが、女王が邪魔をする。彼女の投げた糸がメルドゥーンたちの手に当たって引き戻すのだ。結局、仲間の一人の腕を切り落とすことでどうにか逃げ延びた、という。

女人国については、別の物語もある。ブランという王子の物語だ。白い花をもって現れた美女に誘われたブランがたどり着いたのが女人国である。楽しい時を過ごしてさて戻るということになったところ、女王は「陸へ降りてはいけない」と忠告してきた。その意味は戻ってすぐ分かった。船から降りた男が灰になったからだ。船の上から陸の人々に話を聞くと、数百年の時が過ぎていた。ブランたちはそのまま何処かへ去っ

ケルト神話の異界

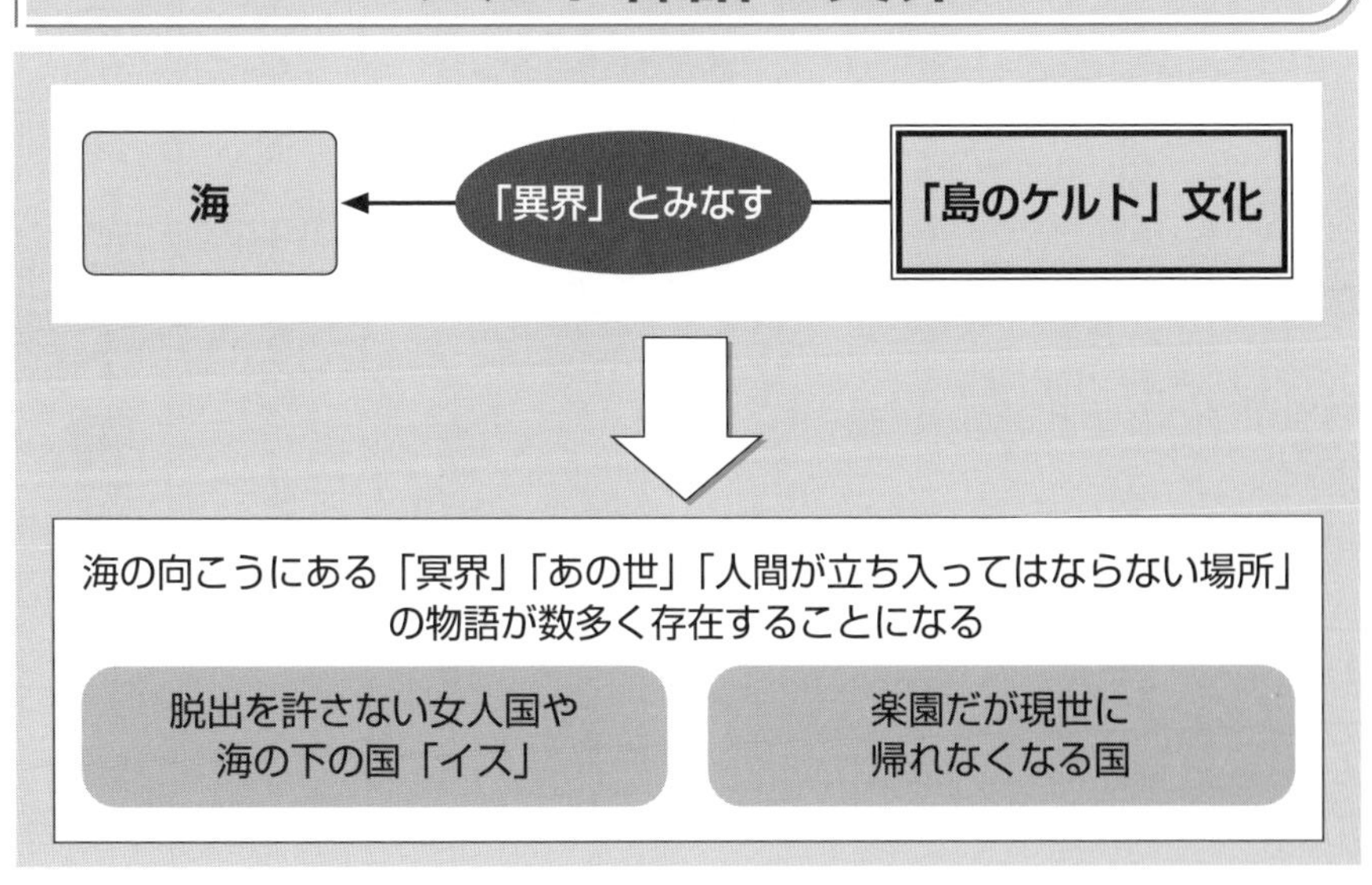

た、という。

フィン・マックールの息子オシーンが過ごした「常若の国（ティル・ナ・ノーグ）」の物語もよく似た要素がある。オシーンは常若の国の女王ニアヴに惚れられ、彼女と共に異界で長く暮らした。数百年の時を経て望郷の思いを抑えられなくなったオシーンは常若の国を離れ、エリンに戻った。この時、ニアヴに「馬から降りてはいけない」と言われていたものの、大きな岩を持ち上げなければいけなくなって困っている男たちに出会った時、うっかり妻の忠告を忘れた。男たちを助けるべく馬から降りた彼の身体はすぐさま歳をとり、死んでしまったのである。

また、海の彼方には「約束の地（ティル・ターンゲリ）」があり、誰もが楽しく暮らせる楽園だとも、魔術を学ぶことができるとも、海神マナナンが支配する地なのだともいう。

一方、海の下にも国があるという。いくつかの物語のうち有名なのは「イス」で、もともとは堤防に守られていたが水門が開かれて沈んでしまった。それでもなお、海の底で人々は暮らしているともいう……。

㉑エジプト神話

砂漠と大河、太陽をめぐる神話

エジプト文明は世界四大文明の一つで、世界最大のサハラ砂漠と世界最長の大河ナイルに囲まれた特徴的な場所に栄えた。

　これだけでも作品のモチーフになりそうな条件だが、さらにここにはピラミッド、スフィンクス、太陽の船、王家の墓、ヒエログリフ、ミイラと数々の謎が遺跡・遺物として残されている。ミステリアスさにかけてエジプト文明の右に出るものはないだろう。

　そんなエジプトで伝えられてきたエジプト神話には一つ、大きなキーワードがある。それが太陽信仰だ。灼熱の砂漠に暮らす人々にとって、太陽は身近で神秘的な存在の象徴だった。夜になると姿を消し、朝には再び東の空に昇る。その姿は死者の復活をイメージさせ、エジプトの人々の信仰の基礎となったと考えられている。ミイラという特有の技術が発展したのも、死者が復活した時のために遺体を保存しておかなければならないと考えられたからだそうだ。

　エジプトの主神ラーは太陽の化身だ。賢王オシリスは死後、復活の末に死者の国を治める存在となった。死者の国には生前の罪を測る掟があり、復活が叶うかどうかはそこで決まるという。死後の復活は人々にとって最大の望みであったとされているのだ。

　エジプト神話では主神の座をめぐって神々の激突も描かれる。他の神話では戦いになることが多いが、エジプト神話では懐柔や策略といった頭脳戦があるところも面白い。女神イシスの立ち回りは力だけが勝利のカギではないことを教えてくれるだろう。

　神話の要素と現実の史跡とを組み合わせると、壮大な謎として後世に残る。エジプト神話はその証となる物語だ。

エジプト神話のあらまし

エジプト神話

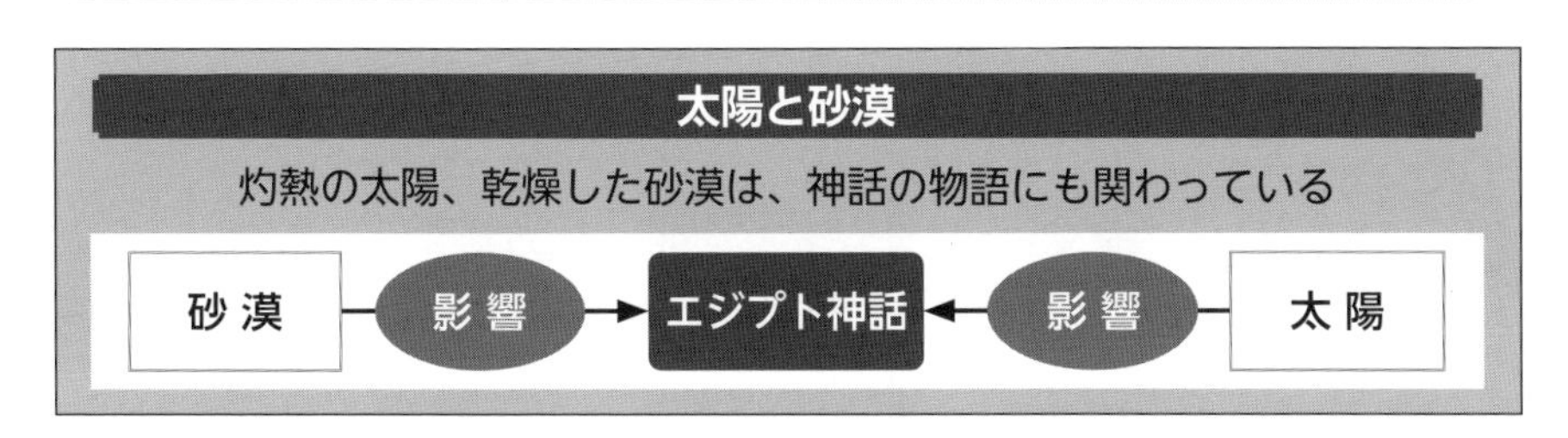

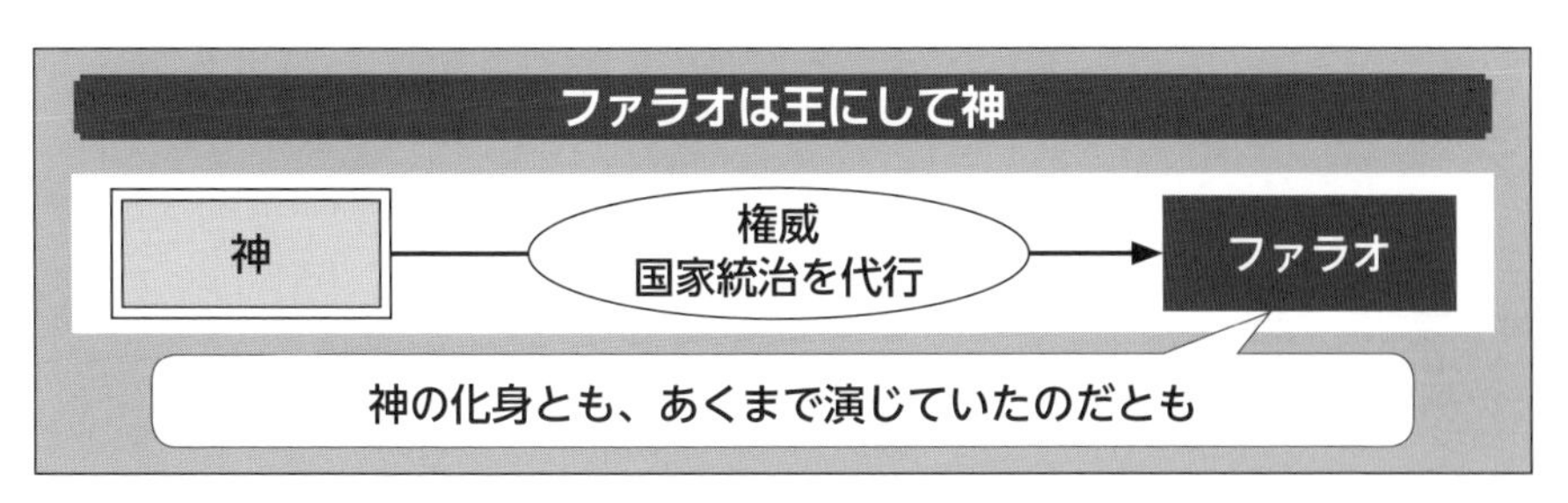

エジプト神話の世界創造はヌウという存在から始まる。原初の宇宙に存在したヌウは泥とも水ともつかない真っ暗な混沌だったとされている。ここから創造神アトゥムが生まれた。

アトゥムはヌウから飛び出し、大気神シュウと湿気の女神テフヌトを生み出す。シュウとテフヌトは最初の夫婦となり、その間には大地神ゲブと天空の女神ヌトが生まれた。

ゲブとヌトにも、夫婦となり子孫を生む役割が与えられる。ところがこの二人はあまりにも仲睦まじく、お互いに抱き合ったまま離れなくなってしまった。このため大地と天空の間のすき間がなくなり、アトゥムですら自由に動くことができなくなる。仕方なく、シュウはゲブとヌトを引き離し、二人は手足だけが世界の端でつながっている状態になった。

アトゥムはゲブとヌトの行いに腹を立て、ヌトが十二の月のいずれにおいても出産できないという呪いをかける。これを聞いた知恵の神トトは月と取引をし、五日間の閏日を手に入れた。こうして一年は三百六十と五日になったとされている。ヌトはこの五日間を使ってオシリス、イシス、セト、ネフティスを生んだ。

　これがエジプト神話における最古の創世神話とされている。アトゥムと彼の子孫である八人の神々は当時のエジプトで中心的な都市の名前からヘリオポリス九柱神と呼ばれた。

　やがてアトゥムは、別の信仰から生まれたとされる太陽神ラーと同一視されるようになる。

　ラーは毎日、旅をする存在と考えられたそうだ。朝、ヌトの体から出て東の空に現れ、昼の船に乗って天空を行く。そして西の空に消えると、ラーは夜の国を渡って東に戻るのである。そこには悪蛇アポフィスがおり、ラーの乗る船を飲み込もうと嵐を引き起こす。しかし七人の勇敢な従者がラーを守り、ラーはヌトの体に帰る。これをくり返すのだそうだ。

　続いてエジプト神話ではオシリスの物語が語られている。ヌトの子オシリスはエジプトの王となり、農業や法律、儀礼などを人々に伝えた。穏和で公正なオシリスは名君として慕われたという。妻イシスも貞淑で控え目な良妻の鑑として、女性に粉ひきや機織りなど家事全般の技術をもたらしたそうだ。

　しかし、そんなオシリスに反感を抱く者がいた。弟の嵐の神セトである。エジプト神話最強の戦神でもあるセトにとって、オシリスの統治は生ぬるく、平穏すぎるものだった。セトは兄に代わってエジプトの王になろうと企む。

　ある時、セトはオシリスに棺を贈った（古代エジプトでは礼儀として立派な棺を贈る習慣があったらしい）。オシリスは喜び、サイズが合うかどうか中に入ってみる。その途端、セトは棺の蓋を閉めてナイルに流してしまい、オシリスはおぼれ死んでしまった。

　イシスは喪服に身を包んでオシリスの遺体を探し、地中海沿岸のビブロスでこれを見つけたという。オシリスの遺体はエジプトに持ち帰られ、隠された。

　これを聞いたセトはオシリスの遺体を十四の破片に切り刻んで捨ててしまう。イシスはこれも執念で探し集めた。たぐいまれな魔術の使い手だったイシスはミイラ造りの神アヌビスと共にオシリスの遺体を修復し、これを蘇らせる。これが最初のミイラ作成だったと言われている。

　オシリスはイシスとの間にホルスをもうけた。しか

オシリス、セト、そしてホルス

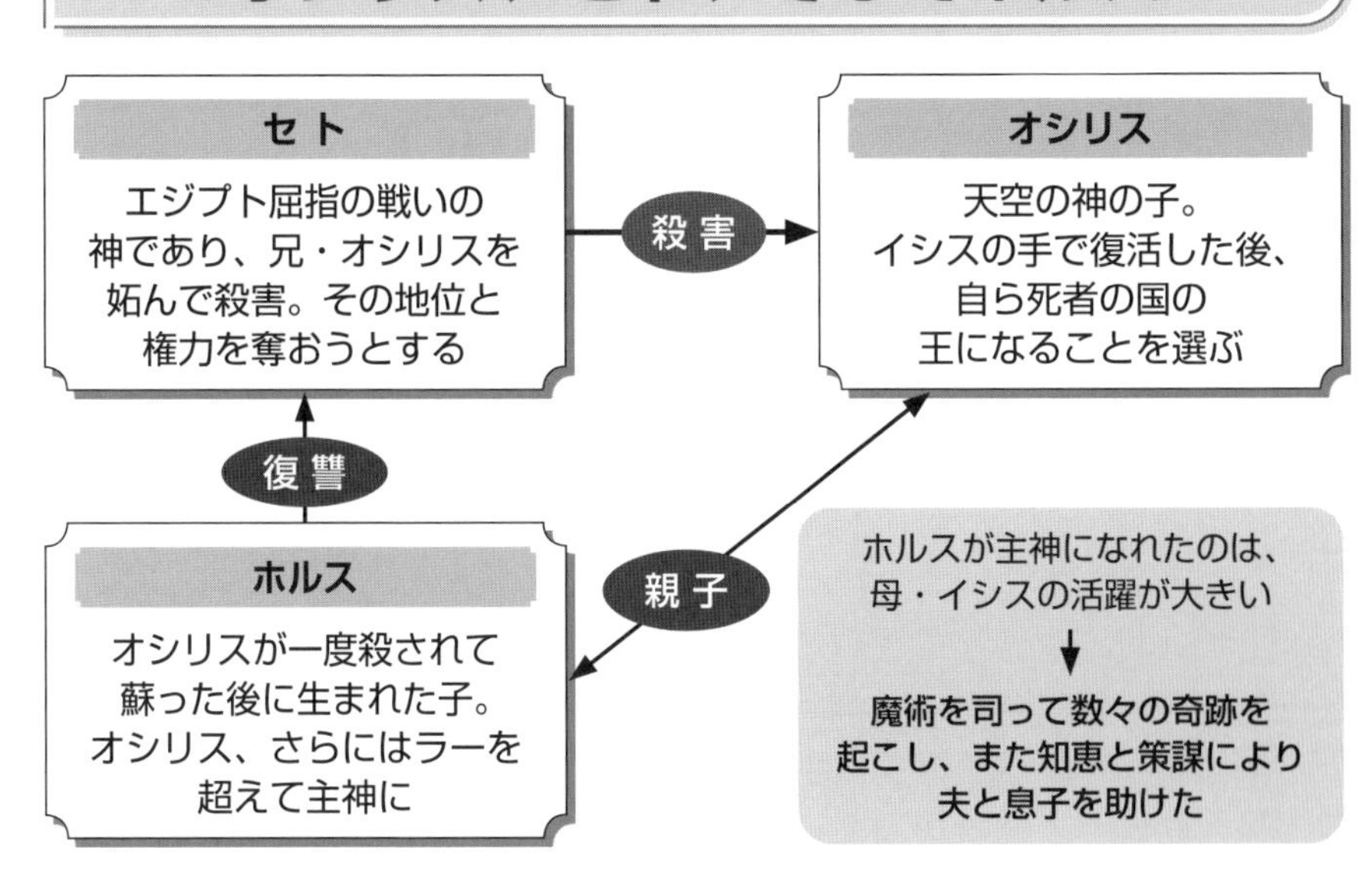

セト
エジプト屈指の戦いの神であり、兄・オシリスを妬んで殺害。その地位と権力を奪おうとする
殺害
オシリス
天空の神の子。イシスの手で復活した後、自ら死者の国の王になることを選ぶ
復讐
親子
ホルス
オシリスが一度殺されて蘇った後に生まれた子。オシリス、さらにはラーを超えて主神に
ホルスが主神になれたのは、母・イシスの活躍が大きい
魔術を司って数々の奇跡を起こし、また知恵と策謀により夫と息子を助けた

し、死者が現世にとどまるのはよくないとして自ら死者の国の王になることを選ぶ。

一方、ホルスはセトに奪われた父の権威を取り戻そうと戦いを挑んだ。この戦いの中、ホルスは片目を失って知恵の神トトに治療された。その結果、ホルスの左目は「月の眼」となり、すべてを見通す魔力を宿したと言われている。セトも傷を負うものの、戦いの決着はつかなかった。

神々はオシリスの後継者としてどちらがふさわしいかを話し合う。ホルスは自分がオシリスの息子であると主張し、セトは死んだオシリスが子どもを残せるわけがないと主張した。セトの根回しもあり、議論は膠着してしまう。しかし、最後にはホルスの主張が認められ、セトの訴えは退けられた。

これにはイシスをめぐる神話がある。神々の会議が行われる際、セトはイシスが同席することを拒んだ。それを聞いたイシスは美しい未亡人に化け、議場の近くで待ち伏せをする。そしてセトが通りかかるとさめざめと泣き出した。

事情を尋ねるセトに、イシスは「夫が死んで息子が受け継いだ家畜を、よそ者が奪おうとする」と訴える。セトは「それは道理が通らないことだ」と憤った。その瞬間、イシスは正体を現し、「お前はお前を裁いたのだ」とセトを一喝した。当然、これは神々の知るところとなり、セトの主張はもはや何の説得力も持たなくなったというのである。

いずれにせよ、ホルスはセトを退けた。失墜したセトは後にラーに拾われ、夜の国を旅するラーの護衛を務めることになる。

そのラーもイシスによって追い落とされる羽目になる。セトの一件が落着すると、イシスは今度はホルスを主神の座につけようと考え始めた。

イシスはラーの通り道に毒蛇をひそませる。ラーは蛇に噛まれ、毒に冒されて倒れてしまった。頃合いを見て看護を申し出たイシスは、ラーに一つの条件を提示する。それはラーの「真の名」を明かすことだった。「真の名」を知る者は、相手の力を自分のものにすることができる。ラーは「真の名」を教えざるを得ず、そのことによってホルスに力を奪われ、主神の座から転落してしまったのだ。こうしてホルスは神々の頂に立ち、光の神として信奉されるようになる。

このように、エジプト神話ではイシスが大車輪の活躍を見せる。女神がこれほど前面に出るのは、他の神話を照らし合わせても異例のことだ。彼女は強い女性、強い母の象徴的な存在になったのである。

エンターテインメント作品でも女性キャラクターは欠かせない存在だ。主人公に守られるはかなげなヒロインも魅力的だが、全員それでは面白みがない。中にはイシスのように強いキャラクターも必要だし、女性キャラクターを主人公にする場合もあるだろう。イシスはモデルにぴったりだ。

また、エジプト神話ではラーからホルスへの世代交代も語られている。神話の中では追い落とされたラーやセトが、転生してイシス、ホルスらに復讐する物語も考えられるだろう。冥界の主となったオシリスは不死の存在だ。妻や息子の危機にどう関わってくるかも気になる。ピラミッドやスフィンクスといったエジプト独自のキーワードを絡めても良いし、「神のミイラ」を求めるトレジャーハンターたちの物語というのも面白そうだ。

遺跡や遺構が多く、広く知られているエジプト神話の特性を生かした作品づくりも読者の目を引くのではないだろうか。

神にして王たるファラオ

エジプト神話について語る時、ファラオの存在を抜きにしては考えられない。エジプトでは王を「ファラオ」と呼ぶ。だがこの王はただ人間たちの上に立つ存在というだけではなく、神でもあると考えられていたのだ。ホルスの子にしてラーの化身、この世のすべての秩序を司るもの。それがファラオだった……というのである。だからエジプトの歴史もまたエジプト神話の延長線上にあるのだとされることもある。

実際のところ、本当にファラオが神そのものと考えられていたかどうかについては諸説があるようだ。一説には、ファラオはあくまで神を演じることで神の役割（秩序の維持）を行っていただけに過ぎない、とも考えられている。

あなたの作り上げる世界にファラオ的な「神にして王たる」キャラクターを登場させる時にどうするかは、好きなように設定して良い。その世界の人々が本当に王は神（の末裔、化身、生まれ変わり……）なのだと信じていても良い。国家の支配と統率は神の役割であるから、神を演じることによってはじめて王になれるのだと考えられていても良いだろう。

エジプト神話の重要キャラクター

◇ラー

エジプト神話の主神にして太陽神。原初の神アトゥムと同一視され、エジプト神話全体の中心的な存在となった。権威ある神として君臨していたが、年老いるにつれて衰えが見られ、やがてイシスの策略によって主神の座を追われてしまう。

◇イシス

オシリスの妻でエジプト神話を代表する女神。卓越した魔術の使い手でもある。オシリスが生きている間は控え目で目立たない存在だった。しかし、彼がセトに殺されてからは神話の主役に躍り出る。オシリスの遺体探しから始まり、すぐれた魔術と知性をもってセトと渡り合うと、最後には主神ラーまで策略にかけて権威を失墜させてしまう。オシリスとホルスに惜しみない愛情を注ぐ良妻賢母である一方、敵には容赦しない苛烈な女性の一面も覗かせている。

◇ホルス

オシリスとイシスの間に生まれた若き神。後に光の神、天空神などと称される。殺された父の無念を晴らすためにセトに挑み、エジプト最強と謳われた相手を退けた強大な力の持ち主。ラーの失墜後、主神の座に納まって神々の世代交代を象徴する。力強い鷹の姿で描かれることが多い。

◇オシリス

エジプトを治めた名君。公正な法律やその運用を伝えたとされる。弟のセトの陰謀によって殺害され、一度は復活するが、その後は死者の国の王となる。そこでも持ち前の公正さを発揮し、死者が復活をするにふさわしい人物か審判を下す役割を担った。

死者はオシリスの前で心臓（魂）と真理の女神マアトの羽根を天秤にかけられる。そこで生前の罪を告白し、天秤が動かなければ復活が許されるが、天秤が傾いたら怪物アーマーンに飲み込まれて二度目の死を迎えるという。

◇セト

エジプト神話最強と称される嵐の神。力強いが粗暴で、周囲からはあまり慕われなかった。オシリスを憎み、彼を殺して王の座を奪おうとする。だが、イシスとホルスの前に敗れ、追放される結果となった。後世には悪神とされ、怒りや暴力、罪、不誠実を象徴する存在になってしまったという。

◇トト

エジプト神話における知恵の神。月の神でもある。豊かな知識と聡明さの持ち主で宇宙の法則を創り出して正確な暦を人々に授けたという。ナイルの氾濫に悩まされたエジプトの人々にとって、暦は文字通りの生命線だった。また、文字（ヒエログリフ）の発明者ともされている。

◇アモン
古代エジプトにおいて神々の王と目された神。男根を象徴として世界を創造する力の神とされていたようだ。都市テーベの守護神となったことからエジプト王国の発達とともに大きな権威を持つようになり、太陽神ラーと習合した存在「アモン・ラー」として世界の創造者、エジプト国家神と見られた。

エジプト神話のエピソード

◇ラーの目
ラーはある時、自分に不敬ばかりをはたらく人間の行いが許せなくなった。そこで彼は自らの目を地上に遣わせる。ラーの目は太陽の火の力を宿しており、女神セクメトとなって人々に襲いかかった。

殺戮に快楽を見出したセクメトは、片っ端から人間を殺していってしまう。ラーはあわてて止めに入るがセクメトはまったく収まる気配がない。そこでラーは血の色に似せた酒を地上に振り撒いた。

セクメトはこれを人間の血と思い込み、浴びるほどに飲んで酔いつぶれてしまう。こうしてラーはセクメトを呼び戻し、人間も滅亡を免れた。夕焼けなどで砂漠が赤く染まるのは、この時セクメトが殺戮した人々の血のせいだと言われている。

◇二人の兄弟の物語
アンプーとバータの兄弟は互いに助け合って暮らしていた。

ある時アンプーの妻がバータを誘惑する。バータは相手にしなかったが、妻はバータが誘惑したとアンプーに告げた。バータはラーの前で無実を主張し、誓いとして杉の谷の木に心臓を吊るす。これを見たアンプーはバータと和解し、バータに何かあった時は心臓を探して生き返らせると約束する。

バータは杉の谷で一人で暮らすようになる。神々は彼をあわれみ、陶工の神クヌムに世界一美しい女性を創らせてバータの妻にした。

しかし、妻はエジプト王に贈り物として捧げられることになってしまう。さらに妻はバータを裏切り、彼の心臓の吊るしてある木を切り倒したため、バータは死んでしまった。

アンプーは約束通り、バータの心臓を探して復活させる。バータは妻に復讐するため、雄牛に変身して妻のもとへ向かった。しかし、妻は王に頼んで雄牛を殺す。再び復活したバータは木に変身したが、これも妻の命令で切り倒されてしまった。

しかし、切り屑になったバータは妻の体にもぐり込み、皇太子として転生する。やがて皇太子は王となり、母を罰した。バータの復讐はここにようやく成就したのである。

◇アテン一神教の時代

ここまで紹介してきたように、エジプト神話は基本的に多神教神話である。しかしある時期、一神教神話に作り変えられようとしていたことがあったのもまた事実だ。その神の名を「アテン」という。

アテンはもともと太陽そのもの、やがて太陽神として知られていた存在であった。だがその権威は国家神（そしてラーと集合して太陽神でもある）アモンには及ばない。そんなアテンに目をつけたのが時のファラオ、イクナートンであった。

彼にとって問題だったのはアモンに仕える神官たちだった。国家神を奉じるその権力と財力は国家の舵取りにさえ強い発言力を持つようになっており、当時のファラオの頭痛の種であったのだ。

神が邪魔なら、神をすげ替えれば良い。そこでイクナートンは「アテンこそが唯一の神なり」と宣言し、アモンを始めとする伝統的な神々の信仰を禁止してしまった。そもそも「アテンに有用」を意味するイクナートンという名前も、この時に「アモンは満足する」を意味するアメンホテプから変更したものであったのだ。

なお、従来信仰されてきた太陽神ラーについては、「ラーはアテンとして復活したのだ」という物語によって説明されたようだ。既に紹介した通り、ラーには王位を追われたエピソードがあるのでちょうどよかったのだろう。

イクナートンは徹底していた。都をテーベから移すべく新たな都市アマルナを建設し、ここをアテン信仰の拠点とした。エジプト各地からアテン以外の神々の痕跡をなくすべくあちこちに刻まれた神の名を削って

アテン一神教の時代

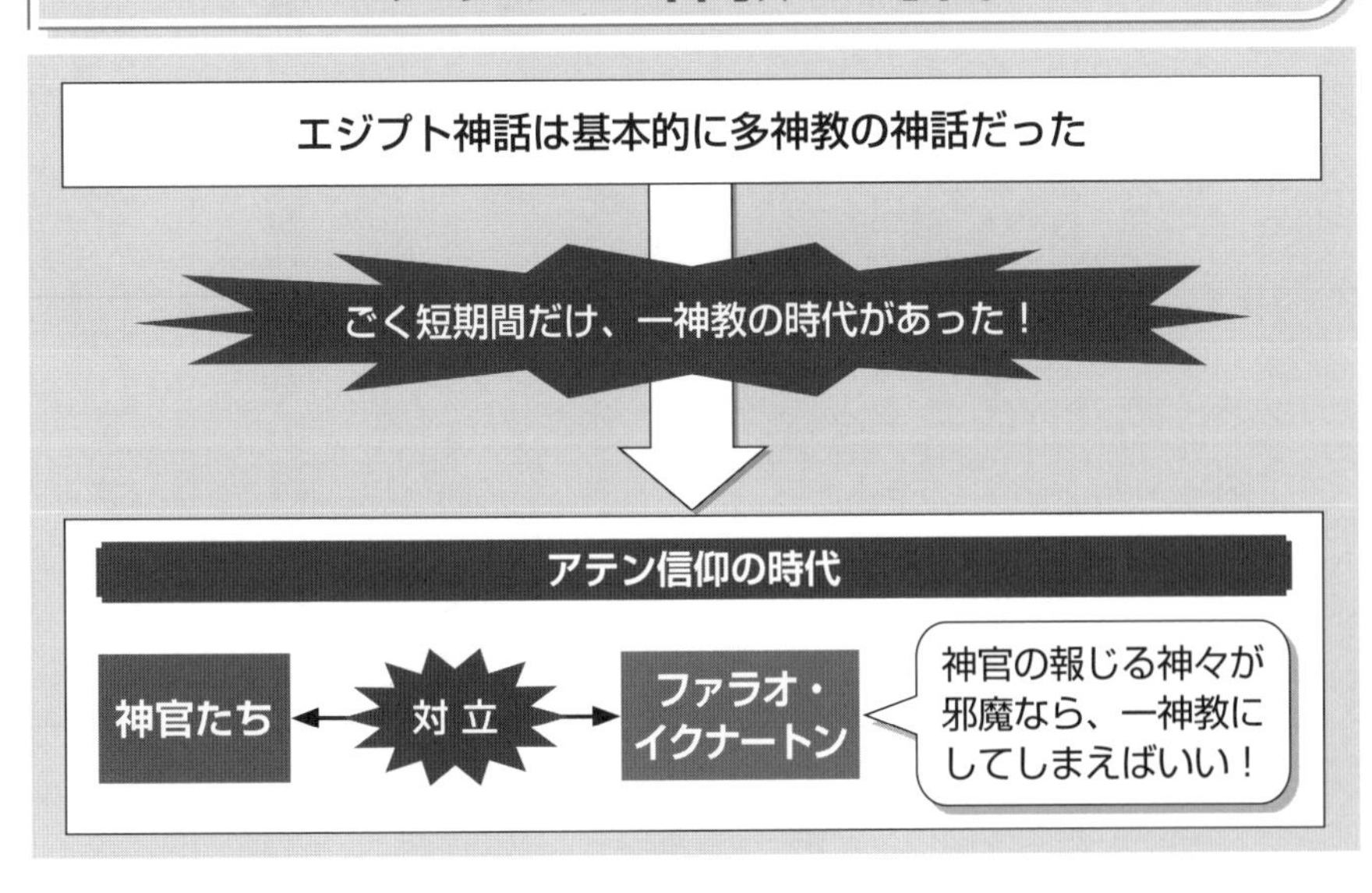

なくしまでしている。

だが、彼は急ぎすぎたのだ。慣れ親しんできた伝統を強制的に捨てさせられたエジプトの人民は強い不満を抱えてしまう。国家を支えてきた官僚たちと対立したことから内政は上手くいかず、外部からはヒッタイトという強大な勢力の圧迫があった。これで国が治められるはずもない。

晩年、イクナートンもアモン神官と和解しての改革の軟着陸を考え始めたようだが、間に合わなかった。イクナートンの死後、その血縁者（腹違いの弟とも）が王となる。彼の代になって都がテーベへ戻り、従来の神々への信仰も復活。アテン信仰は一瞬の異端として忘れ去れてしまう。この王の名がツタンカーメン。黄金の仮面で有名なファラオである。

国家権力と宗教権力の対立、多神教の中から現れる一神教、一時期だけ厚く信仰され、しかし忘れ去られた神……アテンにまつわる物語は、もうそのままスケールの大きなファンタジー作品にできそうだ。背景に神々や、神の名を騙る悪魔の陰謀などを設定するとさらにそれらしくなる。

㉒マヤ・アステカ神話

血塗られた儀式と多くの謎に包まれた神話

マヤ文明は六世紀から十二、十三世紀頃にかけて中米、すなわちメキシコ周辺に花開いた古代文明だ。この文明の滅亡後、マヤ文化を受け継いで誕生したのがアステカ文明だとされている。マヤ神話とアステカ神話は成立年代が違うため、内容にも差異があるが、根の部分は同じ文化を継承しているのだそうだ。

マヤ文明と言えば、現代の科学者でも目をみはるほど正確な暦と高度なマヤ文字で知られているだろう。点在する遺跡や遺物からは古代文明とは思えない水準の知識や技術がうかがえるという。しかし、こうした文化を持ちながら、マヤ・アステカ神話に関する資料の大部分は失われているそうだ。

原因として挙げられるのが大航海時代のスペイン人による侵略である。コンキスタドール（征服者）とも呼ばれた彼らによって中南米の文明・国家はことごとく壊滅した。神話や伝承の類もこの時に破壊されてしまったという。

マヤ・アステカには文明の存続中にも暗い歴史があった。神々に捧げる生け贄の儀式だ。スペイン人の来航当時、アステカの首都テノチティトラン（現在のメキシコシティー）は三十万の人口を抱える有数の大都市だった。しかし、その街の祭壇は生け贄の儀式によっておびただしい血にまみれていたという。

マヤ・アステカ神話では神々が己の身を犠牲にしたり、荒ぶる神々に世界が壊滅させられたりと、激しいエピソードも目立つ。そうした部分から現実の儀式も過酷なものとなったのかもしれない。

太陽を信奉し、不思議な文明の痕跡を残した人々の神話には独特の雰囲気がある。解明されていない謎に自分なりの答えを設定して作品のテーマにするという使い方も可能だろう。不明な点の多い神々だが、逆に想像力を喚起する存在として自由な設定ができると考

マヤ・アステカ神話

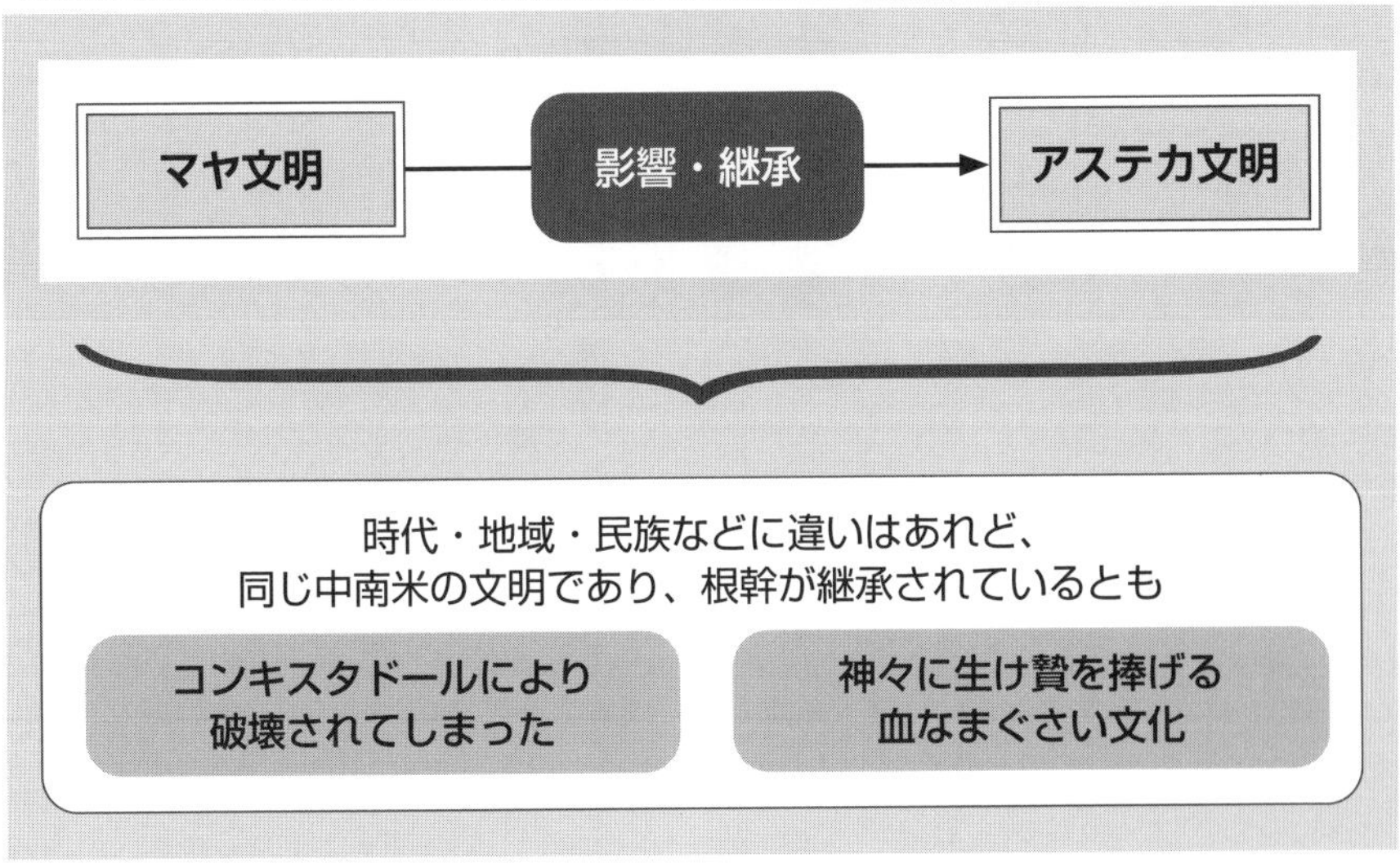

マヤ文明 → 影響・継承 → アステカ文明

時代・地域・民族などに違いはあれど、
同じ中南米の文明であり、根幹が継承されているとも

コンキスタドールにより
破壊されてしまった

神々に生け贄を捧げる
血なまぐさい文化

えよう。

マヤ・アステカ神話のあらまし

マヤ・アステカ神話では、神々の住む天の領域は十三の階層に分かれているという。その十三番目の層にトナカテクトリとトカシウアトルという夫婦がいた。二人の間には赤いカマシュトリ、夜の魔法使いである黒いテスカトリポカ、風の神ケツァルコアトル、無慈悲なウィツィロポチトリが生まれたとされる。

四人は世界の創造に着手する。まず火を創り出し、半分の太陽を創った。続いて天の十三層目の下に新たな天と海の水、海の怪物シパクトリを生み出す。さらにシパクトリから大地を形作った。一年は二十日を十八回くり返し、三百六十日と定めた。後にこの暦には五日間の不吉な日が加えられたとされている。この五日間にはすべての儀式が中止されるしきたりであった。

四人は人間も創造したという。最初の人間はオショモコとシパクトナルという男女だった。神々は男が土を耕し、女が糸を紡ぐという役目を与える。そしてシパクトナルには治療のための占いの力とトウモロコシの種も与えた。

ちなみにマヤ独自の神話では、人間の創造は泥から始まったという。それ以前に生み出された動物たちは神々への感謝を述べることがなかったため、神々は人間を創り出すことにしたのだ。しかし、泥でできた人間は何を言っているのか分からず、水に入ると溶けて崩れてしまった。そのため今度は木で創ったのだが、これには魂がなかった。最後にトウモロコシから創ると上手くいったという。

世界を創造した神々は水の神トラロックとその妻チャルチウトリクエを生み、四つの方位の統治権を与える。この頃になると半分の太陽の光では不充分になってきた。そこでテスカトリポカが太陽のもう半分を創り、その運行を司ることになった。これが第一の太陽（土の太陽）とされている。他に神々は巨人族を創り、ジャガーと名づけられたこの太陽の時代は五十二年が十三回続いたそうだ。

しかし、ケツァルコアトルがテスカトリポカを倒したことで第一の太陽の時代は終わりを告げる。ジャガーは消滅する間際、巨人たちをむさぼり食って滅ぼしてしまった。

ケツァルコアトルは第二の太陽である風の太陽を創り出す。しかし、今度はテスカトリポカの反撃に遭い、風の太陽は人々を吹き散らしたり、風の力で猿に変えたりして再び人類を滅ぼしてしまった。この時代も五十二年が十三回続いたという。

続いてトラロックが雨の太陽を生み出す。この時代は五十二年が七回続いたところでケツァルコアトルによって火の雨にさらされ、終了した。その次にチャルチウトリクエが水の太陽を生み、五十二年が六回続く間、世界を維持した。だが、最後の年に大雨と共に天そのものが降ってきて、人々はすべて魚に変わってしまったという。

こうした反省を踏まえてか、第五の太陽はケツァルコアトルとテスカトリポカが協力して創り出した。この太陽はオリンとも呼ばれている。ケツァルコアトルはさらに冥界の支配者ミクトランテクトリとミクトランシウアトルの夫婦から、それまでのすべての時代に生きていた人間の骨と灰を譲ってもらう。これを材料

人間の創造と５つの太陽

マヤ神話の人間の創造

神々は試行錯誤の末に人間を作っていった

泥で作る → 木で作る → トウモロコシで作る

アステカ神話の５つの太陽

神々の戦いの歴史とともに、５つの太陽が現れては消えた

↓

- **第１の太陽**：神々の戦いで終わってしまう
- **第２の太陽**：風の太陽。人々を吹き飛ばして終わりに
- **第３の太陽**：雨の太陽。火の雨で滅びる
- **第４の太陽**：水の太陽。最後は天から降ってきて終わりに
- **第５の太陽**：ライバルが協力し合って作り出した太陽

にして人間を生み出したケツァルコアトルだが、途中で骨を落として砕いてしまった。破片は集められたものの、組み合わせが適当だったので生まれてくる人間の身長はまちまちになっているのだそうだ。

一方、第五の太陽の創造は難航した。神々の誰かが太陽となってその身を捧げなければならないからだ。怖じ気づく神々の中でテキュシステカトルとナナウトツィンが候補となる。

二人は儀式のために苦行に入った。テキュシステカトルは最高級の樅（もみ）の枝、絶品のガラスの器、非常に清い香など高価な品物を揃える。対してナナウトツィンは粗末な物しか持ってこなかった。ナナウトツィンは神々の中でも最下級の存在で、何の力も持っていなかったようだ。

儀式の日、二人は燃え盛る火の前に連れて行かれる。ここに飛び込むことで太陽になることができるのだ。しかし、その余りの勢いにテキュシステカトルは思わず尻込み、四度挑戦するものの、どうしても飛び込むことができなかった。

そこでナナウトツィンが促されると、彼は恐怖をこ

らえて火の中に飛び込んだ。それを見てテキュシステカトルも後に続く。こうして二人は太陽になり、東の空から昇ってきた。

神々は困った。太陽が二つもあっては地上が焼かれてしまう。そこで兎を捕まえてきて、後から火に飛び込んだテキュシステカトルを叩いた。するとテキュシステカトルの表面に傷ができ、光が消えた。さらに風の神エエカトルがナナウトツィンをふさわしい場所まで運び、ナナウトツィンが太陽、テキュシステカトルが月として空を行くこととなったのだ。もっとも力のなかった神であるナナウトツィンは、世界でもっとも明るく輝く存在になったのである。

マヤ・アステカ文明の遺物に「太陽の石」と呼ばれるものがある。中央の舌を出した顔が有名だが、これがナナウトツィンだと言われているそうだ。また、テキュシステカトルは最初は弱く輝き、やがて満月になって最高の光を発すると、再び光を弱めて次の満月まで収縮と成長を繰り返す。これは生命の再生を象徴すると考えられたという。

このようにマヤ・アステカ神話の天地創造は神々の争いや犠牲という激しいエピソードで構成されている。作中でもキャラクターが命をなげうつシーンは少なくない。そこには彼らなりの信念や、どうしてもそうせざるを得ない事情があるだろう。太陽がなければ世界は滅びる。ナナウトツィンが炎に飛び込んだのもそうした理由によるものだ。

神々をキャラクターに投影するなら、こうした背景が見えてくる。逆に人間の視点から見た場合、神々が犠牲を求める無慈悲な存在にも思われるのではないだろうか。となれば、愛する人や家族を守るため、主人公が神々に戦いを挑むという構図も出来上がる。相手は世界を四度も滅ぼした神々だ。作中最大の敵として不足はないだろう。

別の側面にも焦点を当ててみよう。マヤ・アステカ神話は四つの時代が滅んで五つ目の時代が来た、という世界観だ。聖書神話における大洪水や、北欧神話のラグナロクのように、世界の滅びがやって来るがやがて再生が……というのはしばしばある構造だが、それが繰り返されるというのはなかなか独創的で、モデルにしてみたいところだ。

もし、あなたの作り上げる神話にもこのような構造があるなら、どうしてそのようになったのだろうか。マヤ・アステカ神話のように神々の争いや試行錯誤の結果なのだろうか。神の怒りを買った結果、何度も地上世界に破滅が訪れるのだろうか。世界には最初から時限装置のようなシステムがあって、時が来れば必ず滅びるのだろうか。それとも、世界のどこかにある破滅のスイッチを邪悪な神や悪魔、あるいは欲にまみれた人間が押してしまうとリセット機構が発動するのだろうか……。

なんにせよ、スケールの大きな物語を作ることができそうだ。繰り返される世界の滅びが迫っていると知った時、あなたの書く主人公はどんな行動をするのだろうか。滅びと戦うのか、受け入れるのか。自己犠牲によって新たな世界が作られて皆が救われると知ったなら、自分の命を捧げられるのか、それともテキュシステカトルのように躊躇うのか。自分の命なら迷わずに捧げられるキャラクターであっても、求められているのが愛するヒロインの命であったらどうなのか。いくらでも物語が作れそうだ。

また、儀式という点に焦点を当てて、何か決まった行動（呪文を唱える、特定のしぐさをする、何かを食べるなど）を取らないと動けないキャラクターを設定してみるのも良い。性格だけでなく、こうした言動からキャラクターを特徴づけるのも一つの手法だ。儀式と縁の深いマヤ・アステカ神話の神々はモチーフとして使いやすい存在ではないだろうか。

ちなみに、この創造神話には別のパターンもある。それによると、天空の十三階層の最上層には創造神オメテオトルがいる、という。この神は両性を備えていて、トナカテクトリとトカシウアトルの二人分の役目をした。つまり、一柱で四柱の神々を生み出したのである。後の展開は先に紹介したものと大枠で同じものと言って良いようだ。

それからもう一つ。天界が十三階層に分かれているのに対して、冥界は九階層に分かれている。シバルバー（恐怖の墓所）である。死者は邪悪な神々が支配するこの冥界で試練を与えられ、これを突破した者だけが空の上で暮らすことを許された。死んでまずシバルバーに行くのは善人も悪人も同じであったという。

マヤ・アステカ神話の重要キャラクター

◇ケツァルコアトル

「羽毛のある蛇」。その名の通り、翼の生えた白い大蛇の姿で描かれることが多い。マヤ・アステカ神話の主神として位置づけられ、恵みをもたらす風の神としても信奉されたという。人々に農耕すなわちトウモロコシの育て方を教え、学問や文化を創造した（時間の測り方など）おだやかな神であり、生け贄の儀式に反対していたともされている。

彼にはエヘカトルという風の神としての姿もあったとされている。この時はアヒルの嘴（くちばし）がついた仮面と、胸にかけた法螺貝（ほらがい）の飾りがトレードマークである。

同じく主神級の神であるテスカトリポカと対立する場面が多く、世界創造においてはお互いが創り出した第一、第二の太陽の時代を滅ぼし合った。後にテスカトリポカの陰謀にかかり、追放されてしまう。

◇テスカトリポカ

「煙を吐く鏡」。ケツァルコアトルと並んでマヤ・アステカ神話で重要視される神。凶悪な肉食獣であるジャガーを象徴として戦いを司る力強い神であり、時に人々を厳しく罰した。反面、善人には幸福をもたらす面もあり、人々の信仰は厚かったとされている。もともと太陽神であったのが冥界の神になったという経緯も影響しているのだろうか。

穏和なケツァルコアトルとは対照的な存在で、外敵との衝突が絶えなかったアステカ文明ではやがてテスカトリポカを信奉する勢力が力を増していき、ケツァルコアトルを追放することになった。

◇トラロック

マヤ・アステカ神話に登場する雨の神。第三の太陽の時代を支配した。四つの山の頂上にそれぞれ巨大な宮殿を持ち、そこにある水桶が四種類の雨（朝、昼、夕方の雨と嵐）をもたらしたと伝わる。これらとは別に彼が管理する天空の国「トラロカン」は豊かな水と花々に包まれた楽園だという。

マヤ文明、アステカ文明が栄えた中米地域には大河がなく、水源は泉と雨だけだったとされる。そのためトラロックには強い信仰と憧れのまなざしが向けられたようだ。実際、彼の雨は恵みをもたらしたが、同時に自然の破壊力を示しもした。

◇**チャルチウトリクエ**

「翡翠のスカートの淑女」。トラロックの姉妹にして妻で、第四の太陽を創り出した神。水の女神、あるいは水が動く時の光の化身とされる。トラロックとチャルチウトリクエが分かれなければならなかった時の物語として、「水の神が二柱も空の上にいるのは多すぎたので、地上に嵐や水害が多発してしまった。そこでケツァルコアトルがチャルチウトリクエを地上へ連れて行った」というエピソードが伝えられている。

美と若さ、情熱を司るともされ、マヤ・アステカ神話における代表的な女神であるようだ。

◇**ウィツィロポチトリ**

「南のハチドリ」。アステカの部族神で、チャルチウトリクエの息子とされる。軍神でもあり、生まれる前に自分を殺そうとした兄弟を皆殺しにし、空に撒いて星にしてしまったという逸話を持つ。アステカでは最高神、太陽神としても崇められた。

ウィツィロポチトリはアステカの人々を導いてアステカ文明の首都テノチティトランに連れて行ったと言われている。テノチティトランは大きく発展し、当時（十六世紀）のヨーロッパの大都市にも劣らない大都市となった。その一方で人々はウィツィロポチトリのために生け贄を捧げなければならないと考え、生け贄の儀式は次第に大規模化してしまった。後には生け贄を手に入れるために周辺の諸都市に攻め込むこともあり、アステカが孤立していく要因になったとも考えられている。

ウィツィロポチトリはアステカ文明においてもっとも重要視された神の一人なのだが、その正確な姿は分かっていない。というのも、彼を表す彫像が一つも見つかっていないからだ。アステカの人々以外には神話も伝わっておらず、謎に満ちた神となっている。

◇**ナナウトツィン**

トナティウとも。ケツァルコアトルとテスカトリポカが創り出した第五の太陽の時代において、我が身を捧げて太陽となった神。神々の中でも最下級で、太陽になる神を決めるための会合にも彼の席はなかったという。いざとなって怖じ気づいたテキュシステカトルに対し、淡々と儀式に臨んでその身を捧げたことで太陽となった。

一説には、この神話で神々が命をなげうったのだから人間もそれに倣わなければならないとして生け贄の儀式が始まったともされている。また、別の説ではナナウトツィンが太陽になったことで謙虚さを失い、他の神々にも犠牲を迫ったという。動かない太陽を前にケツァルコアトルは神々の心臓を抜き取ってナナウトツィンに捧げ、太陽は運行を始めた。いずれにせよ生け贄の儀式とナナウトツィンの神話とにはなんらかの関係があるようだ。

◇シペ・トテック

「皮を剥がれた王」。彼は春や豊穣、トウモロコシを司る神であったが、同時に酷く血塗られた神でもあった。なぜなら、シペ・トテックには生け贄が捧げられたからだ。それもただの生け贄ではない。生贄はわざわざ皮を剥がされ、儀式を執り行う者がその皮を纏って執り行う。

これは「シペ・トテックは飢饉に際して、自分の皮を剥がして植物に芽生えの方法を教えた」というエピソードに由来する。神の振る舞いを真似することで神話と同じ出来事が起きることを狙うのは儀式の典型的な形でもあったのだ。

マヤ・アステカ神話のエピソード

◇ケツァルコアトルの追放

アステカ文明が軍事国家として成長していくにつれ、テスカトリポカへの信仰が強まっていく。ある時、王位にあったケツァルコアトルに対し、テスカトリポカは魔力を秘めたプルケという酒を飲ませて酩酊状態にした。さらに王女に衰えた王の顔を見せつけ、彼女を誘惑しようとする。ケツァルコアトルは権威を失い、王の座を追われることになってしまった。

東に去ったケツァルコアトルは海岸で四日間の断食を行う。そして自分が持っているもっとも美しい衣に

ケツァルコアトルとテスカトリポカ

ケツァルコアトル

「羽毛のある蛇」こと
神話の主神。温和で、
人々に知識を与えた

テスカトリポカ

「煙を吐く鏡」こと破壊神。
ジャガーを象徴とし、
猛々しい神である

アステカ神話ではテスカトリポカの人気が高まり……

ケツァルコアトルは追放されてしまう！

「いつか帰ってくる」伝説がスペインの侵略に利用される

身を包み、たき火の中に身を投じた。火の中からは無数の鳥が飛び立ち、その中心には金星へと転じるケツァルコアトルの心臓があったという。

　ケツァルコアトルは国を去る時、いつか自分が戻ってくるという予言を残していた。彼は人の姿を取る力を持ち、その時は白い肌の美青年になったとされている。そして十六世紀。本当に白い肌の人物がアステカの人々の前に現れ、人々は彼らを喜んで迎えた。それがスペイン人であり、アステカ滅亡のきっかけになったのは歴史の皮肉と言っていいだろう。

　ちなみに、この神話には元になったと思しき史実がある。トルテカ王国で王にして神官でもあった男がいて、彼は仕える神の名であるケツァルコアトルを名乗ったのである。王であった父を部下の裏切りで失った彼は、長じて仇を取って王となり、トルテカ王国を大いに繁栄させた。しかしテスカトリポカを奉ずる集団と戦って敗れ、東の海へ追いやられてしまった。しかし彼は帰ってくると約束した……このエピソードが神としてのケツァルコアトルと混同された、ということであったらしい。

㉓その他の神話

アイヌ神話

アイヌ神話は主に北海道に暮らしていた先住民族アイヌの間で受け継がれてきた神話だ。北海道は古くは蝦夷と呼ばれ、日本の政権の影響力が及んでいなかった。このため、日本神話ではなくアイヌ神話が伝えられてきたのである。

大昔、この世がまだなかった頃、大海の中に羊蹄山（北海道西部に位置する火山）の頭だけが出ていた。国造りの神コタン・カラ・カムイはその頂上に降り立ち、雲を埋めて陸地を創ったという。天上の神々の世界カムイ・モシリに対して、地上はアイヌ・モシリと呼ばれた。アイヌとは人間という意味である。

アイヌ・モシリは草一本も生えない単なる大地だった。神々はここに動物や植物、自然、自然を司る神などを生み出していく。この様子はいろいろな神話によって語られており、統一されていないようだ。

コタン・カラ・カムイは大地を足で掻いて川を流し、偉い神とそうでない神の住む場所を分け、それぞれに善神と魔神の像を置いた。彼が創造の際に使って打ち捨てていた斧からは魔神が生まれたという。

他にも神々の赤い布からはミズコイドリが、黒い布からはクマゲラが、コタン・カラ・カムイが熊に襲われた時に身につけていた衣服からはカメやタコが生じた。神々が食べた天上の鹿や兎の骨は地上に撒かれ、鹿や兎として棲みついたという。

また、火の起源にもさまざまな神話がある。ドロノキ（ドロヤナギ。白楊）で作った火起こし器では煙が出るばかりで、ハルニレ（楡の木。春楡）でやってみると火が生じた。ドロノキからは疱瘡（できもの）の神、怪鳥、化け物などが生まれ、ハルニレからは狩猟の神、火の神、幣場（アイヌ文化の祭祀を執り行う場所）の神などが生まれたという。

別の神話では、神々が煙草を吸うために白樺の棒をこすり合わせ、黒い火の粉から熊が、黄色い火の粉から疱瘡の神が生まれた。火はつかなかったため、神々は火打石を手に入れる。使った後、陸に落ちた火打石はトドに、海に落ちたものは鯨になったそうだ。

大方の国造りを終えたコタン・カラ・カムイは地上を眺めたが、何か物足りない気がした。そこで夜の神に好きなものを創らせてみる。夜の神はなかなか考えが浮かばずに困ったのだが、柳の枝に泥をまとわせて形を作り、死者を生き返らせるアユギという扇で扇いでみた。すると泥が乾いて肌になり、そばに植えていたハコベが髪になったという。

夜の神はさらに十二の欲の玉を人形に埋め込んだ。こうして人間が生まれたのである。コタン・カラ・カムイは喜んでどんどん人間を増やした。が、夜の神は男性しか作れないのですぐに死んで数が減ってしまう。そこで昼の神も呼び、手伝ってもらうことにした。昼の神は女性を創り出し、こうして人間は自分たちで子孫を増やしていけるようになったのである。

男性は夜の神が創ったので肌が黒く、女性は昼の神の手によるため白い。骨は年を取ると曲がる柳の枝からできているため、人間もだんだん腰が曲がっていく。また、木で創られたために人間は永遠の命を持っていないのだそうだ。ちなみに他の神話では石を材料にしようとする話もあるが、石は割れたら治らないのでやめたらしい。

夜の神と昼の神はコタン・カラ・カムイを満足させ、天に昇って太陽と月になることを許されたという。

アイヌ神話には北海道の豊かな自然がしのばれる描写が多い。登場する植物や動物の名前からそれがうかがえるだろう。地域に根ざした信仰の産物なのだ。

本書でここまで紹介してきた、広い地域で語り継がれてきた神話、知名度が高くてさまざまな物語でモチーフにされてきた神話を題材に使うことには大きな意味がある。目立つからだ。それに対し、アイヌ神話をモチーフにしたキャラクターは地味になるかもしれない。だが、地域に関する知識や愛着など、一点に集中した能力やキャラクター性では彼らを凌ぐ存在になるはずだ。アマテラスの危機をアイヌの小さな神が専門的な知識や技術で救えば、きらりと光る存在感を見せつけられるのではないだろうか。

ポリネシアの神話

ポリネシアはハワイ、イースター島、ニュージーランドを結ぶ太平洋に点在する島々の総称だ。サモア、トンガなどの国も含まれる。広範囲に及ぶため多くの部族が暮らし、各種の神話が語り継がれているようだ。その中の一つが海の神タンガロアによる創世神話である。

タンガロアは当初、空も大地もない空間の中にいた。すると、彼の立っていた場所に岩が生まれる。タンガロアが岩に破裂するよう命じると、岩の中から神々が現れたという。

タンガロアが岩を叩くと、割れ目から大地と海、真水が飛び出した。さらにタンガロアは岩に話しかけ、少年と少女、精神、情緒、意思、思考などを取り出す。しかし、これらのものは海の上を漂うばかりで落ち着かない。そこでタンガロアは精神、情緒などを人間の中に入れることで安定させたという。

ハワイの神話ではタンガロアはカナロアという名前で呼ばれている。他に森羅万象の神カーネ、農耕と豊穣の神ロノ、森と海と山と戦いの神クー、火山の女神ペレなどの神話も残されているようだ。特にペレは島々をつなぎ、ハワイ島のキラウェア火山を住まいにしたことで知られている。キラウェア火山の噴火は彼女の怒りや嫉妬の表れなのだそうだ。

ポリネシア神話ではもう一人、マウイという英雄が有名だ。彼は人々が暮らしていく上で不可欠な要素をいくつももたらしているという。

マウイは普通の子どもより短い期間で生まれてきたため、母親に恐れられて捨てられてしまった。そこを祖父である太陽に拾われ、育てられる。やがて成長したマウイは祖母のもとから火を盗み、人々に与えた。また、太陽の運行を遅らせて昼を伸ばし、人々が充分に働ける時間を創ったともされている。

海に囲まれ、牧歌的な暮らしを営んできたポリネシアの人々は豊かな大自然に神の姿を投影したようだ。神話にもそうした空気が満ちている。天変地異を神々の怒りと表現することがあるが、ポリネシアの神話はまさにその雰囲気を表しているだろう。

海や山、森の申し子など自然の力を持ったキャラクターを設定したり、大自然の中に分け入って神々を探す探検もののモチーフにしたりすると、この神話の魅力を引き出せるのではないだろうか。近代的な大都会にポリネシアの神々が迷い込み、騒動を巻き起こすようなコメディタッチの作品にも似合いそうだ。

アメリカ原住民の神話

大航海時代にヨーロッパからの開拓者が訪れるまで、北アメリカ大陸には原住民が暮らしていた。彼らの間には彼ら独自の神話が伝わっている。

アメリカ原住民の神話にはいくつかの共通点があるという。原初の世界が水に満たされていることや、双子が登場することなどだ。

イロコイ族には女神アタエントシクによる神話が残されている。彼女が天から落ちてきた時、世界は広大な海に覆われ、海鳥やウミガメなど水辺に棲む生き物が既に暮らしていた。

アタエントシクは鳥に受け止められ、亀の背中に乗せてもらう。動物たちは話し合いの末、彼女には陸地が必要だという結論に至った。そこで海底に潜り、砂を取ってこようとするのだが上手くいかない。ようやくヒキガエルがわずかな泥を持ってくることができ、アタエントシクはそれを亀の背中に撒いて陸地を創ったという。

アタエントシクは双子の兄弟を生み、息絶える。彼女の頭からはカボチャ、胴からはトウモロコシ、足からは豆が生え、人々への恵みになったという。

双子の兄は善良で人々を守り導く存在だった。彼は動植物を創造し、人々には守るべき規律を教える。一方、弟は邪悪で狼や熊、蛇、蚊といった人間に害をなす動物を創った。それらはどれもけた外れの大きさだったという。さらに地上の水を飲み干してしまうほど巨大なヒキガエルを創ったため、人々は渇きに苦しむこととなった。

兄は水を探すため、鳩とヤマウズラを放つ。その途中、ヤマウズラは双子の弟と彼が生み出した動物たちが大地を支配しようとしていることに気づいた。兄はこの話を聞き、弟のもとへ乗り込むとヒキガエルの腹を裂いて水を取り出した。さらに弟の創った動物たちの大きさを小さくし、彼らの力を奪う。

兄の夢には母アタエントシクが現れ、弟に打ち勝って善が地上を支配しなければならないと告げる。兄と弟は死闘を演じ、最終的には兄が勝利した。しかし弟は、いつか人々が自分に従って死の国へ向かうだろうと予言を残す。こうして人間には寿命ができたという説もあるそうだ。

ナヴァホ族の神話にも双子が登場する。彼らの神話では、人間は神に創造されたのではなく、地下から地上にやってきたとされている。

最初の男と最初の女、その他の聖なる人々はある時、地下の世界を脱出して地上に向かう。地下は人々の争いによって無秩序となり、滅びる運命にあったという。

彼らが地上に出ると、そこにはまだ何もなく、水に覆われていた。神は最初の男に排水の方法と住居の作り方を教え、男はそれに従って世界を整えていく。また、地下から持ち出した魔法の道具も使って東に明るい日の光、南に空の青、北に暗闇、西に夕陽の黄色を置いたとされる。こうして最初の男と最初の女による世界創造が行われた。

世界を創り終えた男は山で一人の女の赤ん坊を拾う。その子は四日で成人し、「白い貝殻の女」「変化する女」などと呼ばれた。彼女は太陽との間に双子を生む。双子は「怪物殺し」と「水を求めて生まれし者」と呼ばれ、やはりあっという間に成長した。

父である太陽のもとを訪ねた双子は特別な知識と武具を与えられる。それらを用いて双子は人々を脅かしていた怪物を退治した。また、「白い貝殻の女」は最初の男が使った魔法の道具でとうもろこしと人間を創り出したという。

人間の生死についてはマイドゥー族の神話も面白い。この神話では「大地の創始者」が水に覆われた世界に現れ、ウミガメが水の底から持ってきた泥で世界を創造する。「大地の創始者」は最初の人間の夫婦も創り出し、その子孫が世界に広がっていった。

あるとき、「大地の創始者」は年老いた最初の男を湖へと連れて行く。足元のおぼつかなくなっていた男は転んで水に呑まれてしまった。しかし、長い時間を経て男が水の中から戻ってくると、その姿は若々しいものに転じていた。年老いた人間は地下の世界へ行き、新しく生まれ変わって戻ってくる。「大地の創始者」

によれば、これがあるべき人間の姿なのだという。

人々が乾いた大地に暮らしていたためか、アメリカ原住民の神話では水に満たされた世界が多く描かれる。これは他の神話にはない特徴だ。水没した世界という舞台には特色があり、そこで人々がどう生きていくか作品のメインテーマとなるだろう。陸地を失った人間がアメリカ原住民の神話になぞらえて新たな大地を手に入れる物語などは、戦いや冒険を内包した壮大な作品になる可能性を秘めている。

アフリカの神話

サハラ砂漠より南のエジプト文明の影響が及ばなかった地域には、エジプト神話と異なる神話が伝えられている。ただ、この地域には強大な文明や国家の存在が確認されておらず、世界的に知られるような神話はあまりないようだ。

アフリカの神話には人間の誕生についてさまざまなパターンが見られる。創造神が土から人間を創ったという一般的なものもあるが、それ以外の神話は実にバリエーション豊かだ。

あるときカメレオンが木の中から音を聞き、不思議に思って斧で幹を割った。すると大洪水が起き、水の中から最初の人間の夫婦が生まれた。別の神話では湿原の葦が自ら大地に刺さり、水を介して人間を生み出した。父は葦、母は大地で、人々は地中の存在であったものが地上に生まれるようになったという。

さらに別の神話では、創造神が創り出した人間が次世代の人間に敗れ去るというものもある。天の主オロルンは息子のオバタラに世界と人間の創造をさせた。世界はきちんと創られたのだが、オバタラは人間を創る途中で椰子酒を痛飲し、酔っ払ってしまう。このためでたらめな姿の人間が生まれてしまった。

オロルンはもう一人の息子オドゥドゥアを遣わし、オバタラの代わりをさせる。オドゥドゥアの創った人間は繁栄し、オバタラはそれを妬んで戦いを挑むのだが、結果的に敗れてしまうのだ。この神話は対立する二つの部族の成り立ちを示すとも考えられている。

人類の起源は多くの神話に共通することがらであり、想像力を働かせやすいテーマでもある。生まれ方の異なる二つの人類が生存権をかけて争うのは大きな物語になるだろう。かつて敗れた人類がひそかに生き残り、現代人に再び戦いを挑んでくるという導入は読者をぐっと引きつける。

スラヴ神話

ポーランドやその近辺を発祥とし、やがてロシアなどに広がったスラヴ人の神話には、古代や中世のヨーロッパにあった豊かな自然が反映されている。すなわち、自然の偉大な力の象徴である、強力な神々や、妖精、妖怪のたぐいが数多く登場するのだ。

神としては強大な空と光の神スヴァローグがあり、その子として太陽の神ダジボーグと火の神スヴァロギッチがいる。また、ダジボーグの親友には陽光と暖かさを象徴して豊作をもたらす神ベロボーグがいて、これと対比される闇の神チェルノボーグもいる。

雷神ペルーンの名もよく知られていた。彼は雷によって太陽を隠す雲を打ち砕いたり、人を害する冥界の神ヴェレスを追い返したりと活躍する善神であると信じられていた、という。

スラヴ神話に登場する中でももっとも特徴的なキャラクターの一つに、「不死身のコシチェイ」がいる。骸骨めいた姿をしているとも、老人の姿であるともいう。しかし、彼は恐るべき存在だ。なんと、文字通り殺すことができないのである。なぜならその魂を別の場所に隠してあるからだ——伝説によれば、ある島の、そこに生えているオークの木の中の、古い鉄の箱の中にいる、野兎の中の、鴨の中の、卵の中の、針の中にあるというのだから、尋常ではない。箱を開けたら野兎が飛び出して逃げ出したり、野兎の中から飛び出した鴨が逃げたりしないよう、相当の注意と事前の予備知識が必要であるはずだ。

「魂や身体の中でいちばん大事なもの（心臓など）を別の場所に隠してあるから死なない」「魂が逃げ込んで傷を癒やす場所があるから死なない」というのはさまざまな物語の中で見出されるモチーフではあるが、コシチェイほど厳重に隠しているキャラクターはそうは見ない。

コシチェイについてよく知られているのは、マリヤ・モレーヴナという女王にまつわる物語だ。マリヤはコシチェイと戦ってこれを捕らえたが、殺せなかっ

いろいろな地域の神話たち

本書で項目を割けなかった神話にも魅力的な物語は多い

アイヌ神話
北海道の豊かな自然を背景に、独特の世界観がある

ポリネシアの神話
島々の人々がそれぞれに自然の姿を投影した神話

アメリカ原住民の神話
部族ごとに別の神話があるが、共通点も見出せる

アフリカの神話
「人間がいかに生まれたか」の多様な物語がある

スラヴ神話
古のヨーロッパの自然の力を感じさせる物語

知られていないだけにネタにできる余地は大きい

たので戸棚の中に閉じ込めた。一方、マリヤはイヴァンという王子と恋に落ち、彼と結婚する。

ある時、マリヤが出かけた後、イヴァンは「開けてはいけない」と言われていた戸棚を開けて老人を見つけ、そこから解き放ってしまう。老人は不死身のコシチェイの本性を露わにし、イヴァンを人質にして逃げ出す。マリヤはこれを追い、途中で魔女に頼んで手にいれた不思議な馬の力でイヴァンを取り戻した。さらにコシチェイを倒し、その体を炎で焼いて、霊が戻ってこられないようにした、という。

私たちの感覚だと男女が逆のようにも思える（実際、イヴァンがマリヤを助けるバージョンもあるらしい）が、それだけに雄々しい女王が愛する男のために奮闘する物語は印象的だ。

特に彼女、一度はコシチェイに敗れて身体をバラバラに切り刻まれてしまい、「変身の力を持った兄弟たちが鳥に変わり、命の水を注いで生き返らせた」という話まである。これなどは神話でなければなかなか見られない衝撃的かつ忘れられないエピソードと言えるだろう。

㉔創作された神話

物語の中の神話

ここまで、本書では地球の歴史の中で実際に語り継がれてきた神話の数々を紹介してきた。その中にはさまざまな人々の想像を寄せ集めたものもあるだろうし、実際の事件や人物についての噂に尾ひれがついた物語もあるだろうし、誰かが創作したものもあるだろう。ただ、純粋な娯楽物語としての神話はなかったはず。

一方、近代になると娯楽としての神話的物語、ファンタジーや冒険もの、ホラーなどに魅力を与えるための背景としての神話もいろいろとみられるようになってきた。既存先品のストーリーであるから、ここまでに紹介してきた作品と違って、そのまま自分の作品に取り込むことが難しいものも多い。しかし、もともとエンターテインメントのために作られた神話であるだけに、創作を志す皆さんにとって参考になるところは多いため、ここで紹介する。

クトゥルフ神話

エンターテインメント作品のための創作神話の代表として、近年各種エンターテインメントにも活用されている「クトゥルフ神話」を紹介したい。

クトゥルフ神話の基礎設定を作ったのは二十世紀初頭アメリカの作家であるハワード・P・ラヴクラフトだ。彼は自分の作り上げた設定を独占しようとはせず、むしろ仲間たちと共有してさまざまな作品を作り上げていった。ラヴクラフトの死後もこの動きは続き、アメリカを超えて世界中でクトゥルフ神話を用いた作品が描かれている。

クトゥルフ神話の根幹をなす設定は、「この世界には人間には理解不能な超常の存在がいる」ことだ。人間は彼らの姿を見たりその痕跡に接するだけで狂気に追い込まれていく……。クトゥルフ神話において神と呼ばれる存在には次の三種類がいる。

・外なる神

異次元の存在。もっとも神と呼ぶのにふさわしい存在で、物理法則に縛られず、エネルギーや概念として理解したほうが本質に近い。

・旧支配者

十億年前に地球に飛来し、支配した存在。今は地球上で活動できなくなり、それぞれに眠りについているが、時が来れば目覚めるという。神話に名を冠するクトゥルフはここに属する。

・古き神

外なる神や旧支配者と一線を画した立場を持ち、人間にも友好的だったり中立的だったりする神々。

これらの神々に仕えていたり、あるいは独立して存在する怪物たちも多種多様に物語の中に出てくる。とはいえ、神と呼ばれるほどの存在ではない。

もう少し具体的にクトゥルフ神話の神々を紹介しよう。有名どころはこの辺りだ。ただこの説明は大まかな一例で、作品によってそのあり方がさまざまであることはご注意いただきたい。

・クトゥルフ

蛸にも似た姿をした旧支配者。ルルイエという海中の古代都市に封印されて夢の中で解放の時が来るのを待っているという。眷属（けんぞく）として半人半魚の海神ダゴンと、やはり半魚人で人間とも混血する「深きものども」を従えている。

・ハスター

クトゥルフ神話では宇宙にも風が吹くとされ、それに乗って星と星の間を渡る神や怪物もいる。それらの頂点とみなされるのがハスターだ。旧支配者ながらクトゥルフとは対立関係にあるという。

・アザトース

外なる神の頂点に立つ、宇宙の創造者。しかしその一方で「白痴にして盲目」とも評され、狂気に満ちたこのクトゥルフ神話をある意味で象徴する存在とも。

・ニャルラトテップ

アザトースの代理人的なポジションの外なる神。その異名と姿は千を数えるという。クトゥルフ神話の邪神たちが基本的に人間など眼中にない（しかしその存在があまりにも大きいので人間は影響を受ける）のに対して、ニャルラトテップは積極的に人間をからかい、追い詰める存在として描写されることが多いようだ。

その他さまざまな物語の神話

J・R・R・トールキンは自身の三部作『ホビットの冒険』『指輪物語』『シルマリルの物語』（すべて評論社）の舞台である中つ国の背景として、四つの時期に分かれた壮大な神話と歴史を作り上げた。それによると、エル・イルーヴァタールという創造神はしもべたちと共に音楽によって世界を作り出したが、しもべのうち一体が反発して神と敵対する存在、冥王になった。この冥王が作り出した存在であり、のちに自分もまた冥王と呼ばれたのが、『指輪物語』の悪役であるサウロンなのだ。

マイケル・ムアコックの小説群には「エターナルチャンピオンシリーズ」と呼ばれるものがある。よく知られているのは『エルリック・サーガ』（ハヤカワ文庫）だが、他にもいろいろなシリーズがある。無数の並行世界で活躍する各主人公はエターナルチャンピオン（永遠の戦士）の分身であるとされ、その運命は「混沌」と「法」の両陣営に属する神々の争いの道具として翻弄される。この両者のバランスを取る存在として第三の「天秤」がある。シンプルな善悪ではなく、バランスを取らんとする動きがあるという設定は後の作品に影響を与えた部分も大きいようだ。

創作集団グループSNEが『ロードス島戦記』『ソード・ワールド』他のTRPGやライトノベルで展開した世界観「フォーセリア」では、世界はまず一体の「始原の巨人」から始まったとする。この巨人の亡骸から大地が生まれ、生き物が生まれ、なによりも神々が生まれた。ところがこの神々はやがて光と闇の二つの陣営を作って争い、その果てに相打ちになって肉体を失った……というのがフォーセリアの神話だ。世界に隠された秘密として、善悪や秩序混沌などのパワーバランスが偏ると世界は終末に向かう、という。

同じグループSNEの作品でも、『ソード・ワールド2．0』及び『2．5』ではまったく別の「ラクシア」という世界が採用された。こちらでは、世界の最初にあったのは三本の剣であったという。生き物を作ったのもそこに魂を込めたのも剣たちだ。やがて神

実際の神話・創作の神話

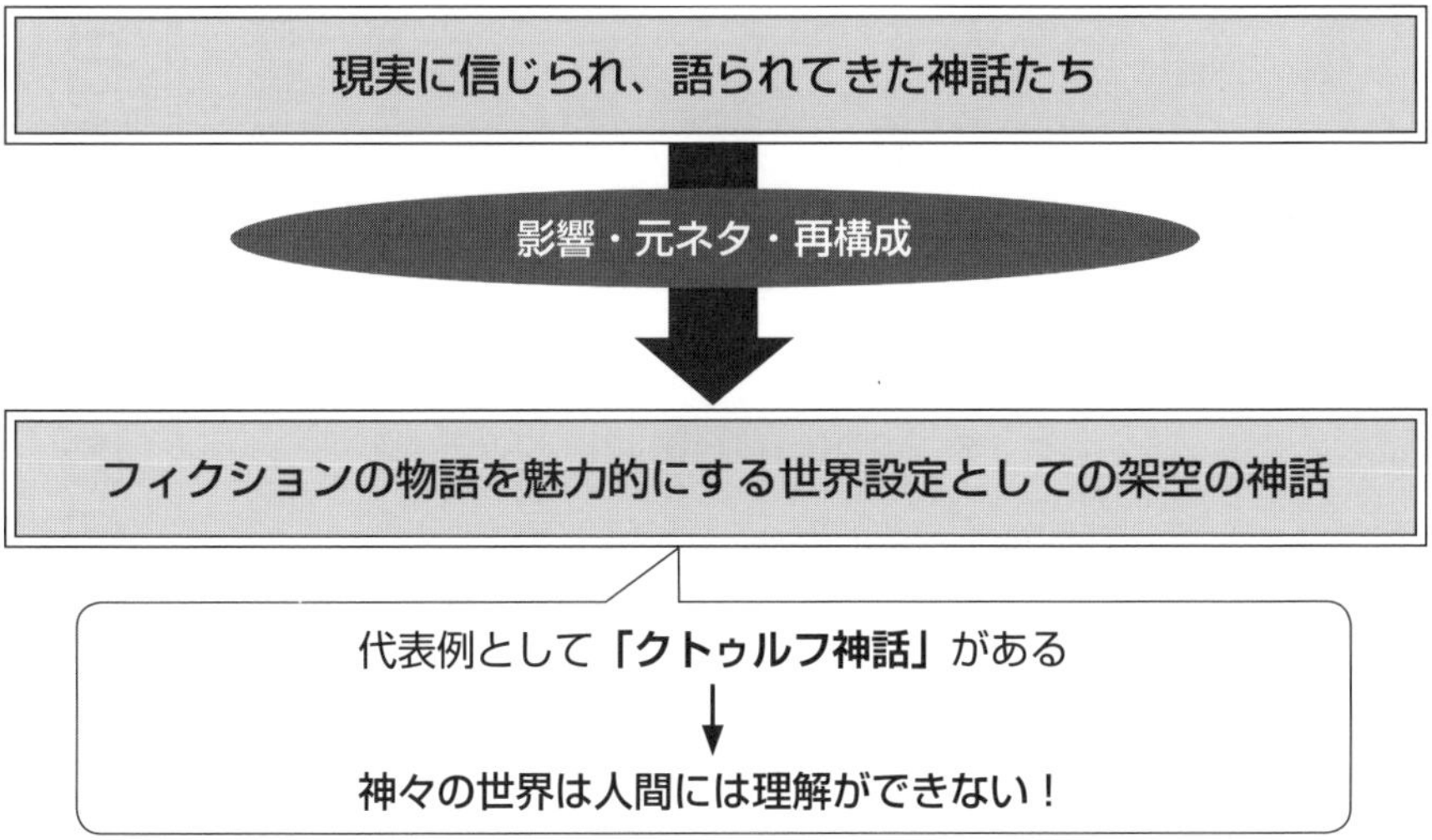

となった人間たちが争い、互いに傷つき、眠りについた……というのがラクシアの神話だ。二本の剣がそれぞれの陣営を生み出したのに対し、第三の剣は戦いに巻き込まれるのを嫌がって自ら砕けたとされ、そのかけらがゲーム的に意味を持つ。また、第四の剣があるとも。

神坂一『スレイヤーズ』シリーズは並行世界設定を採用している。まず混沌の海という場所があり、そこにいくつもの杖が立てられて、それぞれ皿のように世界が乗っかっている、という。しかしこれは物理的な意味で世界が皿の形をしているとは限らないようだ。というのも、同じ世界観を採用している様子の別作品『ロスト・ユニバース』（共に富士見ファンタジア文庫）は、星々を宇宙船が駆けめぐるSFなのである。宇宙が杖の上に乗るはずもない。

各世界では神と魔王が勢力争いを繰り広げており、物語の舞台となる世界では神を赤の龍神スィーフィード、魔王を赤眼の魔王シャブラニグドゥと呼ぶ。約五千年前、魔王は七つに分けられて封印され、神は四体の分身を残して滅んだ、という。

㉕日本と中国の伝説、説話、物語

日本の物語

本項を含むここからの本書最後の三項では、神話から離れて、広く物語全般に、創作に有用な物語を紹介する。まずは日本と中国の伝説や説話、物語だ。

まずは日本から。本書の読者の皆さんは、幼い頃から絵本やテレビなどを通して多くの日本的な物語に親しんでいるはずだ。多種多様なパロディや脚色作品があるし、ストーリーの基本構造やキャラクター要素だけを持ってくる例も多い。

とはいえ、あまりにも数が多すぎてすべてを紹介しきれない。ここでは皆さんがよく知っているであろう作品群から特に知名度の高いもの――『竹取物語』『桃太郎』『浦島太郎』『金太郎』を紹介する。

◇『竹取物語』

竹を採取して加工する老人が見つけた光り輝く竹から、不思議な少女が生まれた。かぐや姫と呼ばれるようになった彼女はすくすくと美しく成長する。ついには五人の公家から求婚されるようになったが、条件として実現不能な難題を突きつけ、断る。天皇の誘いさえ断った彼女のもとに月から迎えの使者がやってきて、そのまま帰ってしまう。

不思議な存在との出会いが富をもたらす話、傲慢な貴族たちをやり込める痛快さ、主人公が天に去って終わるという余韻、そして私たちにとってなじみ深い富士山の名の由来を、かぐや姫が残した不死の薬を焼いたがゆえという重ね合わせ。ファンタジー性とエンターテインメント性を豊富に持ち合わせた、手本としても要素サンプルとしても注目すべき物語である。

◇『桃太郎』

川から流れてきた巨大な桃を老婆が拾い、家に帰って切るとそこから赤子が現れる。老夫婦はこの子を桃太郎と名付けて育てる。やがて成長した桃太郎は鬼ヶ島の鬼を退治することを決意し、老夫婦に持たされた黍団子を携えて旅に出る。道中、犬、猿、雉に出会って黍団子と引き換えについてきてもらうことに。鬼ヶ島では一人と三匹が奮戦し、見事鬼を退治。財宝を持ち帰って凱旋する。

異常な誕生をした英雄の物語。古いバージョンでは、桃を食べた老婆が若返って桃太郎を生むとも。また、温羅という鬼を退治して岡山県で祀られている吉備津彦命を桃太郎と同一視する説も根強い。吉備津彦神社には神人として犬飼、猿飼、鳥飼の名が見られることから、彼らの祖先を率いて鬼（と呼ばれた敵対勢力）を退治した吉備津彦の活躍が桃太郎伝説の元になったと考えることもできるだろう。

現代的な物語にするなら「異常な生まれをした桃太郎が過酷な鬼退治に出たのは人間たちになじめなかったからではないか」、あるいは「鬼は問答無用で退治されて財宝を奪われなければいけないのか、実は鬼こそが被害者ではないのか」あたりがよく注目されるポイントになりそうだ。

◇『浦島太郎』

漁師の浦島（太郎の名は後からついた）が亀を救い、海に帰す。すると亀が恩返しだと言って海の底にある竜宮へ連れて行く。乙姫という娘に歓待されて楽しく過ごし、開けてはならぬという玉手箱を渡され、地上へ戻ってみれば何百年も経っていた。そこで箱を開けると白い煙が立ち上って浦島は老人になって、死ぬ。

桃太郎と並んでよく知られた物語。古い形では釣った亀が女房の姿になり、彼女と共に竜宮でしばしの時を過ごす、異類婚姻譚の形を取っている。また、浦島太郎が過ごす場所が竜王の住むという竜宮であるなら、そこにいる乙姫もまた龍が人間の姿を取っているだけ……と考えることもできる。ただ一方で竜宮という言葉の意味があくまで（竜王が住んでいるような）豪奢な海中あるいは海上の宮殿であるという解釈もあり、その場合彼女の正体は龍とは限らない。

よく注目されるポイントとしては、海の底という異界へ出向くことは不可思議な現象を伴うこと、そしてまた乙姫はなぜ浦島に不利益をもたらす玉手箱を贈ったのか、である。特に後者については、悪意があったのか、それとも玉手箱とは地上と竜宮の時間のズレを吸収する装置であったのかなど、解釈と物語づくりの余地がある。なお、古いバージョンでは浦島は老人になって終わるのではなく、鶴に変化して飛び去るのだともいう。

◇『金太郎』

平安時代、足柄山で育った金太郎の物語。童謡でよく知られており、鉞（まさかり）（斧の一種）や熊との深い縁、動物たちと相撲を取っていたことなどが特徴。やがて金太郎は碓井貞光という武士に見出されて都に出て、そこで源頼光の家臣になった。先の貞光に加えて渡辺綱、卜部季武、そして長じて坂田金時と名乗るようになった金太郎を含む四人は頼光四天王と呼ばれ、酒呑童子はじめ数々の鬼や妖異の退治に活躍した、という。

足柄山は相模国、今で言う神奈川県にあり、これは当時の価値観でいうと辺境であった。また、金太郎の母は山姥であると伝える伝説もあるが、これは山中に住む妖怪のことを指した。人喰いの怪物とも、母性で子を育てるともいうが、なんにせよ尋常の存在ではない。さらに、この山姥が夢の中で赤竜と交わった結果生まれたのが金太郎だという話まである。

つまり、金太郎（坂田金時）の物語とは、一歩間違えたら自身も退治される側に立つ可能性があった男が、朝廷に仕える立場になって鬼を退治する側に立つ、という話なのだ。このようなポジションにおいて、あくまで陽気に振る舞うのも、己の立場に悩むのも、ヒーローとしてふさわしい振る舞いであるのだろう。

中国の物語

中国の物語の中でももっとも神話的で、スケールが大きく、スペクタクルなものとしては、やはり『西遊記』だろう。また、同じく日本で知名度のある物語としては『三国志演義』『水滸伝』がある。それぞれ、神話的な要素に注目しつつ紹介したい。

◇『西遊記』

唐の時代、正しい仏教を学ぶべく、遠く天竺（インド）まで経典を求めて旅をした玄奘三蔵という僧がいた。この旅を、「三蔵の肉を食わんとする妖怪たちと三蔵を守る三人の弟子にして妖怪たちの戦い」という形で幻想的に脚色したのが『西遊記』である。

三蔵たちの道を阻む多種多様な妖怪たちの姿も面白いが、やはりここで注目するべきは三蔵の弟子たちだ。猿の孫悟空、河童の沙悟浄、豚の猪八戒のキャラクター性は日本でもすっかりおなじみ（沙悟浄が河童なのは日本独自の設定とされる）だが、実は彼らはもともと天界の役人だった。しかしそこで過ちを犯し、償いのために三蔵の弟子になって旅をすることになるのである。

◇『三国志演義』と『水滸伝』

どちらも、中国の史実をベースに、壮大な物語に昇華させたもので、日本での知名度も高い。

『三国志演義』は古代中国における後漢の崩壊から魏・呉・蜀の三国鼎立状態、そして魏を内側から倒して現れた晋による天下統一という史実を、事件展開はほぼ歴史に忠実ながら、各所をドラマチックに脚色したもの。

神話的要素としては、作中にしばしば現れる魔術師的キャラクターがある。物語冒頭で後漢王朝を苦しめ、のちに三国を作り上げる若き群雄たちによって倒される太平道という宗教の指導者にして黄巾党の首領たる張角とその弟たちは史実にも登場するが、物語の中では本当に不可思議な力を操って後漢の軍勢を翻弄する。

また、物語後半の主役といっても良い天才軍師・諸葛亮は優れた軍略や天才的な発明品によって蜀の劉備を救うだけでなく、時に魔術的な手法も用いる。物語中盤のクライマックスシーン、赤壁の戦いにおいて魏の大船団を焼き討ちするにあたって本来吹かない方角の風を吹かせてみせたことが有名だ。しかし終盤、寿命が尽きかけた時にそれを伸ばそうとする儀式は失敗している。そのような不可思議な力が主役の物語ではないと示すかのようだ。

一方、『水滸伝』はぐっと時代も下って宋の時代の物語である。官僚たちの腐敗がはびこった時代、宋江という男が仲間を集めて反乱を起こした……という史実を元に、宋江を始めとするアウトロー（好漢と呼ばれる）たちがそれぞれの理由で梁山泊（りょうざんぱく）という場所に集まって一大勢力になり、ついに国家のために戦うも多くの犠牲を出し、生き残りもほとんどは腐敗官僚たちによって殺されてしまう物語として仕立てたものである。

この物語がもっとも神話的な顔を見せるのは冒頭だ。封印されていた百八の魔王（魔星）が地上に解き放たれる。これが宋江たち百八人の好漢たちに生まれ変わって物語が始まるのである。その他では『三国志演義』と同じように魔術師的キャラクターも登場する他、追い詰められた宋江に加護を与える女仙人・九天玄女の存在（この作品のオリジナルではなく、中国神話のキャラクター）などはあるが、物語をメインで動かしていく要素ではない。

説話

日本や中国の物語としては説話も見逃せない。説話とは口伝えで伝えられる物語のうち散文、つまり歌の形ではないものを指す。特に文学用語では短編作品を指し、ここで紹介したいのもそれらだ。

説話をまとめて本にしたものを説話集といい、日本では『今昔物語』『宇治拾遺物語』などが有名だ。特に仏教の教えが深く関わっていたり、高僧の起こした奇跡にまつわる物語などは仏教説話と呼ばれ、日本最古の説話とされる『日本霊異記』を始め多くの作品が知られている。

中国の説話が日本に入ってきてまとめられた本もあるが、中国でもさまざまな説話を収録した本がある。神々や妖怪、この世の不可思議な物語を収録した『捜神記』、神仙の物語をまとめた『神仙伝』など枚挙にいとまがない。

これらは基本的に短い話で、現代の感覚でいうと「オチが付いていない」「モラルがない」「どういうことなのかよく分からない」などと感じることもあるだろう。しかし、それはむしろチャンスだ。この物語の真実はどこにあるのか、現代ならどんなふうにこの怪異が現れるのか……と考えることで、あなたが物語を創作するのに大いに役立つはずだ。アイディアがない時に、深く考えずつらつらと見ていくと目につく物語があったり、「あ、狐に化かされる話が多いな」など感じるところがあるだろう。そのひらめきを創作に生かしてほしい。

日本や中国の物語・伝説

日本の物語

『**竹取物語**』『**桃太郎**』など、日本人が親しんできた物語がある
→意外に知られていない背景があるなど、創作の余地は大きい

中国の物語

道教の神話観を背景にした『**西遊記**』や、
実際の歴史的事件を脚色した『**三国志演義**』『**水滸伝**』など
→大なり小なりファンタジックな要素が入ってくるものも多い

説話

口承で伝えられてきた短い物語。しばしばオチがない
→結末や背景、展開を考えるための材料としてピッタリ！

実際、近代文学にはしばしばこのような説話、あるいは古い物語に取材し、そこに作者独自の着想や問題提起を加味して物語とする作品が見られるのである。例なしでは発想の参考にするのも難しいだろうから、一例を挙げよう。

代表的なものに芥川龍之介の『羅生門』が挙げられる。この作品の元ネタとなったと考えられているのは『今昔物語集』巻第二十九、第十八「羅城門登上層見死人盗人語」だ。これは「羅生門の二階に入った盗賊が灯りを見て近づいてみると、死体から髪を抜く老婆がいた。盗賊は死体と老婆の衣服、さらに髪の毛を奪って立ち去った」という物語である。

芥川龍之介はここに「主人公の男は仕事を失って盗賊にでもなってやろうかと考えているが決断はつかない」「老婆が言うところには、死体たちは悪人ばかりだから、髪を抜かれても仕方がない奴らばかりである」という設定をつけ、生きるために悪をなすのは許されるのか、という本来の物語にはなかったテーマを持ち込んでいる。このような発想をすることで、古い物語に新しい命を与えることが可能なのだ。

㉖ヨーロッパ伝説、説話、物語

ヨーロッパの物語群

日本や中国に伝説や説話の伝統があるように、ヨーロッパにも数々の物語が伝わっている。本書で紹介してきたような神話群、アーサー王伝説のような英雄譚、民間説話（フォークロア）に妖精譚（フェアリーテイル）などなど、無数に挙げることができる。

それらの中でも、口伝えで伝えられてきた口承文芸を現代に保存しているものとして特に有名なのが、グリム兄弟の『グリム童話』だ。これは口承文芸として伝えられていたもの、あるいは既に他の童話集などに収録されていたものをグリム兄弟が改めてまとめ直し、あるいは再話した物語群である。魔法が関わるもの、動物が活躍するもの、お笑い話など多種多様な物語が収録されている。

ここではアニメや映画の原作になるなどして現代でも有名なものを、いくつか紹介しよう。

◇『白雪姫』

主人公は雪のように白いから「白雪姫」と呼ばれた王女。母は彼女を産んで亡くなり、継母になった女性は魔法の鏡に白雪姫のほうが美しいと言われて彼女を抹殺しようと企む。

逃された白雪姫は七人の小人に匿われるが、継母の企みで毒リンゴを食べさせられ、死ぬ。その美しさを見込んだ王子が運ばせるうちに毒リンゴが喉から外れ、白雪姫は蘇る。

◇『シンデレラ』

主人公は継母とその子たちに虐げられる少女。名前シンデレラはもともとフランス語でサンドリヨン、「灰かぶり」の意味である。こき使われて台所の灰の上に座っているところから来た名前だ。

王子の開いた舞踏会に連れて行ってもらえず泣く彼女のもとに現れた魔女はカボチャを馬車に、ネズミを馬に変え、シンデレラを美しく変身させて舞踏会へ送り込む。王子と踊って楽しい時を過ごしたものの夜中の十二時になったので急いで戻らねばならず、ガラスの靴を置いて去る。王子は靴の合う娘を探し、シンデレラがこれに合致したため、王子の妻になる。

◇『ヘンゼルとグレーテル』

貧しい木こりの夫婦のもとに生まれた兄妹、ヘンゼルとグレーテルが主人公。夫婦は子どもを森の中に捨ててしまう。道に迷った二人はお菓子の家を発見し、それを食べて飢えを凌ぐ。

中から現れた魔女に招かれてみると捕らえられてしまう。魔女はヘンゼルを太らせてから食おうと考え、一方でグレーテルはパン焼き窯の中に放り込もうとしたが、逆に反撃を食らって自分が焼け死んでしまう。魔女の持っていた宝石を手に、二人は帰宅する。

◇『赤ずきん』

赤ずきんを被った少女が祖母を訪ねて行く途中、狼に出くわす。赤ずきんに話を聞いた狼は先回りして祖母を食い殺し、祖母に入れ替わって赤ずきんを待ち伏せてやはり食べてしまうのだった。

フランスのペローが自分の童話集に収録したものでは話がここで終わっている。しかしグリム版では猟師が腹の中から祖母と赤ずきんを救うハッピーエンドになっている。

これらの物語は非常に知名度が高く、物語のモチーフやパロディの素材に使うのに適している。さまざまなエピソードを追加する余地もあるし、考察して新たな真実を導こうとするのも良いだろう。継母が白雪姫を殺そうとしたことに真相があったとしたら？　魔女はどうしてシンデレラを助けてくれたのだろうか。ヘンゼルたちは本当に魔女の魔の手から逃げ出し切れたのだろうか。グリム兄弟が赤ずきんの物語にハッピーエンドを付け足した真意とは……。

あるいは、物語の構造だけをもらってくる手もある。子どもが人食いに襲われて間一髪逃げ延びる（逃げられない）話も、可哀想な立場の人物が魔法使いなどの助けで救われる話も物語の定型の一つであり、それらのフォーマットを元にさまざまな物語が作られてきた。それはつまり、聞く人が「面白い」と感じる物語のパターンがそこにある、ということだ。

また、これらの物語は当時の人々の願望や生活と直結しているところも見逃せない。村の中は安全だが、外れにまで出ると狼や熊のような野獣の危険がある。貧しい庶民は子減らしをしなければならないこともある。再婚、政略結婚、養子などの事情から家の中で深刻な対立が起きうる。そして、苦しい生活の中にある時、魔女や王子の助けがいつかあると信じるのは心の助けになるのだ。

妖精

フェアリーテイルという呼び名からも分かる通り、ヨーロッパの物語にはしばしば妖精が出てくる。紹介してきた中では、『白雪姫』の七人の小人たちがそうだ。彼らは人々のすぐそばに住んでいることもあるが、もっともふさわしい場所は村外れや森の中だろう。基本的に故郷から出ることなく暮らす古代や中世の人々にとって、森は異界であった。そこに妖精が住むのは当たり前のことだったのだ。

人々は自然の不思議なあり方に妖精の姿を見た。何か幸運や不運があれば彼らのせいにして納得した。この点、妖精物語は神話とよく似ている。

彼らの姿や性質はそれぞれだ。人間そっくりのもの、動物に近いもの、もっと奇怪なもの（死を告げる首なし騎士デュラハンあたりが代表的だろうか）。美しいものもいれば、醜いものもいる。人間の仕事を手伝ったり代わりにやったりしてくれる友好的な妖精もいれば、悪戯を仕掛けてくる妖精もいる（同じ妖精が報酬をもらえたら手伝いを、もらえなければ悪戯を、というケースもあったようだ）。

しかし、本書は神話にフィーチャーしたものであるから、ここはやはり神話との関係で妖精を見たい。ケルト神話では、妖精とは本来巨大な神であったトゥアハー・デ・ダナンが信仰を失って小さくなり、「常若の国」など異界に住むようになった姿であると説明する。ケルト神話の流れをくむアーサー王伝説にはフェイと呼ばれる妖精たちがいて、時には騎士たちを助け、時にはその運命を捻じ曲げる。

ヨーロッパの伝説・説話

ヨーロッパの物語

神話や英雄譚、妖精譚など、ヨーロッパにもさまざまな物語がある

↓

口承文芸を現代に伝えるのが『グリム童話』

白雪姫やシンデレラなど知名度の高いものをパロディにしたり、
その真相を考えてみたり

妖精

善玉から悪玉まで、
妖精が登場する物語は数多い

↓

神話的には、「神々が神秘を失った後の姿」という解釈ができる

魔女

村外れや森の中に暮らす、
特別な技術や力を持つ存在

↓

物語の敵になることも、
被害者として描かれることも

　ギリシャ神話では美しい女妖精たち、ニンフが登場する。彼女たちは海や川、山や森などの化身であったり、国や地域の守護神的存在であったり、神々に仕えていたりする。神話には、彼女たちと人間の恋物語が多種多様に語られているのだが、両者の立場や性質の違いから悲恋に終わることが多いようだ。特に樹木のニンフはドライアドと呼ばれ、ファンタジー世界でもしばしば見られる。

魔女

　森に住まうのは妖精たちばかりではない。魔女もまた、深い森の中で暮らしている……と、人々は語った。魔女とはいうが、男性も一部いたらしい。しかし数としては極少数だったので、魔法使いと呼ぶこともあれば、魔女という言葉で男女双方を指すこともある。

　魔女とはどんな存在だろうか。もっとも根幹的なイメージとしては「悪魔と契約し、怪しげな術を操るものたち」だろう。付属的には「箒で空を飛ぶ」「集まって集会（サバト）を開き、悪魔を召喚して淫らな行為に耽る」「三角帽子をかぶっている」「老婆あるい

は魅力的な美女」などの特徴がある。また、魔女を単に「魔法を使う人間」ではなく、神や妖精に近い特別な存在と見ることもある。ゆえに殺すためには特別な方法が用いられる。

魔女の源流を遡っていくと、キリスト教布教前のヨーロッパにあった古い信仰と、その司祭たる巫女、シャーマンに突き当たる。彼女たちは人々のために呪術や薬での治療、伝承された知識の開陳などを行っていた。しかしキリスト教によって悪魔の手先と認定され、魔女の烙印を押された……というわけだ。

ところで、現代に入ってこのような古代の魔女を復興させようという動きがあったのはご存知だろうか。彼女たちはキリスト教的な魔女のイメージから脱却するためか古代英語で魔女を意味する「ウィッカ」を名乗る。

魔女の中でも特に名を知られたものとして、スラヴの伝説で語られるバーバ・ヤガーがいる。彼女はシワだらけの老女なのだが、その暮らしと能力は相当に奇妙だ。家にはめんどりの足が生え、勝手に歩く。その建材は彼女の大好物である子どもたちの骨で、塀の上には頭蓋骨でできたランタンが周囲を照らしている。彼女が出かける時（子どもを捕まえる時！）はすり鉢に乗って空を飛び、周囲には嵐が巻き起こる……。

バーバ・ヤガーは恐ろしい存在だ。しかし人間が立ち向かえない相手ではない。多くの物語では、主人公は機転や不思議な存在の助けで彼女を出し抜く。例えば、継母や義理の姉妹たちにいじめられていた少女がバーバ・ヤガーのもとで働かされるも、実母の遺してくれた人形の助言で切り抜ける話がある。彼女が屋敷の塀にあった頭蓋骨を持って家に帰ると、頭蓋骨が光を放って意地悪な義母たちを灰にした……試練へのご褒美という形なのだろうが、なかなか残酷だ。

あるいは、バーバ・ヤガーが援助者として機能する物語もある。薔薇の花を捧げることで力を貸してくれたりするし、スラヴ神話の項で紹介したマリヤと不死身のコシチェイの争いにおいて、マリヤに不思議な馬を貸したのはバーバ・ヤガーだったのである。この辺り、キリスト教的価値観において邪悪とされた魔女像と、古い神やそれに仕える存在としての魔女像のせめぎ合いを感じるエピソードではないだろうか。

㉗都市伝説

都市伝説は現代の神話

都市伝説には「現代の神話」という側面がある。かつて、古代の人々が自然の不思議を理解するために神や精霊の存在をそこに当てはめたように、今の私たちは都市の不思議に妖怪や幽霊の存在、国家や企業の陰謀を見出す。そうすることで（真偽はともかく）納得し、安心するわけだ。

もちろん、もっとシンプルに「ショッキングな話」「いかにも本当らしい話」「オチが効いて面白い話」が噂話やインターネット掲示板やSNS、マスメディアなどで面白がられて広まっていくケースも多い。

どちらにせよ、現代を生きる私たちにとって、都市伝説は（かつての神話がそうであったように）娯楽化し、消費されている部分が大きい。これはエンターテインメントを作っていきたい読者の皆さんにも大いに役立つはずなので、ここでいくつか紹介する。

UMAとUFO

私たちの知らないところに怪物がいる、というパターンがある。それは「湖に巨大生物が住み着いている」というものであったり、「下水道に白いワニが住み着いている」ものであったりした。

湖の巨大生物といえば、その代表選手はなんと言っても「ネス湖のネッシー」だ。イギリスのネス湖で古代の地球に棲息した首長竜を彷彿とさせる巨大生物が目撃されたのである。ブームを巻き起こし、各地で同種存在が目撃されたものの、少なくともネッシーについては「証拠とされた写真の撮影関係者がイタズラと自白」「ネス湖では酸素が足らず、巨大生命が湖でひそかに生きていくのは難しい」ということから信憑性は非常に低くなっている。

白いワニの話は一九六〇年代のニューヨークで生まれたのだが、現代日本で語られるにあたっては独自の進化を果たしているとされる。近年警告される「ペットの外来種が捨てられて育った」話を取り込み、ワニはもともとペットだった、となったのだ。

知られざる生命……といえば、「宇宙人」も欠かせない。別の星に人間あるいはそれに準じる生命がいるのでは、というのはそれこそ『竹取物語』などで分かるように古くからある発想だ。特に望遠鏡の発見が人々の空想を加速させ、火星の地表に見られる筋が運河なのではないか、火星人がいるのではないか、という説が巷間に広まった。火星人＝タコ型宇宙人というのは、もっとも古典的な宇宙人イメージの一つであろう。

その宇宙人の乗り物としてよく知られているのが、いわゆるＵＦＯだ。ただこの言葉は本来「未確認飛行物体」の意味であって、必ずしも宇宙船だけに限定しない言葉であることに注意したい。

ＵＦＯが最初に目撃されたのは一九四七年、アメリカでのことだ。この時の目撃証言から「空飛ぶ円盤（フライングソーサー）」の通称が定着し、円盤状の飛行物体であると解釈され、実際にのちの目撃証言ではそのような形状のものも多い。ただ、実際の証言ではソーサー（カップの受け皿）のように飛んだと言っているのであって形のことは言っていない。

やがてこの二つの伝説が結びつき、「宇宙船の中で金星人と出会った」「牧場で牛が内臓を失って死んでいるキャトルミューティレーション現象は、地球を偵察するＵＦＯの仕業だ（実際には自然現象とされる）」「アメリカ政府はＵＦＯを既に回収し、秘密基地エリア51で研究が進んでいる」などの物語が語られるに至った。

身近な都市伝説

都市に潜む怪物や脅威など、生活空間の都市伝説をいくつかピックアップしてみよう。

大定番は「口裂け女」だろう。「私きれい？」と話しかけてきた若い女の口にはマスクがかかっている。「きれい」と答えると彼女はマスクを取る。その口は耳まで裂けていた――。ちなみに「ブス」と答えると殺されてしまうので、彼女が苦手だという「ポマード」の名を呪文として三度唱えるか、逆に好物だというべっこうあめを投げて食べている間に逃げるのが対処法であるという。

口裂け女は一九七〇年代末から語られてきた古株だが、わりあい新人で同タイプの都市伝説が「ひきこさん」だ。美少女であることから「ひいきだ」といじめを受けて引きずられ、顔にひどい傷を作ってしまった彼女は引きこもるようになった。しかし自分の顔をあまり見られない雨の日には出かけ、子どもを見つけては引きずり、醜い肉の塊にしてしまう、という……。

若者の生活空間といえば学校だ。学校には都市伝説（怪談）がつきもので、多種多様に語られている。それらを総称して「七不思議」と呼ぶ。特定のトイレの戸を叩くことで現れる「トイレの花子さん」や、音楽室の肖像画が動き出す、などが典型的だが、地域によって、学校によって、そして時代によってどんな構成になるかは違うようだ。

また、何かを集めたり数えたりするパターンは、シンプルに予定通りの数を揃えておしまい、ではつまらない……という発想がある。これに従っているのか、七不思議もしばしば「七つ知ったら死ぬ」「八番目がある」などのさらなる展開があることも多いようだ。

都市伝説は変遷する

神話や伝説は語られる中で姿を変えるものだ。大まかには同じ話なのだが、語り継がれる中で細部が変わることは珍しくない。出てくるキャラクターが変わったり、結末が変わったりするわけだ。

現代の神話たる都市伝説も、もちろん時代と場所によって多種多様に変わる……のだが、ここではちょっと変わった変化をした都市伝説を紹介したい。それは「棒の手紙」と呼ばれるものだ。

ベースになったのはいわゆる「不幸の手紙」である。ある日突然届いた不審な手紙には「同じ内容のものを書き写して何人に送らなければ不幸がやって来る……」というもので、後にインターネット時代へ移行するにあたっては手紙からメールに変更したりする。

では、棒の手紙とは何か。不幸の手紙の「不幸」のところが「棒」になっているのである。手紙を単体で見たら何のことだか分からないが、「棒が追いかけてくる」というのには奇妙な恐ろしさがある。

しかし、ベースが不幸の手紙であると理解できれば正体が分かる。何度も書き写されるうちに文字が崩れ、「不幸」が「棒」になったわけだ。これはＳＦ作家の山本弘氏が自ら大量の手紙を確認して解き明かしたもので、氏のウェブサイトに研究成果が掲載されている。

このように経緯がはっきり分かっている都市伝説であるにもかかわらず、棒の手紙は別の都市伝説にまで派生してしまっている。「棒の手紙を出すと嫌いな相手を呪える」「呪われると棒が追いかけてきて、追いつかれると自分が棒になる」「あるいは死に、死体が棒のように真っ直ぐになる」「とにかく逃げるか、手紙を出した相手を見つけなければならない」といった具合だ。物語は変化する、のである。

新しい文化と都市伝説

新しい文化や社会的問題が受容される中での衝突、不信、疑惑が都市伝説として表れることもある。

「耳たぶから出てくる白い糸」の話は特によく知られているだろう。ピアスの穴を開けようと耳たぶに穴を開けると白い糸が出てきて、それを切ったら実は視神経だったので失明してしまった、というものだ。もちろん、そんなところに視神経はない。白い糸自体は出てくることがあるようだが、切っても害はない。

「ファーストフードの奇妙な材料」も定番だ。ハンバーガーのパティがミミズのミンチからできていたり、牛丼の肉が牛ではなく特別なネズミであったりする。冷静に考えれば「そんな特別なことをするより普通に肉を買った方が安い」のだが、ファーストフードという新しい文化を受容する際の不信が表に出たのか、それとも一九九一年の牛肉の輸入自由化によって肉の値段が下がったことがこのような都市伝説を生み出したのだろうか。古くから「羊頭狗肉（羊の頭を展示して犬の肉を売る）」という言葉もある。「名と実が一致するとは限らない」という認識が世の人々にあるからこそ、このような都市伝説は生まれるのかもしれない。

陰謀論

陰謀論とは、社会における出来事や事件などの裏に、国家や企業、民族などによる陰謀があるのでは、という考え方だ。秘密結社「フリーメーソン」の陰謀がど

都市伝説

都市伝説

現代社会で語られる、
時に現実離れしたさまざまな噂話
↓
人々が社会を納得・理解するための
「神話」という側面もあるのでは

①UFOやUMA
知られていない生き物や宇宙人は実在する!?

②都市の驚異
生活の身近なところに私たちを襲う悪意が!?

③陰謀論
社会は謎の組織の陰謀で動かされている!?


うとか、「300人委員会」が闇の世界政府なのだとか、日本にも「八咫烏」という秘密機関がある、とか。

人はどうして物事を陰謀のせいにしてしまうのだろうか。それは社会の動きや世界情勢などを専門的な知識などなしに見た時、「陰謀があったとすれば説明できる！」となってしまうから、であるようだ。実際にはもっと複雑な仕組みが背景になっていたり、一人の黒幕ではなく複数の勢力の思惑が絡み合った結果としての現状なのに、単純な見方で解決する快感に溺れてしまう……それが陰謀論なのだ。

この心の動きは神話や都市伝説の発生によく似ている。私たちは「神が雷を落とす」という話は笑い飛ばすのに、「雷の中には謎の組織の秘密兵器の実験が混ざっている」と言われればもしかしてと思ってしまう。陰謀論もまた、現代の神話といって良いのではないか。

また、本書でここまで紹介してきた神話や伝説についても、陰謀論と結びつけやすい。神話的事件は宇宙人や超古代文明のテクノロジーによって起きたもので、それらの真実が明かされないのは陰謀によるものだ、というわけである。

おわりに

さて、本書を読んでみて、いかがだっただろうか。

本書は既に述べてきたとおり、第一に創作補助のために執筆されたものではあるが、それだけではなく神話の面白さ、楽しさ、豊穣さが皆さんに伝わるよう、読み物としても興味深く面白くなるよう、心をこめて執筆したつもりだ。古代の人々は自然現象や歴史的事件、人の営みを自分たちなりに解釈し、長い時間をかけてこれほどまでの物語を作り上げたのである。

まずこのことに思いを至らせれば、自分が作る物語というものにも少なからず変化があるはず。頭の中でこねくり回して小手先の面白さを見出そうとするよりも、もっと「この物語を楽しんでくれるのはどんな人か」「自分はこの物語で何を作り出そうとしているのか」を考えられるようになるはず。私はそう思うのだが――さて、皆さんはどうだろうか。

そのような観念的な話はともかくとして、やはり本書が創作のための、実用的な本であることに間違いはない。この「おわりに」にたどり着いた皆さんは、基本的には本書を一通り読まれた方であろうと思う。神話的な人物や事件についてすべて記憶するのは無理でも、本書で紹介している「神話を物語に取り込む方法」や「神話の基本的な考え方」、そして「神話における具体的な事物やエピソード」が一部あるいは断片的に頭の中に入ったのではないだろうか。それをぜひ、物語に取り込んでほしい。

加えてもう一つ強調させてほしいのは、「神話の時代の人々と現代を生きる私たちでは、価値観が決定的に違う」ことだ。現代、神々が身近に息づいていると感じられる人は多くない。「何がやってよくて、何がやってはいけないか」の判断基準もかなり違う。さらにエンターテインメントの水準も大きく異なり、今の私たちの目で見ると神話はしばしば「盛り上がりどころが少ない」「唐突に終わる」ように感じられることがある。しかし逆にいえば、だからこそ神話はエンターテインメントの素材として優れている——現代人の価値観やエンターテインメントの技法を持ち込むことでオリジナルと違う物語を作ることができる——ということでもあるのだ。これは、神話を紹介する本を作ろうと考えた動機のかなりの部分を占める事実である。

なお、本書はタイトルにも記したとおり、事典的な使用法も強く意識している。これまでのシリーズと比べても幅広い地域を舞台にしているだけに、一気に読むよりは必要に合わせて目を通したほうがいいかもしれない。一例として、特定の神話について情報がほしい時に該当のページをあたってみたり、漠然と何かアイディアがほしい時にペラペラめくってみたりしてほしい。

「はじめに」でも紹介したとおり、本書は『物語づくりのための黄金パターン　世界観設定編』シリーズの四冊目にあたる。先立つ本として『中国と中華風』『異世界ファンタジー』『中世ヨーロッパ』があり、最後に『古代日本』を刊行して、計五冊のシリーズとなる予定だ。

最後に。本書については元原稿の大部分を諸星崇氏に執筆いただき、そこに榎本秋及び榎本海月、そして榎本事務所メンバーによって加筆や修正をして完成に至ったものであることを、ここに明記するものである。また、本書の他にも、私が所属する株式会社榎本事務所では創作に役立つ書籍の制作、また情報発信などを行っている。最新情報は公式サイトで随時告知しているため、ぜひ「榎本事務所」で検索してみてほしい。

榎本秋

主要参考文献一覧

・『日本大百科全書』（小学館）
・『改訂新版　世界大百科事典』（平凡社）
・『世界の神話伝説図鑑』（著：フィリップ・ウィルキンソン／日本版監修：井辻朱美／訳：大山晶／原書房）
・『世界の神々・神話百科』（著：フェルナン・コント／訳：蔵持不三也／原書房）
・『世界神話事典』（著：編：大林太良、伊藤清司、吉田敦彦、松村一男／角川学芸出版）
・『世界の神話』（著：マイケル・ジョーダン／訳：松浦俊輔他／青土社）
・『世界の神話１０１』（編：吉田敦彦／新書館）
・『火の起源の神話』（著：J・G・フレイザー／訳：青江舜二郎／筑摩書房）
・『世界　神話と伝説の謎』（著：ニール・フィリップ／訳・監修：松村一男／ゆまに書房）
・『死にカタログ』（著：寄藤文平／大和書房）
・『世界神話学入門』（著：後藤明／講談社）
・『早わかり旧約聖書』（著：生田哲／日本実業出版社）
・『楽しく学べる聖書入門』（監修：関田寛雄／ナツメ社）
・『世界史辞典』（編：前川貞次郎、会田雄次、外山軍治／数研出版）
・『口語訳　古事記』（著：三浦佑之／文藝春秋）
・『八百万の神々』（Ｔｒｕｔｈ　ｉｎ　Ｆａｎｔａｓｙ31）（著：戸部民夫／新紀元社））

・『ギリシア・ローマ神話（1）～（3）』（著：グスターフ・シュヴァープ／訳：角信雄／白水社）
・『ギリシア神話　神・英雄録』（Truth in Fantasy16）（著：草野巧／新紀元社）
・『北欧の神話伝説』（世界神話伝説大系29―30）（編：松村武雄／名著普及会）
・『ケルト神話』（Truth in Fantasy85）（著：池上正太／新紀元社）
・『アイルランド　自然・歴史・物語の旅』（著：渡辺洋子／三弥井書店）
・『オリエントの神々（Truth in Fantasy74）』（著：池上正太／新紀元社）
・『虚空の神々』（Truth in Fantasy6）（著：健部伸明と怪兵隊／新紀元社）
・『マヤ・アステカの神々』（Truth in Fantasy69）（著：土方美雄／新紀元社）
・『知っておきたい世界と日本の神々』（監修：松村一男／西東社）
・『日本伝説体系　第1巻　北海道・北奥羽編』（編：宮田登／著：阿部敏夫、渋谷道夫、成田守、矢島睿／みずうみ書房）
・『アイヌの世界観』（著：山田孝子／講談社）
・『アメリカ先住民の宗教』（著：ポーラ・R・ハーツ／訳：西本あづさ／青土社）
・『クトゥルフ神話超入門』（監修：朱鷺田祐介／新紀元社）
・『図解　クトゥルフ神話』（F Files no.002）（著：森瀬繚／新紀元社）
・『怖い女　怪談、ホラー、都市伝説の女の神話学』（著：沖田瑞穂／原書房）
・『日本現代怪異事典』（著：朝里樹／笠間書院）

【編著者略歴】榎本秋
文芸評論家。各所で講師を務める一方、作家事務所を経営。主な著作に『物語を作る人必見！登場人物の性格を書き分ける方法』(玄光社)、『100のあらすじでわかるストーリー構成術』(ＤＢジャパン)など。本名(福原俊彦)名義で時代小説も執筆。

【著者略歴】諸星崇
作家・シナリオライター。2005年より活動開始。本書の同シリーズ『中世世界の創作事典』をはじめ、ライトノベル、ノベライズ、ゲームシナリオ、ドラマCD、舞台脚本、各種解説書など幅広く執筆中。『ラスト・フェニックス』(角川スニーカー文庫)、『パズドラクロス』(双葉社ジュニア文庫)ほか。

【著者略歴】榎本海月
ライター、作家。専門学校日本マンガ芸術学院小説クリエイトコースで担任講師を務める。『物語づくりのための黄金パターン』シリーズ(ＤＢジャパン)など、榎本秋・榎本事務所との共著多数。他、暁知明名義で時代小説を執筆。

物語づくりのための黄金パターン
世界観設定編④
神話と伝説のポイント27

2023年2月10日　第1刷発行

編著者	榎本秋
著者	諸星崇・榎本海月・榎本事務所
発行者	道家佳織
編集・発行	株式会社DBジャパン 〒151-0053 東京都渋谷区代々木2-23-1 ニューステイトメナー865
電話	03-6304-2431
ファックス	03-6369-3686
e-mail	books@db-japan.co.jp
装丁・DTP	菅沼由香里（榎本事務所）
印刷・製本	大日本法令印刷株式会社
編集協力	鳥居彩音・槙尾慶祐（ともに榎本事務所）

ISBN978-4-86140-328-6
Printed in Japan 2023

※本書は2019年3月25日に株式会社秀和システムより刊行された『神話と伝説の創作事典』を底本に、増補・改訂を行ったものです。